Sprachniveau
B1+

Anne Buscha ◆ Szilvia Szita

Begegnungen

Deutsch als Fremdsprache

Integriertes Kurs- und Arbeitsbuch

Sprachniveau B1+

2., veränderte Auflage

Mit Zeichnungen von Jean-Marc Deltorn

SCHUBERT-Verlag
Leipzig

Die Autorinnen von **Begegnungen** sind Lehrerinnen am Goethe-Institut Niederlande und verfügen über langjährige Erfahrungen in Deutschkursen für fremdsprachige Lerner.

Bitte beachten Sie unser Internet-Angebot mit zusätzlichen Aufgaben und Übungen zum Lehrwerk unter:

www.aufgaben.schubert-verlag.de

Das vorliegende Lehrbuch beinhaltet einen herausnehmbaren Lösungsschlüssel sowie zwei CDs zur Hörverstehensschulung.

 Hörtext auf CD (z. B. CD 1, Nr. 2)

Zeichnungen: Jean-Marc Deltorn
Fotos: Andreas Buscha (DGPh), Diana Becker
Layout und Satz: Diana Becker

Die Hörmaterialien auf den CDs wurden gesprochen von:
Burkhard Behnke, Claudia Gräf, Judith Kretzschmar, Axel Thielmann

Inhaltsverzeichnis

Kursübersicht

Kapitel 1 — Zeit und Zeitvertreib

Sprachliche Handlungen	Sich und andere vorstellen • Den Tagesablauf beschreiben • Über Tätigkeiten berichten • Über Zeit, Zeitverschwendung und Pünktlichkeit sprechen • Sich über Museumsangebote informieren • Eine Grafik beschreiben • Eine Auswahl treffen • Über Bilder und bildende Kunst sprechen • Auf eine Einladung zu einer Veranstaltung reagieren
Wortschatz	Angaben zur Person • Tagesablauf • Tätigkeiten • Zeit • Museen • Kunst
Grammatik	Vergangenheitsformen der regelmäßigen und unregelmäßigen Verben • Mischverben • Verben mit Präpositionen • Genus der Nomen • Temporale Präpositionen und Adverbien
Fakultativ (Teil B)	Gerhard Richter: Deutschlands international erfolgreichster Maler

Kapitel 2 — Arbeit und Beruf

Sprachliche Handlungen	Über Berufe, berufliche Tätigkeiten, Fähigkeiten und Eigenschaften sprechen • Den eigenen Beruf beschreiben, Vor- und Nachteile benennen • Die eigene Meinung äußern • Vorschläge unterbreiten • Termine vereinbaren und absagen • Telefonisch Informationen erfragen und geben • Informationen weiterleiten • Über Umgangsformen im Beruf berichten • Smalltalk führen • Einen Brief über die Arbeit schreiben
Wortschatz	Berufe • Berufliche Tätigkeiten • Meinungsäußerung • Termine • Telefonieren • Berufliche Umgangformen
Grammatik	Modalverben • Konjunktiv II: Höfliche Bitte • Rektion der Verben • Infinitiv mit *zu* • n-Deklination
Fakultativ (Teil B)	Stellenanzeigen und Bewerbungen

Kapitel 3 — Lesen und fernsehen

Sprachliche Handlungen	Über das eigene Leseverhalten berichten • Eine Buchauswahl treffen und begründen • Über Lesestrategien sprechen • Über ein geschichtliches Ereignis sprechen • Hypothesen formulieren • Über verschiedene Medien sprechen • Über das Fernsehprogramm und das Fernsehverhalten diskutieren • Grafiken beschreiben • Eine E-Mail schreiben
Wortschatz	Lesen • Bücher und Buchdruck • Medien und Zubehör • Fernsehen
Grammatik	Sinngerichtete Infinitiv-Konstruktionen • Passiv: Präsens, Präteritum, Perfekt • Passiv mit Modalverben • Konjunktiv II: Gegenwart und Vergangenheit • Reflexive Verben
Fakultativ (Teil B)	Die Welt der Nachrichten

Kapitel 4 — Werbung und Konsum

Sprachliche Handlungen	Über Werbung sprechen • Informationen aus Werbeanzeigen entnehmen • Produkte und ihre Eigenschaften beschreiben • Werbetexte verfassen • Ein längeres Verkaufsgespräch führen • Sich nach Einzelheiten erkundigen • Sich über Ware und Lieferverzögerungen mündlich und schriftlich beschweren
Wortschatz	Werbung • Produkteigenschaften • Einkaufen • Beschwerde
Grammatik	Adjektive: Deklination und Komparation • Partizipien als Adjektive • Relativsätze • Die Funktionen von *werden*
Fakultativ (Teil B)	Kaufen und schenken • Zwei literarische Texte: Menschen, die einkaufen (Wladimir Kaminer); Die erste Tante sprach … (Wilhelm Busch)

Vorwort

Begegnungen B1⁺ ist ein modernes und kommunikatives Lehrwerk. Es richtet sich an erwachsene Lerner, die auf schnelle und effektive Weise Deutsch lernen möchten. Das Lehrbuch berücksichtigt die sprachlichen, inhaltlichen und intellektuellen Anforderungen erwachsener Lerner.

Begegnungen B1⁺ bietet:

■ **einen klar strukturierten Aufbau**

Die acht Kapitel des Buches sind in jeweils vier Teile gegliedert:

Teil A: Themen und Aufgaben (obligatorischer Teil)

Dieser Teil umfasst Lese- und Hörtexte, Wortschatztraining, Übungen zur mündlichen und schriftlichen Kommunikation und Grammatikübungen zu einem Thema. Hier werden grundlegende Fertigkeiten einführend behandelt und trainiert.

Teil B: Wissenswertes (fakultativer Teil)

Im Teil B finden Sie landeskundliche oder literarische Texte, Grafiken und Übungen, die auf interessante Weise das Thema erweitern und landeskundliche Einblicke vermitteln. Teil B geht über die Anforderungen des Europäischen Referenzrahmens hinaus, ist aber durchaus bereits auf diesem sprachlichen Niveau zu bewältigen.

Teil C: Übungen zu Wortschatz und Grammatik

Dieser Teil ermöglicht mit zahlreichen Übungen die Vertiefung der Wortschatz- und Grammatikkenntnisse. Er enthält auch systematisierende Grammatikübersichten.

Teil D: Rückblick

Teil D besteht aus drei Komponenten: Redemittel, Verben und Selbstevaluation. Er dient zur Festigung des Gelernten und zur Motivation weiterzulernen.

■ **die Integration von Lehr- und Arbeitsbuch in einem Band**

Dadurch sind Vermittlung sowie Training und Übung des sprachlichen Materials eng miteinander verflochten. Das ist unkompliziert, praktisch und ermöglicht effektives Lernen.

■ **eine anspruchsvolle Progression**

Mit dem Buch gibt es keine Langeweile. Die Progression ist auf erwachsene Lerner abgestimmt, die erkennbare Lernerfolge erzielen möchten. Ein durchdachtes Wiederholungssystem sorgt für die Nachhaltigkeit der sprachlichen Fortschritte.

■ **einen informativen Anhang**

Der Anhang enthält Übersichten zur Grammatik, die zum Nachschlagen verwendet werden können, sowie einen Vorbereitungstest auf die Sprachprüfung *Zertifikat B1*.

Das Lehrwerk enthält außerdem einen herausnehmbaren Lösungsschlüssel sowie zwei Audio-CDs zur Schulung des Hörverstehens.

Die Reihe **Begegnungen** führt in drei Bänden zum Niveau B1 des Europäischen Referenzrahmens für Sprachen und zur Prüfung *Zertifikat B1*. Die integrierten Lehr- und Arbeitsbücher mit beigefügten CDs werden ergänzt durch Lehrerhandbücher zu jedem Teil, die neben methodischen Hinweisen zahlreiche Arbeitsblätter und Tests zu den einzelnen Kapiteln enthalten, sowie Glossare. Außerdem werden vielfältige Zusatzmaterialien im Internet unter *www.aufgaben.schubert-verlag.de* bereitgestellt.

Wir wünschen Ihnen viel Freude beim Lernen und Lehren.

Anne Buscha und Szilvia Szita

Zeit und Zeitvertreib

Kommunikation

- Sich und andere vorstellen
- Den Tagesablauf beschreiben
- Über Tätigkeiten berichten
- Über Zeit, Zeitverschwendung und Pünktlichkeit sprechen
- Sich über Museumsangebote informieren
- Eine Grafik beschreiben
- Eine Auswahl treffen
- Über Bilder und bildende Kunst sprechen
- Auf eine Einladung zu einer Veranstaltung reagieren

Wortschatz

- Angaben zur Person
- Tagesablauf
- Tätigkeiten
- Zeit
- Museen
- Kunst

Sich vorstellen

A1 Fragen Sie Ihre Nachbarin/Ihren Nachbarn und berichten Sie.

a) Fragen Sie nach:

den Hobbys   dem Wohnort   dem Namen

dem Arbeitgeber/der Universität   dem Beruf   der Nationalität

b) Wählen Sie fünf Fragen für Ihre Nachbarin/Ihren Nachbarn aus.

- ☐ Können Sie kochen?
- ☐ Wie groß sind Sie?
- ☐ Können Sie Ihren DVD-Rekorder programmieren?
- ☐ Was war in der Schule Ihr Lieblingsfach?
- ☐ Freuen Sie sich auf Ihren nächsten Geburtstag?

- ☐ Was ist Ihre Lieblingsstadt?
- ☐ Wie viele E-Mails bekommen Sie pro Tag?
- ☐ Spielen Sie ein Instrument?
- ☐ Wo waren Sie das letzte Mal im Urlaub?
- ☐ Warum lernen Sie Deutsch?

Meine Nachbarin/Mein Nachbar heißt …
Sie/Er wohnt …
Sie/Er kann (sehr gut/nicht) kochen. …

A2 Personen und Tätigkeiten   1.02

a) Hören Sie die folgenden Texte zweimal.
Beantworten Sie die Fragen in Stichworten.

Name:	*Marcus Brauer*
Beruf:	....
Wann steht er auf?	....
Was macht er vormittags?	....
Was macht er nachmittags?	....
Was macht er abends?	....

Name:	*Carla Fröhlich*
Beruf:	....
Wann steht sie auf?	....
Was macht sie vormittags?	....
Was macht sie nachmittags?	....
Was macht sie abends?	....

Sich vorstellen

b) Lesen Sie den folgenden Text und ergänzen Sie die Verben in der richtigen Form.

> sein ◆ fahren ◆ arbeiten ◆ telefonieren ◆ lesen ◆ entwickeln ◆ finden ◆ treffen ◆ beantworten ◆ heißen ◆ beginnen ◆ gehen

Ich *heiße* Nico Brettschneider. Mein Tag .... früh um 6.30 Uhr. Ich .... um 7.00 Uhr mit dem Auto zur Arbeit. Das dauert ca. 45 Minuten. Ich .... Ingenieur und .... als Projektmanager für Verkehrssysteme. Im Büro lese und .... ich zuerst meine E-Mails. Danach .... ich mit Kunden. Um 9.00 Uhr haben wir unsere Abteilungsbesprechung. Ich arbeite eng mit meinen Kollegen zusammen. Wir .... neue Konzepte und sammeln gemeinsam Ideen. Oft müssen wir schnelle Lösungen für Probleme .... Abends bin ich gegen 19.00 Uhr wieder zu Hause. Mittwochs .... ich ins Jazz-Café zur Livemusik. Dort .... ich mich mit Marcus und Carla. Wenn ich abends sehr müde bin, sehe ich fern oder .... ein Buch.

Zeit und Tätigkeiten

A3 ## Diskutieren Sie mit Ihrer Nachbarin/Ihrem Nachbarn oder in kleinen Gruppen.

Welche Tätigkeiten empfinden Sie als angenehm, welche als unangenehm (aber notwendig), welche als störend und zeitraubend?

> schlafen ◆ auf den Fahrstuhl warten ◆ fernsehen ◆ im Internet surfen ◆ einkaufen gehen ◆ auf den Bus/die Straßenbahn/den Zug warten ◆ im Stau stehen ◆ E-Mails lesen und schreiben ◆ Musik hören ◆ mit Verwandten telefonieren ◆ mit Kunden telefonieren ◆ Essen kochen ◆ essen ◆ Bücher lesen ◆ Vorlesungen/Seminare/Kurse besuchen ◆ an Besprechungen teilnehmen ◆ über andere Leute reden ◆ sich mit Freunden treffen ◆ an einer Weihnachtsfeier im Betrieb teilnehmen ◆ …

angenehm	unangenehm (aber notwendig)	störend und zeitraubend

Zeitverschwendung

A4 Berichten Sie über die letzte Woche.

- ◻ Was haben Sie letzte Woche alles getan?
- ◻ Hatten Sie Zeit für alles, was Sie tun wollten?
- ◻ Wofür brauchten Sie zu viel Zeit?

Vergangenheitsform der Verben *(Wiederholung)* ⇨ Teil C Seite 25

A5 Fragen und antworten Sie.

Ergänzen Sie das Partizip Perfekt.

- ♦ Wie viele Stunden haben Sie heute Nacht *geschlafen?* *(schlafen)*

  Ich habe …

1. Wie oft haben Sie in der letzten Woche auf den Fahrstuhl ....? *(warten)*

2. Wie viele Stunden haben Sie gestern ....? *(fernsehen)*

3. Wie oft sind Sie in der letzten Woche ....? *(einkaufen gehen)*

4. An welchem Tag haben Sie im Stau ....? *(stehen)*

5. Wie viele E-Mails haben Sie .... *(lesen)* und wie viele E-Mails
   haben Sie ....? *(schreiben)*

6. Mit wem haben Sie vorgestern ....? *(telefonieren)*

7. Was haben Sie am Sonntag zum Abendessen ....? *(kochen)*

8. Wie viele Minuten hat das Abendessen ....? *(dauern)*

9. Haben Sie in der letzten Woche Bücher oder Zeitungen ....? *(lesen)*

10. Haben Sie Vorlesungen, Kurse oder Seminare ....? *(besuchen)*

11. An wie vielen Besprechungen haben Sie ....? *(teilnehmen)*

12. An welchem Abend haben Sie sich mit Freunden ....? *(treffen)*

A6 Womit verschwenden wir unsere Zeit?

a) Was bedeutet Zeitverschwendung? Markieren Sie die richtige Lösung.

- a) ◻ die Zeit sinnvoll und effektiv nutzen
- b) ◻ die vorhandene Zeit schlecht ausnutzen, mit überflüssigen Dingen verbringen
- c) ◻ schlafen und ausruhen

b) Was haben die folgenden Dinge mit Zeitverschwendung zu tun? Diskutieren Sie in Kleingruppen.

Fahrstuhl · Internet · Fernsehen · **Zeitverschwendung** · Klatsch und Tratsch · Handy · ???

c) Wo, wann bzw. womit verschwenden Sie Ihre Zeit? Berichten Sie.

A7 Lesen und hören Sie den folgenden Text. *1.03*

Haben Sie noch Zeit?

„Ich habe überhaupt keine Zeit!" oder „Ich bin total im Stress!", das sind Sätze, die wir jede Woche hören oder sagen. Doch warum? Was machen wir mit unserer Zeit? Tun wir nicht manchmal Dinge, die absolut nicht notwendig sind?

Denken Sie zum Beispiel an einen Fahrstuhl. Wie oft haben Sie schon auf den Fahrstuhl gewartet und während des Wartens ungefähr siebenmal auf den Fahrstuhlknopf gedrückt? Warum haben Sie nicht einfach die Treppe genommen und sind in den zweiten Stock gelaufen? Das ist mit Sicherheit die schnellere Variante, denn nicht nur das Warten auf den Fahrstuhl kostet Zeit. Wenn der Fahrstuhl endlich angekommen ist, öffnet sich die Tür, acht Menschen verlassen den Fahrstuhl, acht andere Menschen betreten den Fahrstuhl, jeder drückt eine andere Etage und kurz bevor der Fahrstuhl losfährt, öffnet sich die Tür noch einmal. Nummer neun möchte auch noch mitfahren.

Oder denken Sie an die Gespräche, die Sie jeden Tag mit Kollegen oder Freunden führen. Psychologen meinen, dass 60 Prozent aller Gespräche von Menschen handeln, die nicht anwesend sind. Das nennt man Klatsch und Tratsch. Nun ist es nicht sinnvoll, auf den Klatsch zu verzichten, denn aus den Fehlern der anderen können wir ja selbst etwas lernen. Wenn man aber die Gespräche um 50 Prozent verkürzt, spart man eine Menge* Zeit.

Auch mit den neuen Medien kann man sehr viel Zeit verschwenden. Es gibt Leute, die bei *eBay* einen Koffer für den Urlaub kaufen wollen und nach vier Stunden im Internet Besitzer eines Autos sind, obwohl sie gar keinen Führerschein haben. Und wie oft telefonieren Sie mit Ihrem Handy, um jemandem zu sagen, dass Sie gerade im Zug sitzen?

Der größte Zeitkiller aber ist das Fernsehen. Interessanterweise kennen Menschen, die gar keine Zeit haben, das Fernsehprogramm am besten. Sie wissen, dass der Talkshow-Moderator eine grüne Krawatte trug oder was in einer TV-Serie gerade passiert. Auf die Frage „Woher nimmst du so viel Zeit zum Fernsehen?" antworten sie immer das Gleiche: „Der Fernseher läuft bei mir nur nebenbei." Aber wir wissen natürlich, dass es nicht wenige Menschen gibt, die gar nicht in der Lage sind, zwei Dinge gleichzeitig zu tun.

*eine Menge = viel

A8 Eine E-Mail schreiben

Sie haben soeben einen interessanten Artikel zum Thema *Zeitverschwendung* gelesen. Sie möchten einem Freund/einer Freundin darüber berichten.

Schreiben Sie eine E-Mail an ihn/sie:

□ Beschreiben Sie: Was sagt der Text über Zeitverschwendung im Internet und beim Telefonieren?

□ Begründen Sie: Sind Sie mit den Aussagen einverstanden?

□ Berichten Sie: Was sind Ihre eigenen Erfahrungen?

Schreiben Sie eine E-Mail von ca. 80 Wörtern.

Schreiben Sie etwas zu allen drei Punkten.

Achten Sie auf den Textaufbau (Anrede, Einleitung, Reihenfolge der Inhaltspunkte, Schluss).

Zeitverschwendung

A9 Wortschatzarbeit

a) Kreuzen Sie an. Was ist richtig, was ist falsch?

	richtig	falsch
1. Das Warten auf den Fahrstuhl ist eine zeitraubende Tätigkeit.	☐	☐
2. Klatsch und Tratsch sind besonders wichtig für unser Sozialleben.	☐	☐
3. Im Internet und beim Telefonieren kann man viel Zeit verlieren.	☐	☐
4. Menschen, die keine Zeit haben, sehen auch nicht fern.	☐	☐

b) Suchen Sie die richtigen Erklärungen.

1. der Fahrstuhl   (a) über nicht anwesende Leute reden
2. der (zweite) Stock   (b) etwas nicht können
3. Klatsch und Tratsch   (c) die Etage/das Stockwerk
4. auf etwas verzichten   (d) etwas kostet unnötig viel Zeit
5. Besitzer   (e) der Lift
6. Zeitkiller   (f) Eigentümer
7. nicht in der Lage sein, etwas zu tun   (g) etwas nicht mehr machen bzw. nicht haben wollen

c) Finden Sie das Gegenteil.

> verschwenden ♦ losfahren ♦ verkürzen ♦ verlassen ♦ laufen ♦ öffnen

1. Zeit für Gespräche verlängern	Zeit für Gespräche ....
2. den Fahrstuhl betreten	den Fahrstuhl ....
3. die Tür schließt sich	die Tür .... sich
4. der Fahrstuhl hält	der Fahrstuhl ....
5. Zeit sparen	Zeit ....
6. der Fernseher ist aus	der Fernseher ....

A10 Was passt zusammen?

1. Denken Sie zum Beispiel   (a) mit den neuen Medien.
2. Wie oft warten Sie   (b) auf die Frage immer das Gleiche.
3. Viele Menschen verschwenden ihre Zeit   (c) von Menschen, die nicht anwesend sind.
4. Die Gespräche handeln   (d) an den Fahrstuhl.
5. Verzichten Sie doch   (e) auf den Klatsch!
6. Sie antworten   (f) auf den Fahrstuhl?

Verben mit Präpositionen ⇨ Teil C Seite 28

Das Verb regiert im Satz.

Ich   warte   auf den Fahrstuhl.

warten

NOMINATIV   *auf* + AKKUSATIV

Ich warte auf den Fahrstuhl. Worauf wartest du?
→ Gegenstand/Sache

Ich warte auf meinen Chef. Auf wen wartest du?
→ Person

Ich warte darauf, dass der Fahrstuhl/mein Chef kommt.

A11 Wie viele Stunden haben Sie in der letzten Woche …

Beantworten Sie die Fragen in ganzen Sätzen.

… auf öffentliche Verkehrsmittel/auf den Fahrstuhl gewartet?
… über Personen geredet, die nicht anwesend sind?
… zu Hause an Ihre Arbeit/an Ihr Studium gedacht?
… sich über jemanden/über etwas geärgert?
… sich über jemanden/über etwas gefreut?
… vom Urlaub geträumt?
… mit dem Handy telefoniert?

Mischverben	⇨ Teil C Seite 27
Präsens:	ich denke
Präteritum:	ich dachte
Perfekt:	ich habe gedacht

A12 Bruno ist ein berühmter Rockstar.

Sie sind die Pressesprecherin/der Pressesprecher von Bruno.
Beantworten Sie für ihn die Fragen von Journalisten der Regenbogenpresse.

1. Wovon hat Bruno letzte Nacht geträumt?
2. Mit wem hat Bruno gestern so lange telefoniert?
3. Bruno ist jetzt reich. Worauf kann Bruno nicht mehr verzichten?
4. Woran erinnert sich Bruno besonders gern?
5. Worüber hat sich Bruno bisher am meisten gefreut?
6. Über wen hat sich Bruno gestern geärgert?
7. Wovor fürchtet sich Bruno?
8. Worüber hat der Musikproduzent mit Bruno gesprochen?
9. Mit wem redet Bruno nicht mehr?
10. Worauf freut sich Bruno besonders?
11. Wofür interessiert sich Bruno in seiner Freizeit?
12. Worüber hat sich Bruno im Hotel beschwert?
13. Woran oder an wen hat Bruno vor dem Konzert gedacht?
14. In wen ist Bruno im Moment verliebt?

A13 Ergänzen Sie und spielen Sie kleine Dialoge.

♦ Ich warte jede Woche *auf* das Wochenende.   *Darauf* warte ich (*auch/nie*).

1. Ich rede sehr gern .... Politik.   .... rede ich (*auch gern/selten/nie*).
2. Ich fürchte mich .... Schlangen.   .... fürchte ich mich (*auch/überhaupt nicht*).
3. Ich habe Angst .... Prüfungen.   .... habe ich (*auch Angst/überhaupt keine Angst*).
4. Ich interessiere mich .... Kunst.   .... interessiere ich mich (*auch/gar nicht*).
5. Ich erinnere mich oft .... meine Kindheit.   .... erinnere ich mich (*auch oft/selten/nie*).
6. Ich beschäftige mich oft .... Problemen anderer Leute.   .... beschäftige ich mich (*auch oft/selten/nie*).
7. Ich denke immer .... meine Arbeit.   .... denke ich (*auch immer/selten/nie*).
8. Ich achte sehr .... Pünktlichkeit.   .... achte ich (*auch sehr/überhaupt nicht*).
9. Ich verzichte gern .... Luxus.   .... kann ich (*auch/nicht*) verzichten.
10. Ich träume jede Nacht .... einem Lottogewinn.   .... träume ich (*auch oft/nie*).

Pünktlichkeit

A14 Gesprochene Sprache: *überhaupt*, *ganz* und *gar*

a) Lesen Sie die folgenden Sätze.

Ich habe keine Zeit.	Ich habe überhaupt <u>keine</u> Zeit./Ich habe gar <u>keine</u> Zeit.
Das verstehe ich nicht.	Das verstehe ich überhaupt <u>nicht</u>.
Das Bild ist hässlich.	Das Bild ist ganz hässlich.
Der Pullover ist weich.	Der Pullover ist ganz weich.

Redemittel: Verstärkte Aussage

Wenn man im Deutschen eine Aussage verstärken möchte, verwendet man oft Wörter wie *überhaupt*, *gar* oder *ganz*.

Beachten Sie:

überhaupt	bedeutet *generell*. Es steht meistens mit einer Negation, kann aber auch in Sätzen ohne Negation stehen. *Es schneit. Ich weiß nicht, ob die Züge überhaupt fahren.*
gar	ist in der Regel mit einer Negation verbunden.
ganz	steht in Aussagesätzen und verstärkt die Bedeutung des Adjektivs. In Kombination mit *gut* bedeutet es nicht *sehr gut*, sondern *nicht besonders gut*.

---

b) Verstärken Sie die Aussagen mit *überhaupt*, *ganz* oder *gar*.

1. Das Essen schmeckt mir nicht.
2. Das war ein toller Film!
3. Mir geht es nicht gut.
4. Ich habe lange gelernt, doch ich weiß nichts!
5. Von Grammatik habe ich keine Ahnung!
6. Ich habe keine Lust.
7. Ich finde das nicht lustig.
8. Ich habe schreckliche Kopfschmerzen.
9. Ich kann mir das nicht vorstellen.
10. Otto sieht jetzt anders aus.

Pünktlichkeit

A15 Pünktlich oder unpünktlich?

In Deutschland legt man sehr viel Wert auf Pünktlichkeit.
Man erwartet, dass Studenten zu Beginn der Lehrveranstaltungen anwesend sind, dass man die Partner bei Geschäftsverhandlungen nicht warten lässt, dass Gäste pünktlich zum Essen kommen, dass die Züge pünktlich fahren usw.

a) Wie wichtig ist Pünktlichkeit in Ihrem Heimatland? Berichten Sie.

□ Kommt man zu geschäftlichen Terminen pünktlich (auf die Minute genau)?

□ Kommt man zu einer Party oder einem privaten Essen pünktlich?

□ Fahren die öffentlichen Verkehrsmittel pünktlich oder überhaupt nach einem Fahrplan?

□ Ärgern Sie sich darüber, wenn öffentliche Verkehrsmittel nicht pünktlich sind oder eine Person zu spät zu einer Verabredung kommt?

Pünktlichkeit

b) Welche Wörter und Wendungen passen zu Pünktlichkeit, welche zu Unpünktlichkeit?

> jemand kommt auf die Minute genau ♦ jemand nimmt es mit der Zeit nicht so genau ♦ ein Zug hat Verspä-
> tung ♦ jemand kommt immer zu spät ♦ jemand gibt eine *(Diplom-)*Arbeit rechzeitig ab ♦ jemand hält einen
> Termin ein ♦ alles läuft nach Plan ♦ …

Pünktlichkeit	Unpünktlichkeit

A16 Die innere Uhr

Wann können wir was am besten bzw. am schlechtesten? Ordnen Sie zu. Denken Sie an Ihre Erfahrungen im
Alltag. Die Antworten finden Sie im Lösungsschlüssel.

> Die beste Zeit für Arztbesuche: Wir empfinden die wenigsten Schmerzen. ♦ Wir arbeiten am genauesten. ♦
> Unser Immunsystem arbeitet perfekt. ♦ ~~Unsere Stimmung ist auf dem Tiefpunkt.~~ ♦ Unser Herzschlag ist am
> höchsten. ♦ Unser Gehirn ist besonders kreativ. ♦ Wir können uns am schlechtesten konzentrieren. ♦
> ~~die schlechteste Zeit zum Autofahren~~

3.00 bis 4.00 Uhr   *die schlechteste Zeit zum Autofahren*

8.00 bis 9.00 Uhr   ....

10.00 bis 12.00 Uhr   ....

14.00 Uhr   *Unsere Stimmung ist auf dem Tiefpunkt.*

12.00 bis 15.00 Uhr   ....

15.00 bis 16.00 Uhr   ....

16.00 Uhr   ....

22.00 Uhr   ....

Temporalangaben   ⇨ Teil C Seite 32

Uhrzeiten *(Wiederholung)*

     ●   ● ⟷ ●   ← ●   ● →

(um) 10.00 Uhr   von 10.00 bis 12.00 Uhr   vor 12.00 Uhr   nach 12.00 Uhr
                     zwischen 10.00 und 12.00 Uhr

Tätigkeiten

     ← ●   ● →   ● ⟷ ●

vor dem Essen *(Dativ)*   nach dem Essen *(Dativ)*   bei dem (beim) Essen *(Dativ)*
                                       während des Essens *(Genitiv)*

(A17) Fragen Sie Ihre Nachbarin/Ihren Nachbarn und berichten Sie.

- ☐ Wann können Sie/kannst du am besten schlafen?
- ☐ Wann lernen Sie/lernst du am liebsten?
- ☐ Wann arbeiten Sie/arbeitest du am schnellsten?
- ☐ Wann können Sie sich/kannst du dich am schlechtesten konzentrieren?
- ☐ Wann fühlen Sie sich/fühlst du dich besonders fit?
- ☐ Wann haben Sie/hast du den größten Hunger?

(A18) Was machen Sie?

Bilden Sie Sätze im Präsens.

- ♦ nach – Aufstehen – sich duschen – und – sich anziehen

  Nach dem Aufstehen dusche ich mich und ziehe mich an.

1. nach – Frühstück – zur Arbeit – fahren

   ....

2. vor – Besprechung mit dem Chef – meine E-Mails – lesen

   ....

3. während – Besprechung – sich oft langweilen

   ....

4. vor – Mittagessen – mit Kunden – telefonieren müssen

   ....

5. während – Mittagessen – mit meinen Kollegen – reden

   ....

6. nach – Mittagessen – Protokoll von der Besprechung – schreiben müssen

   ....

7. zwischen – Mittagspause und Feierabend – besonders hart arbeiten

   ....

8. vor – Abendessen – einkaufen gehen

   ....

9. bei – Abendessen – fernsehen

   ....

10. nach – Arbeit – Deutschkurs – besuchen

    ....

11. bei – Deutschlernen – sich konzentrieren müssen

    ....

12. während – Deutschkurs – manchmal Kopfschmerzen – haben

    ....

13. nach – Deutschkurs – in die Kneipe – gehen

    ....

Museen

Freizeit: Museen

(A19) Berichten Sie.

- □ Was machen Sie am Wochenende?
- □ Wie oft besuchen Sie ein Museum?
- □ Welche Museen gibt es in Ihrer Stadt?

(A20) Sprechen Sie über die Grafik „Museumsreif".

Das Thema der Grafik ist …

Man kann in der Grafik sehen, dass …

Die Grafik zeigt, dass …
    … *(die Kunstmuseen)* die meisten Besucher haben.
    … Millionen Menschen … Museen besuchen.

Am beliebtesten sind die …

An erster Stelle stehen die …

Danach folgen die …

Nicht so beliebt sind die …

Museumsreif

Jährliche Zahl der Besucher in deutschen Museen in Millionen

Kunstmuseen	19
Volks- und Heimatkundemuseen	16
historische und archäolog. Museen	15,1
naturwiss. und techn. Museen	14,4
Schloss- und Burgmuseen	12,1
kulturgeschichtliche Spezialmuseen	10,3
naturkundliche Museen	7,1
Museumskomplexe	3,8
Sammelmuseen	2,2

Quelle: Institut für Museumsforschung, 2005

(A21) Museumsbesuch in Berlin

Sie sind in Berlin und Ihre Reisegruppe geht heute Nachmittag ins Museum. Sie haben die Auswahl zwischen drei Museen. Kurzinformationen dazu finden Sie auf dieser und der nächsten Seite.

Für welches Museum entscheiden Sie sich?
Begründen Sie Ihre Wahl.

Ich entscheide mich für das …
Ich bevorzuge das …, weil ich mich für … interessiere.
Ich finde … sehr interessant, deshalb gehe ich am liebsten in das …

Bröhan-Museum – Landesmuseum für Jugendstil

Art Deco und Funktionalismus (1889–1939)

Das Bröhan-Museum ist ein Spezial- und Epochenmuseum. Es stellt die Zeit vom Jugendstil bis zum Art Deco und Funktionalismus mit ausgewählten Beispielen aus Glas, Porzellan, Silber und Metall dar. Auch Möbel, Teppiche, Lampen, Grafiken und Gemälde können die Besucher bewundern. Sammlungs-Schwerpunkte sind Arbeiten des französischen und belgischen Art Nouveau und des deutschen und skandinavischen Jugendstils. Das Bröhan-Museum verfügt über eine außergewöhnliche Porzellansammlung berühmter Hersteller.

Deutsches Technikmuseum Berlin (DTMB)

Alte und neue Technik zum Erleben

Seit 1982 entsteht in der alten und neuen Mitte Berlins ein Technikmuseum von internationaler Bedeutung. Gegenwärtig präsentieren 14 Abteilungen auf rund 25 000 qm² ihre Schätze: Verkehrsmittel, Kommunikationsmedien, Produktions- und Energietechniken. Das Museum verfügt über ein Oldtimer-Depot mit 70 Automobilen und Motorrädern und über einen Museumspark mit Brauerei und Mühlen. Mit der Dauerausstellung zur Luft- und Raumfahrt ist der Neubau jetzt vollständig eröffnet. In fast jeder Abteilung finden Vorführungen und Aktivitäten statt. Zahlreiche historische Maschinen und Modelle werden in Funktion gezeigt und erklärt.

Bildende Kunst

```
DDR-Museum
Das erste und einzige DDR-Museum
befindet sich in Berlin.
```

Was ist von 40 Jahren Leben in der DDR geblieben? Es gibt bereits zahlreiche Ausstellungen zu den Themen *Berliner Mauer* oder *Staatssicherheit*. Doch kein einziges Museum in der Hauptstadt zeigt das Leben und Aufwachsen in der DDR. Im DDR-Museum können die Besucher ein Stück DDR-Kultur erleben: Wie ist das Gefühl, wenn die Staatssicherheit die Wohnung abhört? Ist ein Neubau-Wohnzimmer gemütlich und wie sitzt man in einem Trabant*? Die Dauerausstellung zeigt in 16 Bereichen (z. B. Wohnen, Arbeiten, Freizeit, Urlaub, Mode, Kultur) den Alltag in der DDR. Sie wurde gemeinsam von Historikern und ehemaligen DDR-Bürgern zusammengestellt.

*Trabant = kleines Auto aus der DDR

(A22) Kreuzen Sie an.

Was ist richtig, was ist falsch?

	richtig	falsch
1. Das Bröhan-Museum zeigt Kunst vom Jugendstil bis heute.	☐	☐
2. Neben Gemälden kann man im Bröhan-Museum auch Gebrauchskunst wie Möbel, Geschirr und Glas bewundern.	☐	☐
3. Im Technikmuseum kann man sehen, wie historische Maschinen arbeiten.	☐	☐
4. Das DDR-Museum beschäftigt sich mit den Themen *Berliner Mauer* und *Staatssicherheit*.	☐	☐
5. Ehemalige DDR-Bürger haben bei der Ausstellung im DDR-Museum mitgeholfen.	☐	☐

(A23) Ordnen Sie zu.

a) Welche Wörter haben synonyme Bedeutung?

1. <u>Dauerausstellung</u>
2. eine <u>außergewöhnliche</u> Sammlung
3. <u>Hersteller</u>
4. Das Museum <u>verfügt über</u> eine Porzellansammlung
5. <u>zahlreiche</u>

Produzent
ständige Ausstellung
viele
hat
besondere

b) Welches Verb passt? Ergänzen Sie die richtige Form.

zeigen ◆ bewundern ◆ bieten ◆ sehen ◆ finden ◆ verfügen über ◆ präsentieren ◆ erleben

zeigt ─┐   ⬭ das Museum ⬭   ┌─ ....

.... ─┘   └─ ....

.... ─┐   ⬭ Besucher können etwas ⬭   ┌─ ....

.... ─┘   └─ ....

(A24) Das Berliner Filmmuseum

Schreiben Sie einen kleinen Text anhand der folgenden Informationen.

Dauerausstellung:
Reise durch die Filmgeschichte:
Kino in der Anfangszeit
Stummfilm-Stars
Filme im Nationalsozialismus
Deutsche in Hollywood
Das Leben von Marlene Dietrich
Filme von heute

Sonderausstellung ab September:
Kino im Kopf
Die Beziehung zwischen
Psychologie und Film

(A25) Ihr Lieblingsmuseum

Stellen Sie ein Museum vor, das Sie besonders mögen.

- ▫ Wo befindet sich das Museum?
- ▫ Wie sieht das Museum aus?
- ▫ Was wird dort ausgestellt?
- ▫ Was finden Sie dort besonders interessant/schön/inspirierend?
- ▫ Was wissen Sie noch über dieses Museum?

Freizeit: Bildende Kunst

(A26) Interessieren Sie sich für bildende Kunst? 1.04

a) Hören Sie eine Radioumfrage zum Thema: *Interessieren Sie sich für bildende Kunst?*
Was ist richtig, was ist falsch? Kreuzen Sie an.

		richtig	falsch
1. Person:	Der Mann hält nichts von moderner Kunst.	❏	❏
2. Person:	Der Mann ist der Meinung, dass Museen viel mehr Fotografien ausstellen sollten.	❏	❏
3. Person:	Der Mann verbindet Museumsbesuche oft mit Reisen in große Städte.	❏	❏
4. Person:	Die Frau interessiert sich für alle Kunstrichtungen und besucht regelmäßig Kunstausstellungen.	❏	❏

b) Berichten Sie.

- ▫ Interessieren Sie sich für bildende Kunst? Wenn ja, für welche? (*Malerei, Bildhauerei, Fotografie ...*)
- ▫ Können Sie selbst gut malen oder zeichnen? Wenn ja, haben Sie schon mal etwas ausgestellt?
- ▫ Kennen Sie einen Künstler/eine Künstlerin persönlich?
- ▫ Wer ist Ihr Lieblingsmaler/Ihre Lieblingsmalerin?
- ▫ Haben Sie schon einmal ein Bild (*ein Ölbild/ein Aquarell/eine Zeichnung*) gekauft?
  Wenn ja, im Original oder als Druck?
- ▫ Was hängt über Ihrem Sofa?

Bildende Kunst

A27 Lesen und hören Sie den folgenden Text. *1.05*

Kunst ist in

Die Deutschen sind Weltmeister! In keinem anderen Land gibt es pro Kopf so viele Museen und nirgendwo werden sie so gut besucht. Vor 30 Jahren gab es in Deutschland 1 500 Museen, heute sind es über 6 000. 110 Millionen Besucher kommen im Jahr, Tendenz steigend. Wenn man die vielen Galerien und Ausstellungen in Banken und Einkaufszentren dazuzählt, muss man feststellen: Es gehen mehr Menschen ins Museum als ins Kino. Kunst ist das neue Massenmedium, Kunst ist Erfolg.

So gehört es seit etwa zwei Jahren zu jedem Partygespräch, eine Meinung über Kunst zu haben und zeitgenössische Künstler wie Neo Rauch zu kennen. Die Kunst ist mitten im Leben angekommen, das heißt auch, mitten im Geschäftsleben. Bei den Kunstauktionen in London stieg der Umsatz im letzten Jahr um 19 Prozent. 477 Kunstwerke kosteten mehr als eine Million Dollar. Der englische Künstler Damien Hirst verkaufte einen konservierten Haifisch für neun Millionen Dollar und ein Werk des 33-jährigen Leipziger Malers Matthias Weischer erzielte bei einer Auktion einen Preis von 384 854 Dollar. Der Künstler bekam allerdings von diesem Geld nichts, er hatte das Bild vor drei Jahren für 2 000 Dollar verkauft.

Wer für ein echtes Ölbild nicht 100 000 Euro bezahlen möchte oder kann, bekommt es bei Deutschlands größtem Kunsthandel auch billiger: bei Ikea. Dort kann man ab 79,95 Euro zwischen Sommerblumen, einem Haus in einsamer Landschaft oder einer Straße im Nebel wählen. Das richtige „Ölbildgefühl" ist auch bei Ikea der Grund für die steigende Nachfrage.

Das Interesse an Kunst erobert auch die Kunsthochschulen. Zurzeit gibt es in Deutschland 84 000 Studenten in den Studienrichtungen Kunst und Kunstwissenschaft. Das sind 4 000 Studenten mehr als für Medizin. Doch nur fünf Prozent aller Künstler können von ihrer Kunst leben. Das durchschnittliche Einkommen von Künstlern, sagt die Künstlersozialkasse, liegt bei 10 000 Euro im Jahr. Daran ändern auch die explodierenden Preise nichts.

A28 Welche Aussage ist richtig?

Kreuzen Sie an.

1. In Deutschland gibt es heute
   a) ☐ die meisten Museen der Welt. b) ☐ 15 000 Museen. c) ☐ über 6 000 Museen.

2. Das Interesse an Kunst
   a) ☐ ist seit Jahren unverändert groß. b) ☐ steigt noch immer. c) ☐ stagniert.

3. Kunst
   a) ☐ gehört heute zum Alltag. b) ☐ ist für eine Elite. c) ☐ ist der größte Absatzmarkt von Ikea.

4. Die meisten Künstler in Deutschland
   a) ☐ können gut leben. b) ☐ profitieren vom Kunstmarkt. c) ☐ können von ihrer Kunst nicht leben.

A29 Was gehört zusammen?

a) Verbinden Sie die Wörter.

1. Öl-	-besucher
2. Kunst-	-schlange
3. Ausstellungs-	-handel
4. Warte-	-medium
5. Massen-	-explosion
6. Preis-	-bild

b) Verbinden Sie die Sätze.

1. Kunst gehört seit Jahren	für neun Millionen Dollar.
2. Man muss eine Meinung	bei einer Auktion einen hohen Preis.
3. Damien Hirst verkaufte einen Haifisch	von ihrer Kunst leben.
4. Das Werk eines Leipziger Künstlers erzielte	zu jedem Partygespräch.
5. Nur wenige Künstler können	über Kunst haben.
6. Das Einkommen von Künstlern liegt	an der Situation nichts.
7. Die explodierenden Preise ändern	im Durchschnitt bei 10 000 Euro im Jahr.

A30 Über Kunstwerke sprechen

a) Kennen Sie eins oder mehrere der abgebildeten Gemälde? Wenn ja, welches/welche?

b) Welches Bild gefällt Ihnen am besten? Begründen Sie Ihre Auswahl.

Ich finde *(das erste/zweite …)* Bild sehr schön./Das … Bild gefällt mir am besten.
Ich mag …
    abstrakte Bilder/gegenständliche Bilder/Bilder von alten Meistern/Bilder von zeitgenössischen Künstlern …
Mir gefallen leuchtende/dunkle/helle Farben.
Das Bild inspiriert mich/beruhigt mich/regt meine Fantasie an.
Wenn ich das Bild sehe, denke ich an …

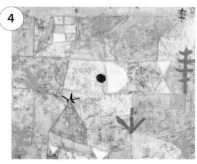

1. Albrecht Dürer: Hase (1502)   2. Vincent van Gogh: Sternennacht (1889)   3. Werner Tübke: Flügelaltar (1993)
4. Paul Klee: Südliche Gärten (1936)   5. Gerhard Richter: Tisch (1982)   6. Neo Rauch: Weiche (1999)

A31 Lesen Sie die Einladung und ergänzen Sie die fehlenden Wörter.
Nicht alle Wörter passen.

> Eröffnung ◆ Verabschiedung ◆ entwickelten ◆ teilnehmen ◆ Liebe ◆ auf ◆ am ◆ Lieber ◆ verarbeiteten ◆ kommen ◆ Kunstwerke ◆ im

Einladung

.... Kunstfreunde,

wir möchten Sie hiermit herzlich zur .... der Ausstellung

„Kunst und Technik"

.... 30. September um 18.30 Uhr in der Galerie am Theaterplatz einladen. Wie viel Prozent der Kunst ist Technik? Sind Techniker vielleicht die wahren Künstler? Wo liegen die Berührungspunkte? Die Wechselwirkung von technischer Evolution und Kunst ermöglicht es beiden Seiten, ihre Grenzen zu erweitern. Mit der Erfindung der Kamera .... sich die Kunstgenres Fotografie und Film. Im Produkt- und Industriedesign werden Alltagsgegenstände so stark ästhetisiert, dass sie wie autonome Kunstwerke erscheinen. Auch in der Architektur wird das Bauwerk immer mehr zum Kunstwerk. Die Beispiele sind vielfältig. Unsere Ausstellung zeigt 50 ...., die den Zusammenhang von Kunst und Technik deutlich machen. Bitte teilen Sie uns mit, ob Sie an der Ausstellungseröffnung .... Wir freuen uns .... Ihr Kommen.

Ihre Galerie am
Theaterplatz

A32 Zu- und Absage

Rufen Sie in der Galerie am Theaterplatz an
oder schreiben Sie eine E-Mail.

a) Sagen Sie zu.

▢ Herzlichen Dank für …
  Ich komme gerne./Ich nehme gern an der
  Ausstellungseröffnung teil./Ich freue mich schon auf …

b) Sagen Sie ab. Nennen Sie einen Grund.

▢ Leider kann ich nicht kommen/teilnehmen.
  Leider bin ich am 30. September verhindert.

Wissenswertes *(fakultativ)*

B1 Gerhard Richter *1.06*

Gerhard Richter ist der international erfolgreichste deutsche Maler der Gegenwart. Er zählt zu den prominentesten Vertretern der deutschen Nachkriegskunst.

Lesen und hören Sie den folgenden Text. Ergänzen Sie die Verben rechts im Infinitiv.

Gerhard Richter wurde am 9. Februar 1932 in Dresden geboren. Er <u>wuchs</u> in den Orten Reichenau und Waltersdorf <u>auf</u>. Von 1948–1951 <u>machte</u> er eine Ausbildung zum Werbe- und Theatermaler in Zittau. Anschließend <u>arbeitete</u> er in einem Fotolabor und als Werbe- und Bühnenmaler. 1952 <u>begann</u> er mit einem Studium an der Dresdner Kunstakademie und <u>schloss</u> es mit einem Wandgemälde als Diplomarbeit <u>ab</u>. 1961, vor dem Bau der Mauer, 5
<u>zog</u> er nach Düsseldorf <u>um</u> und <u>studierte</u> hier bis 1963 an der Kunstakademie.
Ende der 1960er-Jahre arbeitete er als Kunsterzieher und 1967 als Gastdozent an der Hochschule der Bildenden Künste in Hamburg. Von 1971–1993 <u>lehrte</u> er als Professor für Malerei an der Kunstakademie Düsseldorf. Seit 1998 lebt und arbeitet Richter in Köln. 10
Während der ersten Hälfte der 1960er-Jahre <u>kooperierte</u> Richter in gemeinsamen Ausstellungen mit Sigmar Polke, Konrad Lueg und Manfred Kuttner. Mit ihnen <u>erfand</u> er den Kapitalistischen Realismus. Das war seine ironische Antwort auf den Sozialistischen Realismus. Mit dem Kapitalistischen Realismus <u>wollte</u> Richter die westliche Konsumgesellschaft kritisch darstellen. 15
1962 begann der Künstler mit seinem „Atlas". Er <u>sammelte</u> Zeitungsausschnitte, Fotografien, Farbstudien, Landschaften, Portraits, Stillleben und historische Stoffe, die ihm als Vorlagen für Gemälde <u>dienten</u>. Schon 1964 <u>erhielt</u> Richter die Gelegenheit zur ersten Einzelausstellung und bald <u>präsentierten</u> viele in- und ausländische Galerien seine Werke. 1972 <u>nahm</u> er an der Biennale von Venedig <u>teil</u>. 20
Gerhard Richters internationale künstlerische Anerkennung <u>stieg</u> immer weiter, so dass er in den Jahren 1993/1994 große Ausstellungen in Paris, Bonn, Stockholm und Madrid hatte. 2002 <u>feierte</u> ihn das Museum of Modern Art in New York anlässlich seines 70. Geburtstags mit einer umfassenden Retrospektive. Diese Retrospektive war mit 188 Exponaten die größte Ausstellung eines lebenden Künstlers, die im MoMA <u>stattfand</u>. 25
Die breite internationale Resonanz von Gerhard Richter beruht nicht nur auf seinen nach Fotografien gemalten Bildern. Faszinierend sind auch die Gegensätze in seinem Werk: Auf der einen Seite finden wir fotorealistische Naturdarstellungen, auf der anderen Seite stehen die unscharfen Gemälde nach Fotografien und Gemälde höchster Abstraktion.

aufwachsen

B2 Betrachten Sie einige Gemälde Gerhard Richters.

    a) Gefallen Ihnen die Bilder? Begründen Sie Ihre Meinung.

    b) Berichten Sie über eine bekannte
       Malerin/einen bekannten Maler
       aus Ihrem Heimatland.

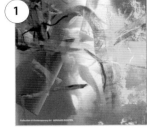

B3 Was passt zusammen?
Kombinieren Sie.

1. in Reichenau	(a) beginnen
2. eine Ausbildung	(b) aufwachsen
3. mit dem Studium	(c) umziehen
4. das Studium	(d) präsentieren
5. nach Düsseldorf	(e) machen
6. an einer Hochschule	(f) lehren
7. Zeitungsausschnitte und Fotografien	(g) abschließen
8. Kunstwerke in einer Galerie	(h) teilnehmen
9. an einer Ausstellung	(i) sammeln

GERHARD RICHTER

B4 Bilden Sie Sätze im Präteritum.
Achten Sie auf den Satzbau.

♦ am 9. Februar 1932 – Gerhard Richter – in Dresden – geboren werden
Gerhard Richter wurde am 9. Februar 1932 in Dresden geboren.

1. er – in den Orten Reichenau und Waltersdorf – aufwachsen

....

2. von 1948 bis 1951 – er – zum Theatermaler – eine Ausbildung – machen

....

3. anschließend – er – als Werbe- und Bühnenmaler – arbeiten

....

4. 1952 – in Dresden – mit einem Studium – er – beginnen

....

5. nach Düsseldorf – 1961 – er – umziehen

....

6. als Professor für Malerei – von 1971 bis 1993 – er – an der Kunstakademie Düsseldorf – lehren

....

7. mit einigen Kollegen – Gerhard Richter – den Kapitalistischen Realismus – erfinden

....

8. 1972 – an der Biennale von Venedig – er – teilnehmen

....

Verben

Verben

Zeitformen der Verben (Wiederholung)

Regelmäßige Verben

	Präsens	Präteritum	Perfekt
ich	lerne	lernte	habe gelernt
du	lernst	lerntest	hast gelernt
er/sie/es	lernt	lernte	hat gelernt
wir	lernen	lernten	haben gelernt
ihr	lernt	lerntet	habt gelernt
sie/Sie	lernen	lernten	haben gelernt

Unregelmäßige Verben

Präsens	Präteritum	Perfekt
fahre	fuhr	bin gefahren
fährst	fuhrst	bist gefahren
fährt	fuhr	ist gefahren
fahren	fuhren	sind gefahren
fahrt	fuhrt	seid gefahren
fahren	fuhren	sind gefahren

Gebrauch Das Präteritum wird mehr im schriftlichen Sprachgebrauch (z. B. in literarischen Texten oder Zeitungen) verwendet, das Perfekt mehr im mündlichen Sprachgebrauch.
Bei Modalverben und Hilfsverben wird meistens das Präteritum benutzt.

Haben und *sein* im Perfekt   *Sein* wird verwendet
- bei Verben, die eine Ortsveränderung beschreiben:
  gehen, kommen, fahren, aufstehen usw.
- bei Verben, die eine Zustandsveränderung beschreiben:
  aufwachen, einschlafen usw.
- bei: *sein, bleiben, werden, geschehen, passieren.*

- Für alle anderen Verben wird *haben* verwendet.

C1 Verben im Präsens

Schreiben Sie den Text in der dritten Person.

Ich bin Carla Fröhlich. Ich bin Studentin. Ich studiere Geschichte an der Humboldt-Universität in Berlin. Ich stehe jeden Tag um 9.00 Uhr auf. Vormittags besuche ich die Vorlesungen und Seminare an der Universität, nachmittags sitze ich meistens in der Bibliothek. Dort treffe ich oft Marcus. Er interessiert sich für die gleichen Bücher wie ich. Ich schreibe im Moment an meiner Diplomarbeit. Ich hoffe, dass ich im August damit fertig bin. Abends arbeite ich zweimal pro Woche in einem Restaurant als Kellnerin. Ich brauche das Geld zum Leben. Mittwochs gehe ich mit Marcus und ein paar anderen Freunden ins Jazz-Café. Dort gibt es Livemusik.

Das ist Carla Fröhlich. Sie ....

....

....

....

....

....

....

Verben

C2 Verben im Präteritum

Schreiben Sie den Text in der dritten Person im Präteritum.

Ein Tag von Nico Brettschneider

Mein Tag beginnt früh um 6.30 Uhr.
Ich fahre um 7.00 Uhr mit dem Auto zur Arbeit.
Im Büro lese und beantworte ich meine E-Mails.
Danach telefoniere ich mit Kunden.
Um 9.00 Uhr habe ich eine Abteilungsbesprechung.
Ich arbeite eng mit meinen Kollegen zusammen.
Wir entwickeln neue Konzepte und sammeln Ideen.
Am Abend gehe ich ins Jazz-Café zur Livemusik.
Dort treffe ich mich mit Marcus und Carla.

Gestern begann sein Tag um 6.30 Uhr.
....
....
....
....
....
....
....

C3 Haben Sie/Sind Sie letzte Woche …?

Bilden Sie Fragen im Perfekt und antworten Sie.

♦ Spaghetti kochen
  Haben Sie letzte Woche Spaghetti gekocht?   *Nein, ich habe keine Spaghetti gekocht.*

1. oft im Stau stehen
   ....

2. einen Kurs besuchen
   ....

3. abends lange fernsehen
   ....

4. sich mit Freunden treffen
   ....

5. mit Kollegen sprechen
   ....

6. Probleme lösen
   ....

7. mit Kunden telefonieren
   ....

8. in die Kneipe gehen
   ....

9. an Besprechungen teilnehmen
   ....

10. mit dem Auto fahren
    ....

11. viel Sport treiben
    ....

12. ein Buch lesen
    ....

C4 Formulieren Sie die Sätze im Perfekt.

♦ Der Künstler wächst in München auf.   *Der Künstler ist in München aufgewachsen.*

1. Wann beginnt Friedrich mit dem Studium?   ....

2. Was studiert Ihre Tochter?   ....

3. Fünf Mitarbeiter verlieren ihre Stelle.   ....

4. Herr Heinemann wohnt in Marburg.   ....

5. Wann gibst du deine Masterarbeit ab?   ....

6. Welche Sprachen lernst du in der Schule?   ....

7. Wann schließt du dein Studium ab?   ....

8. Wann fängt das Konzert an?   ....

9. Ich sitze den ganzen Tag im Büro.   ....

10. Wann zieht Martina nach Berlin um?   ....

11. Findet ihr eine Lösung?   ....

12. Wir sammeln noch Ideen.   ....

13. Der Direktor kommt zur Besprechung auf die Minute genau.   ....

14. Wie lange surfst du schon wieder im Internet?   ....

15. Wann fährt der Zug ab?   ....

16. Wann landen die Gäste aus Rom?   ....

Zeitform der Verben: Mischverben

	denken	**bringen**	**kennen**	**brennen**	**nennen**	**wissen**
Präsens	er denkt	er bringt	er kennt	es brennt	er nennt	er weiß
Präteritum	er dachte	er brachte	er kannte	es brannte	er nannte	er wusste
Perfekt	er hat gedacht	er hat gebracht	er hat gekannt	es hat gebrannt	er hat genannt	er hat gewusst

Es gibt nur wenige Mischverben.

C5 Ergänzen Sie die Verben im Präteritum.

♦ Sie *brachte* aus Italien zwei Flaschen Olivenöl *mit*. *(mitbringen)*

1. .... Sie Ihren Nachbarn gut? *(kennen)*

2. Ich ...., die Party ist heute Abend. *(denken)*

3. Ich .... nicht, dass die Arbeit heute schon fertig sein muss. *(wissen)*

4. .... du, dass Herr Müller Frau Schreck heiratet? *(wissen)*

5. Das Haus .... in der dritten Etage. *(brennen)*

6. Peter .... die ganze Zeit an Maria. *(denken)*

7. Er .... seinen Namen und ich habe ihn vergessen! *(nennen)*

8. .... ihr, dass Frau Müller vor einer Woche gekündigt hat? *(wissen)*

C6 **Bilden Sie Sätze im Perfekt.**
Achten Sie auf den Satzbau.

♦ die Flasche Wein – du – zur Nachbarin – bringen – ?
Hast du die Flasche Wein zur Nachbarin gebracht?

1. das – ich – nicht – wissen – !
....

2. die ganze Küche – brennen
....

3. du – im Urlaub – an mich – denken – ?
....

4. du – mir – die Aspirintabletten – mitbringen – ?
....

5. Sie – eigentlich – den alten Hausmeister – kennen – ?
....

6. wie – du – mich – nennen – ? *(Einen Faulpelz?)*
....

7. Sie – mir – neue Bilder – mitbringen – ?
....

8. ihr – die Telefonnummer der Polizei – nicht wissen – ?
....

9. Sie – das Geschenk für den Hausmeister – denken – ?
....

Verben (side label)

Verben mit Präpositionen

Ich	warte	auf den Fahrstuhl.	Ich	danke	dir	für die Blumen.
	warten			*danken*		
NOMINATIV		*auf* + AKKUSATIV	NOMINATIV		DATIV	*für* + AKKUSATIV

Aussage:	Ich warte auf meinen Chef.	Ich warte auf den Urlaub.
Frage:	Auf wen wartest du? (Person)	Worauf wartest du? (Sache)
	Wartest du auf den Chef?	Wartest du auf deinen Urlaub?
Antwort:	Ja, ich warte auf ihn.	Ja, ich warte darauf.
mit Nebensatz:	Ich warte darauf, dass mein Chef kommt.	
	Ich habe darauf gewartet, dass mein Chef kommt.	

in Beziehung zu einer vorherigen Aussage:
Mein Gehalt kommt heute. Darauf warte ich schon seit einer Woche.
Mein Freund kam zu spät. Ich habe eine Stunde auf ihn gewartet.

C7 Ergänzen Sie die Präpositionen und den Kasus.

♦ *an + Dativ*
  an einer Besprechung teilnehmen

1. ....
   .... einem Kunden anrufen
   .... Siemens arbeiten
   sich .... einem Kollegen entschuldigen
   sich .... einem Freund bedanken

2. ....
   sich .... die Schulzeit erinnern
   .... die Hausaufgaben denken

3. ....
   .... den Bus warten
   sich .... den Urlaub freuen
   .... das Geld verzichten
   .... Fehler achten

4. ....
   .... einem Kollegen sprechen
   .... dem Chef reden
   .... der Sekretärin telefonieren
   sich .... einem Freund streiten
   sich .... einem Problem beschäftigen

5. ....
   .... die Blumen danken
   sich .... das Geschenk bedanken
   sich .... Kunst interessieren
   sich .... die Verspätung entschuldigen

6. ....
   .... die Gehaltserhöhung sprechen
   .... ein Problem reden
   sich .... das Wetter unterhalten
   .... ein Projekt berichten
   sich .... den Erfolg freuen
   sich .... die Qualität beschweren
   sich .... die Verspätung ärgern
   sich .... ein Thema streiten

7. ....
   .... dem Weg fragen
   .... einer Lösung suchen
   sich .... dem Preis erkundigen

8. ....
   .... Geburtstag gratulieren
   .... den bedeutendsten Museen zählen
   .... den besten Künstlern gehören

9. ....
   es geht .... die neuen Produkte
   sich .... eine Stelle bewerben
   .... zehn Prozent steigen/sinken

10. ....
    sich .... Spinnen fürchten

11. ....
    .... einem Lottogewinn träumen
    .... wenig Geld leben

C8 Ergänzen Sie die Fragewörter und antworten Sie.
Achten Sie auf den richtigen Kasus.

♦ *Auf wen* warten Sie? *(mein Chef)* *Ich warte auf meinen Chef.*
  Worauf warten Sie? *(das Wochenende)* *Ich warte auf das Wochenende.*

1. .... reden Sie? *(der Hausmeister)* ....

2. .... spricht Herr Müller gerade? *(die neue Software)* ....

3. .... ärgern Sie sich manchmal? *(die öffentlichen Verkehrsmittel)* ....

4. .... erinnern Sie sich gern? *(meine Kindheit)* ....

5. .... freuen Sie sich? *(mein nächstes Gehalt)* ....

6. .... haben Sie gestern so lange telefoniert? *(die Telefonauskunft)* ....

7. .... beschäftigt sich Frau Gabler im Moment? *(das neue Computerprogramm)* ....

8. .... interessiert sich Ihr Kollege? *(wilde Tiere)* ....

9. .... hat sich der Kunde beschwert? *(die Preise)* ....

10. .... fürchten Sie sich? *(Schlangen)* ....

11. .... geht es? *(unser neues Produkt)* ....

12. .... haben Sie geträumt? *(die Deutschprüfung)* ....

Nomen

C9 *Darauf, darüber, damit …*

a) Ergänzen Sie die Pronominaladverbien.

♦ Denkst du manchmal *daran*, dass du deine Stelle verlieren könntest?

1. Hast du dich schon .... bedankt, dass Otto dir geholfen hat?

2. Hast du mit Stefan schon .... geredet, wie es weitergeht?

3. Ärgerst du dich auch ...., dass wir nicht mehr Gehalt bekommen?

4. Hast du dich schon .... beschäftigt, wie das neue Programm funktioniert?

5. Kannst du nicht einmal .... verzichten, in der Wohnung zu rauchen?

6. Hast du schon .... berichtet, wie das Seminar war?

7. Haben Sie sich .... beschwert, dass die Heizung kaputt ist?

b) Ergänzen Sie die Pronominaladverbien (z. B. *darüber*) oder Präposition + Pronomen (z. B. *über dich*).

♦ Der Chef redet gerade mit Otto über das neue Projekt. Hat er mit dir auch schon *darüber* gesprochen?

1. So ein Lottogewinn, das wäre toll! Ich habe heute Nacht .... geträumt.

2. Gehst du heute in die Jugendstilausstellung? Ich komme mit. .... interessiere ich mich auch.

3. Ich soll dir sagen, dass Peter heute später kommt. – Das macht nichts, ich warte ....

4. Kerstin hat die Prüfung mit „gut" bestanden. .... hat sie sich wirklich gefreut.

5. Hast du mit Jan über das neue Projekt gesprochen? Nein, ... ging es in unserem Gespräch nicht.

6. Weißt du schon, wie viel das Hotelzimmer kostet? – Nein, aber ich erkundige mich ....

7. Frau König ist heute wieder nicht pünktlich zur Arbeit gekommen. – Ach, ärgere dich doch nicht ....

8. Kennst du noch den schönen Alexander aus unserer Schulzeit? – Ja, ich erinnere mich ....

9. 10 000 Euro im Jahr! .... kann man doch in Deutschland nicht leben!

Nomen

Die Nomengruppe (Wiederholung)

	Singular						Plural	
	maskulin		feminin		neutral			
Nominativ	de**r**	Tisch			da**s**	Zimmer	d**ie**	Bücher
	ein	Tisch	d**ie**	Lampe	ein	Zimmer		
	mein	Tisch	ein**e**	Lampe	mein	Zimmer		
Akkusativ	de**n**	Tisch	mein**e**	Lampe			mein**e**	Bücher
	eine**n**	Tisch						
	meine**n**	Tisch						
Dativ	de**m**	Tisch			de**m**	Zimmer	de**n**	Büchern
	eine**m**	Tisch	de**r**	Lampe	eine**m**	Zimmer		
	meine**m**	Tisch	eine**r**	Lampe	meine**m**	Zimmer	meine**n**	Büchern
Genitiv	de**s**	Tisches	mein**er**	Lampe	de**s**	Zimmer**s**	de**r**	Bücher
	eine**s**	Tisches			eine**s**	Zimmer**s**		
	meine**s**	Tische**s**			meine**s**	Zimmer**s**	mein**er**	Bücher

C10 Nomen, die vom Verb kommen

Von welchen Verben kommen diese Nomen? Ergänzen Sie auch die Artikel.

♦ *die* Abfahrt   *abfahren*

1. .... Anfang   ....
2. .... Ankunft   ....
3. .... Anruf   ....
4. .... Beginn   ....
5. .... Erfinder   ....
6. .... Erzieherin   ....
7. .... Fahrt   ....
8. .... Flug   ....
9. .... Fernseher   ....
10. .... Gewinn   ....
11. .... Gang   ....

12. .... Liebe   ....
13. .... Sicht   ....
14. .... Tat   ....
15. .... Teilnahme   ....
16. .... Treffen   ....
17. .... Unterricht   ....
18. .... Verkäuferin   ....
19. .... Verlobung   ....
20. .... Verlust   ....
21. .... Verstand   ....
22. .... Wohnung   ....
23. .... Zusammenhang   ....

C11 Ergänzen Sie die Regeln und suchen Sie Beispiele.

☐ Nomen, die vom Verb kommen und keine Endung haben, sind *maskulin.*
Beispiele: *der Anfang,* ....

☐ Nomen, die vom Verb kommen und ein -t anhängen, sind ....
Beispiele: ....

☐ Nomen, die vom Verb kommen und im Infinitiv sind, sind ....
Beispiele: ....

☐ Viele Nomen, die auf -e enden, sind ....
Beispiele: ....

☐ Geräte, die auf -er enden, und männliche Personen sind ....
Beispiele: ....

☐ Weibliche Personen und Berufe sind ....
Beispiele: ....

☐ Nomen, die auf -ung enden, sind ....
Beispiele: ....

Achtung: Bei einigen Genusregeln gibt es Ausnahmen. Lernen Sie deshalb das Nomen immer mit dem Artikel!
Weitere Genusregeln finden Sie in *Begegnungen A2⁺, Kapitel 1.*

C12 Maskulin, feminin oder neutral?

Ergänzen Sie die bestimmten Artikel. Achten Sie auf den Kasus.

♦ Ist *der* Computer neu?

1. Ich freue mich auf .... Unterricht.
2. .... Essen war sehr lecker!
3. Wir sind mit .... Verkauf des Produktes sehr zufrieden.
4. .... Sicht vom Berg war ausgezeichnet.
5. Wann beginnt .... Besprechung?
6. .... Vertreter .... deutschen Regierung
besuchte .... polnischen Außenminister.
7. .... Lehrer war mit .... Leistung .... Schülerin nicht zufrieden.

Temporalangaben

Temporalangaben

Temporale Präpositionen

Zeitpunkt: Wann?	Präposition + Kasus	
Wann treffen wir uns?	um + A	um 8.00 Uhr
	an + D	am Montag/am 8. Januar (Tag) am Morgen (Tageszeit) am Wochenende
	in + D	im Januar (Monat) im Winter (Jahreszeit) im Moment/Augenblick in zwei Wochen
	–	2012 (Jahr)
	vor + D	vor dem Essen
	nach + D	nach dem Essen
	zwischen + D	zwischen 9.00 und 10.00 Uhr
	bei + D	bei dem (beim) Essen
	während + G	während des Essens/der Konferenz
	zu + D	zu deiner Geburtstagsfeier
Zeitdauer: Wie lange?	**Präposition + Kasus**	
Wie lange haben Sie Zeit? Wie lange dauert das Seminar? Seit wann arbeiten Sie schon hier?	von + D … bis + A … vom … bis zum … seit + D	von 9.00 bis 12.00 Uhr vom 2.2. bis zum 13.5. seit September

C13 Ergänzen Sie frei.

♦ Um 9.00 Uhr *stehe ich auf/beginne ich zu arbeiten/habe ich gestern im Stau gestanden.*

1. Am Montag …
2. Im August …
3. Im Winter …
4. In zwei Wochen …
5. Vor dem Essen …

6. Beim Kochen …
7. Nach dem Essen …
8. Während des Films …
9. Bis zum Urlaub …
10. Seit September …

C14 Ergänzen Sie die Präpositionen, wenn nötig.

Manchmal gibt es mehrere Lösungen.

♦ *am* Freitag

1. .... 10.15 Uhr
2. .... Vormittag
3. .... Sonntag
4. .... Juli
5. 1799
6. .... der Besprechung
7. .... drei Wochen
8. .... des Urlaubs

9. .... Abend
10. .... Herbst
11. .... Wochenende
12. .... Sommer
13. .... 18.00 und 19.00 Uhr
14. .... Moment
15. .... Skifahren
16. .... 15. Januar
17. .... des Essens

Temporale Adverbien

C15 Was passt in die Gegenwart, in die Vergangenheit, in die Zukunft?
Ordnen Sie zu.

gestern ◆ vorhin ◆ heute ◆ morgen ◆ früher ◆ damals ◆ bald ◆ momentan ◆ demnächst ◆ heutzutage ◆ jetzt ◆ nun ◆ künftig ◆ gegenwärtig ◆ nachher ◆ später ◆ neulich ◆ kürzlich ◆ gleich ◆ sofort ◆ einst

Vergangenheit	Gegenwart	Zukunft
gestern,		

C16 Ergänzen Sie die temporalen Adverbien.
Es gibt mehrere Lösungen.

◆ Paul, es ist dringend, ich muss dich *jetzt* unbedingt sprechen.

1. Warte, ich zieh nur noch meinen Mantel an, ich komme ....

2. Frau Schulze, ich habe .... keine Zeit, das Dokument zu kopieren. Ich mache das ....

3. Oma erzählte gerne, wie es .... war.

4. Weißt du, wen ich .... im Supermarkt getroffen habe? – Albert, meine Jugendliebe.

5. Diplomatische Gespräche zwischen den beiden Staaten sind .... nicht möglich.

6. Du hast dein Zimmer doch immer noch nicht aufgeräumt! Mach das bitte ....!

7. Geht ihr .... in die Kantine essen? Ich habe noch so viel zu tun, ich komme ....

C17 Früher und heute
Bilden Sie Sätze im Perfekt und Präsens.

◆ wohnen   *Früher habe ich bei meinen Eltern gewohnt, heute wohne ich in einer 3-Zimmer-Wohnung in München.*

1. aufstehen   ....

2. fahren   ....

3. arbeiten   ....

4. schreiben   ....

5. hören   ....

6. fernsehen   ....

7. lesen   ....

8. ins Bett gehen   ....

Rückblick

 D1 Wichtige Redemittel

Hier finden Sie die wichtigsten Redemittel des Kapitels.

Über sich selbst sprechen

Ich heiße … ♦ Mein Name ist … ♦ Ich komme aus … ♦ Ich wohne in … ♦ Ich bin von Beruf … ♦ Ich arbeite bei … als … ♦ In meiner Freizeit …

Tätigkeiten

Tagsüber:
aufstehen ♦ mit dem Bus/der Straßenbahn/dem Zug/dem Auto fahren ♦ im Stau stehen ♦ auf den Fahrstuhl warten ♦ E-Mails lesen und schreiben ♦ mit Kunden telefonieren ♦ Vorlesungen/Seminare/Kurse besuchen ♦ an Besprechungen teilnehmen ♦ über andere Leute reden ♦ Konzepte entwickeln ♦ Ideen sammeln ♦ Lösungen für Probleme finden ♦ an einer *(Master-)*Arbeit schreiben

Abends:
einkaufen gehen ♦ Essen kochen ♦ Musik hören ♦ Bücher lesen ♦ fernsehen ♦ im Internet surfen ♦ mit Verwandten telefonieren ♦ sich mit Freunden treffen

Zeit

Pünktlichkeit:
Jemand ist pünktlich. ♦ auf die Minute genau kommen ♦ eine *(Master-)*Arbeit rechtzeitig abgeben ♦ einen Termin einhalten ♦ Alles läuft nach Plan.

Unpünktlichkeit:
Jemand ist unpünktlich. ♦ es mit der Zeit nicht so genau nehmen ♦ *(Ein Zug)* hat Verspätung. ♦ immer zu spät kommen ♦ mehr Zeit brauchen

Eine Grafik beschreiben

Das Thema der Grafik ist … ♦ Man kann in der Grafik sehen, dass … ♦ Die Grafik zeigt, dass … ♦ An erster Stelle steht/stehen … ♦ Am beliebtesten ist/sind … ♦ Danach folgt/folgen …

Eine Auswahl treffen

Ich entscheide mich für … ♦ Ich bevorzuge …, weil ich mich für … interessiere. ♦ Ich finde … sehr interessant, deshalb …

Kunst/Museen

Ein Museum zeigt/bietet … ♦ Eine Ausstellung findet statt/wird eröffnet. ♦ Ein Künstler verkauft/präsentiert seine Bilder. ♦ Die Nachfrage nach echten Ölbildern steigt. ♦ Ich finde *(das Bild)* sehr schön. ♦ Ich mag abstrakte Bilder/gegenständliche Bilder/Bilder von alten Meistern/Bilder von zeitgenössischen Künstlern. ♦ Mir gefallen leuchtende/dunkle/dezente Farben. ♦ Das Bild inspiriert mich/beruhigt mich/regt meine Fantasie an. ♦ Wenn ich das Bild sehe, denke ich an … ♦ In dem Bild steckt/ist viel Bewegung/Ruhe/Kraft/Glaube …

Reaktion auf eine Einladung zu einer Veranstaltung:
Herzlichen Dank für *(die Einladung)*. ♦ Ich komme gerne. ♦ Ich nehme gern an *(der Ausstellungseröffnung)* teil. ♦ Ich freue mich schon auf *(die neuen Bilder)* … ♦ Leider kann ich nicht kommen/teilnehmen. ♦ Leider bin ich am … verhindert.

D2 Kleines Wörterbuch der Verben

Unregelmäßige Verben *(Die meisten Verben kennen Sie schon.)*

Infinitiv	3. Person Singular Präsens	3. Person Singular Präteritum	3. Person Singular Perfekt
abschließen *(ein Studium)*	er schließt ab	er schloss ab	er hat abgeschlossen
anfangen	er fängt an	er fing an	er hat angefangen
aufwachsen	er wächst auf	er wuchs auf	er ist aufgewachsen
beginnen	er beginnt	er begann	er hat begonnen
brennen *(ein Haus)*	es brennt	es brannte	es hat gebrannt
bringen	er bringt	er brachte	er hat gebracht
denken	er denkt	er dachte	er hat gedacht
erhalten	er erhält	er erhielt	er hat erhalten
essen	er isst	er aß	er hat gegessen
fahren	er fährt	er fuhr	er ist gefahren
fernsehen	er sieht fern	er sah fern	er hat ferngesehen
finden	er findet	er fand	er hat gefunden
geben	er gibt	er gab	er hat gegeben
gehen	er geht	er ging	er ist gegangen
heißen	er heißt	er hieß	er hat geheißen
kennen	er kennt	er kannte	er hat gekannt
lesen	er liest	er las	er hat gelesen
nehmen	er nimmt	er nahm	er hat genommen
nennen *(einen Namen)*	er nennt	er nannte	er hat genannt
schlafen	er schläft	er schlief	er hat geschlafen
schreiben	er schreibt	er schrieb	er hat geschrieben
sein	er ist	er war	er ist gewesen
sitzen	er sitzt	er saß	er hat gesessen
sprechen	er spricht	er sprach	er hat gesprochen
stattfinden *(die Ausstellung)*	sie findet statt	sie fand statt	sie hat stattgefunden
(auf)stehen	er steht (auf)	er stand (auf)	er hat gestanden er ist aufgestanden
teilnehmen	er nimmt teil	er nahm teil	er hat teilgenommen
treffen	er trifft	er traf	er hat getroffen
umziehen *(in eine andere Stadt)*	er zieht um	er zog um	er ist umgezogen
wissen	er weiß	er wusste	er hat gewusst

Einige regelmäßige Verben

Infinitiv	3. Person Singular Präsens	3. Person Singular Präteritum	3. Person Singular Perfekt
achten *(auf Ordnung)*	er achtet	er achtete	er hat geachtet
ärgern *(sich)*	er ärgert sich	er ärgerte sich	er hat sich geärgert
beschäftigen *(sich)*	er beschäftigt sich	er beschäftigte sich	er hat sich beschäftigt
bevorzugen *(etwas)*	er bevorzugt	er bevorzugte	er hat bevorzugt
fürchten *(sich)*	er fürchtet sich	er fürchtete sich	er hat sich gefürchtet
freuen *(sich)*	er freut sich	er freute sich	er hat sich gefreut
träumen	er träumt	er träumte	er hat geträumt
verlieben *(sich)*	er verliebt sich	er verliebte sich	er hat sich verliebt
verschwenden *(Zeit)*	er verschwendet	er verschwendete	er hat verschwendet
verzichten *(auf Reichtum)*	er verzichtet	er verzichtete	er hat verzichtet

(D3) ## Evaluation

Überprüfen Sie sich selbst.

Ich kann	gut	nicht so gut
Ich kann mich vorstellen.	☐	☐
Ich kann über meine Arbeit und meinen Tagesablauf berichten.	☐	☐
Ich kann etwas über das Thema *Zeit, Zeitverschwendung und Pünktlichkeit* sagen.	☐	☐
Ich kann zeitliche Abläufe schildern und genaue Zeitangaben machen.	☐	☐
Ich kann über meine Freizeit und einige Museen berichten sowie die Angebote von verschiedenen Museen verstehen.	☐	☐
Ich kann eine einfache Grafik beschreiben.	☐	☐
Ich kann etwas über bildende Kunst sagen, meine Vorlieben und Abneigungen benennen.	☐	☐
Ich kann eine Auswahl treffen und begründen.	☐	☐
Ich kann eine Zusage oder Absage zu einer Veranstaltung formulieren.	☐	☐
Ich kann eine ausführlichere Biografie verstehen. *(fakultativ)*	☐	☐

Rückblick

Arbeit und Beruf

Kommunikation

- Über Berufe, berufliche Tätigkeiten, Fähigkeiten und Eigenschaften sprechen
- Den eigenen Beruf beschreiben, Vor- und Nachteile benennen
- Die eigene Meinung äußern
- Vorschläge unterbreiten
- Termine vereinbaren und absagen
- Telefonisch Informationen erfragen und geben
- Informationen weiterleiten
- Über Umgangsformen im Beruf berichten
- Smalltalk führen
- Einen Brief über die Arbeit schreiben

Wortschatz

- Berufe
- Berufliche Tätigkeiten
- Meinungsäußerung
- Termine
- Telefonieren
- Berufliche Umgangsformen

Berufe

(A1) Die angesehensten Berufe

a) Berichten Sie über Ihr Heimatland.

- Welche Berufe haben ein hohes Ansehen?

- Welche Berufe sind im Moment sehr beliebt?

- Mit welchen Berufen kann man das meiste Geld verdienen?

b) Vergleichen Sie das Ansehen der Berufe in Ihrem Heimatland mit der Grafik.

- Die Grafik zeigt, dass … das höchste Ansehen in Deutschland hat/haben.

- Danach folgt …

- Ein hohes Ansehen genießen auch …

- Im Gegensatz zu meinem Heimatland haben … in Deutschland ein hohes/niedriges Ansehen.

- Mich überrascht, dass …

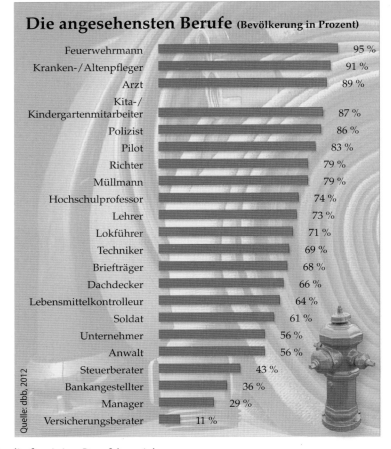

Die angesehensten Berufe (Bevölkerung in Prozent)

Beruf	Prozent
Feuerwehrmann	95 %
Kranken-/Altenpfleger	91 %
Arzt	89 %
Kita-/Kindergartenmitarbeiter	87 %
Polizist	86 %
Pilot	83 %
Richter	79 %
Müllmann	79 %
Hochschulprofessor	74 %
Lehrer	73 %
Lokführer	71 %
Techniker	69 %
Briefträger	68 %
Dachdecker	66 %
Lebensmittelkontrolleur	64 %
Soldat	61 %
Unternehmer	56 %
Anwalt	56 %
Steuerberater	43 %
Bankangestellter	36 %
Manager	29 %
Versicherungsberater	11 %

Quelle: dbb, 2012

(A2) Wer macht was?

a) Ordnen Sie die Tätigkeiten zu. Ergänzen Sie die feminine Berufsbezeichnung.

Diplomat ◆ Spitzensportler ◆ Arzt ◆ Journalist ◆ Informatiker ◆ Hochschulprofessor ◆ Pfarrer ◆ Polizist ◆ Krankenpfleger ◆ Lehrer ◆ Atomphysiker ◆ Ingenieur ◆ Politiker ◆ Rechtsanwalt

◆ untersucht und behandelt kranke Menschen	*der Arzt/die Ärztin*
1. sucht, verhört und verhaftet Verbrecher	....
2. vertritt andere Menschen vor Gericht	....
3. betreut gläubige Menschen und hält Predigten	....
4. lehrt und forscht an einer Universität	....
5. konstruiert Maschinen, Verkehrssysteme und vieles andere	....
6. vertritt die Interessen seines Landes und verhandelt mit Menschen aus anderen Ländern	....
7. beschäftigt sich mit den kleinsten Bausteinen der Materie	....
8. nimmt an Olympischen Spielen oder Weltmeisterschaften teil	....
9. pflegt und versorgt kranke Menschen	....
10. entwickelt neue Softwareprogramme oder Computerspiele	....
11. recherchiert und schreibt Artikel	....
12. hat große Pläne und versucht, sie nach einer Wahl umzusetzen	....
13. unterrichtet Schüler	....

b) Was kann man miteinander verbinden? Ordnen Sie zu.

Schüler
Softwareprogramme
Artikel
Interessen
Verbrecher
kranke Menschen
Pläne

schreiben
entwickeln
verhaften
umsetzen
unterrichten
behandeln
vertreten

A3 Wer verdient wie viel in Deutschland?

a) Ordnen Sie den Berufen ein monatliches Gehalt zu.
(Bei den Angaben handelt es sich um durchschnittliche Brutto-Gehälter inklusive eventueller Zuschläge.)

b) Finden Sie das Gehalt gerecht? Verdient eine Berufsgruppe Ihrer Meinung nach zu viel oder zu wenig?

▫ Ich glaube/denke/vermute, dass ein Facharzt … Euro im Monat verdient.

2 850 Euro ◆ 6 800 Euro ◆ 9 100 Euro ◆ 2 300 Euro ◆ 300 000 Euro ◆ 3 800 Euro ◆ 18 000 Euro ◆ 4 300 Euro ◆ 7 500 Euro ◆ 1 300 Euro

Facharzt	....	Krankenschwester	....
Polizist	....	Lehrer (Gymnasium)	....
Ingenieur	....	Manager (in leitender Position)	....
Bundeskanzler	....	Pilot	....
Friseur	....	Vorstandschef (eines Dax-Unternehmens)	....

A4 Berufe stellen sich vor. 1.07

Hören Sie drei Berufsbeschreibungen. Welche Informationen geben die Personen zu den folgenden Berufen? Ergänzen Sie.

Innenarchitektin
Zu den Aufgaben einer Innenarchitektin gehört das .... und
Gestalten von Räumen. Ihre Ideen sind
sehr wichtig beim Umbau und auch
beim .... von Woh-
nungen, von Bürohäusern und von
öffentlichen ....
Auch die Planung und Gestaltung von
.... oder Messeständen
gehört zu ihrer Tätigkeit.
Ihre Ideen visualisiert die Innenarchitektin mit Modellen, Fotos, Videos
oder 3-D-Animationen. Sie arbeitet
auch viel am ....
Als Innenarchitektin kann man zum
Beispiel in einem großen Architek-
turbüro arbeiten. Vorteile sind dann
die soziale .... und der
Kontakt mit den Kollegen.
Ein Nachteil ist, dass man seine Ideen
nicht immer so umsetzen kann, wie
man ....

Patentprüfer
Ein Patentprüfer muss viel *lesen*. Die Patentanmeldungen sind in
Deutsch, Englisch oder .... Er recherchiert, ob die
Erfindung wirklich .... und anwendbar ist. Das macht
er in der Regel am Computer.
Manchmal muss er mit einem Patentanwalt .... oder
einem Patentanwalt einen Brief ....
Am Ende .... er, ob die Erfindung neu und
.... ist oder nicht. Vorteile bei der Arbeit sind: flexible
.... und ein gutes .... Ein Nachteil ist:
wenig Kontakt mit anderen Kollegen.

Reiseleiter
Ein Reiseleiter begleitet Menschen bei ihren Ferienreisen und gibt
den Leuten wichtige Informationen über die .... und
.... fremder Länder.
Er .... im Reiseland Ausflüge und kümmert sich um
die .... der Urlauber, z. B. wenn etwas mit dem Hotel
nicht in Ordnung ist, wenn jemand seinen .... verloren hat oder wenn Flugzeuge .... haben.
Er muss fließend mehrere Sprachen .... Ein Vorteil
seiner Arbeit ist, dass er die Welt .... und auf jeder
Reise etwas .... kann. Ein Nachteil ist, dass Reiseleiter
zu wenig Zeit mit der Familie .... können.

Berufe

(A5) Beschreiben Sie Ihren Beruf.

Sie können auch den Beruf beschreiben, den Sie später einmal ausüben möchten.

- Was gehört zu den Aufgaben Ihres Berufes?

  Zu meinen Aufgaben gehört …

  Zu den Aufgaben eines … *(Reiseleiters)*/einer … *(Innenarchitektin)* gehören …

- Was muss man tun? Was muss man können? Welche Fähigkeiten braucht man?

  Man muss … *(am Computer arbeiten/Kunden betreuen/Menschen helfen/ Rechnungen schreiben/früh aufstehen/viele Dienstreisen machen …)*

  Als … *(Reiseleiter)* muss man … *(viele Sprachen sprechen/programmieren können/gut mit Menschen umgehen können …)*

  Als … *(Reiseleiter)* braucht man … *(gute Sprachkenntnisse/Organisationstalent/gute Menschenkenntnis/gute Nerven/Computerkenntnisse …)*

- Was sind die drei wichtigsten Eigenschaften in Ihrem Beruf?

  Man muss … *zuverlässig ◆ fleißig ◆ kommunikativ ◆ ordentlich ◆ kontaktfreudig ◆ freundlich ◆ autoritär ◆ kreativ ◆ gewissenhaft ◆ pünktlich ◆ geduldig ◆ konsequent ◆ attraktiv ◆ lernfähig ◆ überzeugend … sein.*

- Wo kann man arbeiten?

  Man kann zum Beispiel … *(in einem Betrieb/bei einer internationalen Organisation/an einer Universität/in einem Labor/im Freien …)* arbeiten.

(A6) Vorteile und Nachteile am Arbeitsplatz

a) Finden Sie das Gegenteil.

Unsicherheit ◆ schlechte ◆ unfreundliche ◆ unter Anleitung ◆ alleine ◆ befristeten ◆ genau einhalten ◆ keine ◆ feste ◆ niedriges ◆ langweilige

◆	viele Dienstreisen machen	*keine* Dienstreisen machen
1.	flexible Arbeitszeiten	……………… Arbeitszeiten
2.	hohes Gehalt	……………… Gehalt
3.	nette Kollegen	……………… Kollegen
4.	soziale Sicherheit	soziale ………………
5.	abwechslungsreiche Arbeit	……………… Arbeit
6.	gute Karrieremöglichkeiten	……………… Karrieremöglichkeiten
7.	selbstständig arbeiten	……………… arbeiten
8.	im Team arbeiten	……………… arbeiten
9.	viele Überstunden machen	die Arbeitszeit ………………
10.	einen unbefristeten Arbeitsvertrag haben	einen ……………… Arbeitsvertrag haben

b) Welche Vorteile und welche Nachteile hat Ihr Beruf?

- Als Vorteil/Nachteil sehe/empfinde ich …

  (Ich bekomme ein hohes/niedriges Gehalt) … – Das ist für mich auf jeden Fall ein Vorteil/ein Nachteil.

A7 Finden Sie einen Beruf für Ihre Nachbarin/Ihren Nachbarn.

Stellen Sie sich vor, Ihre Nachbarin/Ihr Nachbar hätte noch keinen Beruf. Helfen Sie ihr/ihm, einen Beruf zu finden, und beraten Sie Ihre Nachbarin/Ihren Nachbarn.

a) Führen Sie ein Beratungsgespräch. Fragen Sie Ihre Nachbarin/Ihren Nachbarn nach ihren/seinen Wünschen und Fähigkeiten.

□ Was wollten Sie als Kind werden?

> Feuerwehrmann ♦ Polizist ♦ Bankräuber ♦ Pilot ♦ Spion ♦ Lehrerin ♦ Schauspielerin ♦ Rockstar ♦ …

□ Was möchten Sie gerne im Beruf tun?
  Was mögen Sie?

> Menschen helfen ♦ Verbrecher jagen ♦ etwas bauen ♦ etwas konstruieren ♦ etwas verkaufen ♦ Kinder unterrichten ♦ eine Abteilung leiten ♦ ein Land regieren ♦ …

□ Was möchten Sie auf keinen Fall tun?
  Was tun Sie nicht gern?

> am Computer arbeiten ♦ Kaffee kochen ♦ telefonieren ♦ mit Kindern arbeiten ♦ …

□ Was können Sie gut?

> Spanisch ♦ Menschen motivieren ♦ verhandeln ♦ etwas verkaufen ♦ …

□ Was können Sie überhaupt nicht?

> Auto fahren ♦ rechnen ♦ …

□ Wo arbeiten Sie gern/nicht gern?

> im Büro ♦ im Freien ♦ in einem Verkehrsmittel ♦ vor einer Kamera ♦ auf der Straße ♦ …

□ Wie gefährlich darf Ihr Beruf sein?

> ein bisschen/überhaupt nicht gefährlich ♦ ich liebe die Gefahr

b) Berichten Sie. Welchen Beruf empfehlen Sie Ihrer Nachbarin/Ihrem Nachbarn? Begründen Sie Ihren Rat.

□ Ich empfehle meiner Nachbarin/meinem Nachbarn, *(Lehrer/in)* zu werden.
  Dann kann sie/er *(mit Kindern arbeiten/Kinder unterrichten/Noten vergeben)*.

□ Meine Nachbarin/Mein Nachbar sollte *(Lehrer/in)* werden.
  Dann braucht sie/er nicht *(den ganzen Tag in einem Büro zu sitzen)*.

Das Modalverb *brauchen*   ⇨ Teil C Seite 60

Ein Künstler muss kreativ sein.	Ein Busfahrer muss nicht kreativ sein.
	Ein Busfahrer braucht nicht kreativ zu sein.
Eine Lehrerin muss Kinder unterrichten.	Ein Arzt muss keine Kinder unterrichten.
	Ein Arzt braucht keine Kinder zu unterrichten.
↓	↓
positiv	**negativ**
müssen	*nicht müssen* oder *nicht brauchen + zu*

Am Arbeitsplatz

A8 Das brauchen Sie alles nicht *zu tun/zu sein/zu haben*!
Bilden Sie Sätze.

♦ Als Lehrerin muss man Kinder unterrichten.
Ich brauche keine Kinder zu unterrichten.

♦ Als Busfahrer muss man früh aufstehen.
Ich brauche nicht früh aufzustehen.

1. Als Sekretärin muss man den ganzen Tag am Computer sitzen.
....

2. Als Reiseleiter muss man viele Fremdsprachen sprechen.
....

3. Als Schauspieler muss man lange Texte lernen.
....

4. Als Kriminalkommissar muss man gute Nerven haben.
....

5. Als Architekt muss man kreativ sein.
....

6. Als Sänger muss man eine gute Stimme haben.
....

7. Als Direktor muss man einen Betrieb oder eine Abteilung leiten.
....

8. Als Fußballspieler muss man ein gutes Ballgefühl haben.
....

9. Als Politiker muss man kommunikativ und überzeugend sein.
....

10. Als Fernsehmoderator muss man sehr gut aussehen.
....

11. Als Krankenschwester muss man auch nachts arbeiten.
....

| **Modalverben** *(Wiederholung)* | ⇨ Teil C Seite 61 |

Privat surfen am Arbeitsplatz

A9 Meinungsäußerungen
Berichten Sie.

Dürfen Sie während der Arbeitszeit im Internet
surfen, private E-Mails schreiben und privat
telefonieren?

A10 Lesen und hören Sie den folgenden Text. *1.08*

▬▬ Welche Medien darf man im Büro privat nutzen? ▬▬

Viele Arbeitsplätze haben heutzutage einen Internetanschluss. Was liegt näher, als den beruflichen Internetanschluss für den privaten E-Mail-Verkehr, für *eBay*-Auktionen oder für die Suche nach dem neusten Kinofilm zu nutzen? Ebenso verlockend ist es, privat zu telefonieren.

Doch Vorsicht! Schnell kann bei einer solchen Aktion das Arbeitsverhältnis auf dem Spiel stehen – wie es kürzlich bei der Firma Karma in Osnabrück passiert ist. Die Firma prüft zurzeit die Entlassung von 60 Mitarbeitern. Die Begründung für diese Maßnahme lautet: Diese Mitarbeiter haben während ihrer Arbeitszeit im Internet gesurft.

Aber was ist am Arbeitsplatz erlaubt und was nicht? Wenn der Arbeitgeber das Surfen verboten hat und es eine entsprechende Vereinbarung mit dem Arbeitnehmer gibt, dürfen die Mitarbeiter nicht im Internet surfen. Wenn es kein offizielles Verbot gibt und der Chef weiß, dass die Mitarbeiter privat im Internet surfen, dann kann man die Mitarbeiter nicht so einfach entlassen.

Ein Entlassungsgrund ist aber, wenn Mitarbeiter das Internet über das normale Maß hinaus privat nutzen. In vielen Firmen wird ein Protokoll über die genutzten Internetseiten geführt. Auch bei privaten E-Mails kommt es darauf an, ob der Arbeitgeber die E-Mails erlaubt oder ausdrücklich verbietet.

Beim Telefonieren kann der Arbeitnehmer davon ausgehen, dass er in geringem Umfang das Telefon für den privaten Gebrauch nutzen darf. Nach mehreren Gerichtsurteilen kann die Zeit, die der Arbeitnehmer telefoniert oder im Internet surft, bis zu 100 Stunden im Arbeitsjahr betragen.

A11 Was ist richtig, was ist falsch?

Kreuzen Sie an.

	richtig	falsch
1. Die Firma Karma will 60 Mitarbeiter entlassen, weil sie privat im Internet gesurft haben.	❏	❏
2. Eine Firma darf in jedem Fall die Mitarbeiter, die privat im Internet surfen, entlassen.	❏	❏
3. Viele Firmen überprüfen, welche Seiten die Mitarbeiter im Internet benutzen.	❏	❏
4. Wenn es nicht ausdrücklich verboten ist, dürfen Mitarbeiter im normalen Rahmen private E-Mails schreiben und privat telefonieren.	❏	❏

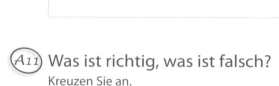

A12 Ordnen Sie die richtigen Erklärungen zu.

1. etwas <u>liegt nahe</u>

2. etwas ist <u>verlockend</u>

3. etwas <u>steht auf dem Spiel</u>

4. etwas ist <u>ausdrücklich verboten</u>

(a) etwas ist nicht erlaubt und jeder muss das wissen

(b) etwas ist/wird unsicher

(c) man denkt gleich daran

(d) etwas wirkt anziehend/attraktiv

A13 Finden Sie das Gegenteil.

| Arbeitnehmer ♦ einstellen ♦ ist sicher ♦ außergewöhnlich viel ♦ erlaubt ♦ kündigen |

1. einen Mitarbeiter entlassen
2. Arbeitgeber
3. etwas ist verboten
4. sich um eine Stelle bewerben
5. etwas steht auf dem Spiel
6. in einem normalen Rahmen privat telefonieren

einen Mitarbeiter ....
....
etwas ist ....
....
etwas ....
.... telefonieren

A14 Ihre Meinung bitte …

Diskutieren Sie mit Ihrer Nachbarin/Ihrem Nachbarn.

In Ihrer Firma sollen neue Regeln eingeführt werden. Die neuen Regeln lauten:

▫ Rauchen ist ab sofort in der gesamten Firma verboten, auch in der Kantine.

▫ Privates Surfen im Internet ist in geringem Umfang und nur für bestimmte Informationen erlaubt (Fahrpläne von öffentlichen Verkehrsmitteln, Hotelinformationen o. ä.). Kommerzielle Seiten wie Auktionshäuser *(eBay)* oder Börsenberichte sind prinzipiell verboten.

▫ Private Telefonate müssen die Mitarbeiter selbst bezahlen.

Redemittel: Ihre Meinung	
Sagen Sie Ihre Meinung!	Ich bin der Meinung/Ansicht, dass … Meiner Meinung nach … Ich glaube/Ich denke/Ich meine, dass …
Zustimmung:	Ich bin ganz/völlig deiner/Ihrer Meinung. Das finde ich auch. Ich denke darüber genauso. Ich bin *(mit dem Vorschlag)*/damit einverstanden. Ich bin für *(Ihren Vorschlag)*/dafür.
Ablehnung:	Ich bin ganz/völlig anderer Meinung. Ich kann dir/Ihnen nicht zustimmen. Ich bin damit nicht einverstanden./Damit bin ich nicht einverstanden. Ich bin gegen *(Ihren Vorschlag)*/dagegen.
Vorschläge:	Ich würde es besser finden, wenn … Es wäre besser, wenn … Wir sollten …/Die Firma sollte … Ich schlage vor, dass …

A15 Ihre Kollegen haben Probleme.

Geben Sie einen Rat.

▫ Frau Krause will ihr Englisch verbessern.
▫ Marina hat oft Kopfschmerzen.
▫ Axel schmeckt das Essen in der Kantine nicht.
▫ Anton kommt immer zu spät. Deshalb will der Chef ihn entlassen.
▫ Anita macht die Arbeit keinen Spaß.
▫ Frau Kinkel hat Probleme mit dem Computerprogramm.
▫ Ingrid wiegt zu wenig. Sie will zunehmen.
▫ Steffen redet nicht mehr mit Paul. Das Arbeitsklima ist jetzt sehr schlecht.
▫ Jürgen kann nachts nicht schlafen.

> Du solltest …
> Es wäre schön/gut, wenn du …
> Ich rate/empfehle dir, …

(A16) Vorschläge machen

Machen Sie Vorschläge und diskutieren Sie in kleinen Gruppen darüber.
Wählen Sie einen Auftrag aus und präsentieren Sie die Ergebnisse im Plenum.

a) Sie wollen in Ihrer Abteilung eine Weihnachtsfeier organisieren.

Sie haben sich schon ein paar Notizen gemacht:
- □ Wann?
- □ Wo? In der Firma? In einem Restaurant?
- □ Einladungen?
- □ Essen/Getränke?
- □ Wer bezahlt wie viel?
- □ Weihnachtsgeschenke für die Mitarbeiter?
- □ Musik?

b) Sie müssen in Ihrer Abteilung die nächste Sitzung organisieren.

Sie haben sich schon ein paar Notizen gemacht:
- □ Wann?
- □ Wo?
- □ Tagesordnung: Welche Themen müssen wir besprechen?
- □ Kaffee/Wasser/Gebäck?
- □ Experten/besondere Gäste?

Termine vereinbaren

(A17) Hören Sie die folgenden Telefongespräche. 1.09
Ergänzen Sie die fehlenden Informationen.

Dialog 1: Deutschkurs

Kursbeginn: vom .... bis ....

Einschreibung: ....

Kurslänge: ....

Anzahl Teilnehmer in einem Kurs: ....

Wann findet der Unterricht statt? ....

Was muss Pedro vorher machen? ....

Dialog 2: Kanzlei Schulze und Partner

Warum ruft Herr Ortmann an?
....

Was soll Herr Schulze machen?
....

Welche Telefonnummer hat Herr Ortmann?
....

Dialog 3: Farbmuster

Warum ruft Herr Pichel an?
....

Welchen Termin schlägt Frau Meier vor?
....

Warum ist der Termin zu früh?
....

Wann treffen sich Herr Pichel und Frau Meier voraussichtlich?
....

Termine vereinbaren

A18 Welches Verb passt?

Ergänzen Sie die Verben in der richtigen Form.

vorbeikommen • ausrichten • vereinbaren • besuchen • erreichen • machen • zeigen • teilnehmen • passen

1. Ich würde gern einen Termin ....
2. Ich möchte gern einen Deutschkurs ....
3. Sie müssen auf jeden Fall einen Einstufungstest ....
4. Sie können von 13 bis 19 Uhr hier ....
5. Ich möchte Ihnen gerne die neuen Farbmuster ....

6. Herr Schulze ist nicht da. Kann ich ihm etwas .... ?
7. Am Donnerstag um 10 Uhr? Das würde mir gut ....
8. Unter welcher Nummer kann ich Sie .... ?
9. Herr Rot möchte an der Präsentation gerne ....

A19 Telefonieren

Ordnen Sie zu.

Ich melde mich am Telefon und biete meine Hilfe an. • Ich verbinde den Anrufer und frage nach dem Namen. • Die gewünschte Person ist nicht da. • Ich muss einen Termin absagen. • Ich beende das Gespräch. • Ich möchte einer Person, die nicht da ist, eine Nachricht hinterlassen. • Ich frage nach dem Grund des Anrufes. • Ich reagiere auf den Terminvorschlag. • Ich nenne den Grund. • Ich möchte Informationen. • Ich möchte eine bestimmte Person sprechen. • Ich mache einen Terminvorschlag.

1. *Ich melde mich am Telefon und biete meine Hilfe an.*

Guten Tag, (Name) hier./Guten Tag. Hier ist (Name)./Guten, Tag, mein Name ist ... Was kann ich für Sie tun?/Kann ich Ihnen helfen?

2. ....

Kann/Könnte ich bitte Herrn/Frau ... sprechen? Ich möchte/würde gerne (mit) Herrn/Frau ... sprechen.

3. ....

Ich verbinde Sie. Einen Moment bitte. Wie war Ihr Name? *(Der Anrufer hat seinen Namen schon genannt.)*

Wie ist Ihr Name? *(Der Anrufer hat seinen Namen noch nicht genannt.)* Könnten Sie Ihren Namen buchstabieren?

4. ....

Tut mit leid, Herr/Frau ... ist heute nicht im Büro. Kann ich ihm/ihr etwas ausrichten? Möchten Sie eine Nachricht hinterlassen?

5. ....

Könnten Sie Herrn/Frau ... ausrichten, dass *(die Verträge noch nicht da sind ...)*. Könnten Sie Herrn/Frau ... bitte sagen, er/sie soll mich zurückrufen.

6. ....

Worum geht es?/Worum handelt es sich?

7. ....

Ich möchte/würde gern *(einen Termin vereinbaren ...)*. Es geht um *(einen Termin/neue Produkte ...)*. Ich rufe an, weil *(ich Ihnen ein neues Produkt vorstellen möchte ...)*.

8. ....

Ich möchte gerne wissen, *(wann ...)*. Könnten Sie mir sagen, *(wann ...)*? Ich habe eine Frage: *(Wann ...)*.

9. ....

Geht es am *(Dienstag, dem fünften März,)* um *(11.00)* Uhr? Passt es Ihnen am *(Dienstag, dem fünften März,)* um *(11.00)* Uhr? Hätten Sie nächste Woche Zeit?

10. ....

Nein, das tut mir leid. Am ... habe ich leider keine Zeit. Ja, der ... um ... passt mir. Ich hätte am ... Zeit. Ja, am ... würde es mir passen.

11. ....

Ich muss den Termin am ... leider absagen, denn ... Könnten wir den Termin verschieben?

12. ....

Danke für Ihren Anruf. Ich melde mich *(nächste Woche)* wieder. Auf Wiederhören.

(A20) Hotelzimmer reservieren

Ergänzen Sie in dem Dialog die fehlenden Verben in der richtigen Form.

kosten (2 x) ◆ haben ◆ sein ◆ berechnen ◆ reservieren ◆ tun ◆ wissen

Rezeptionist:	Hotel Sonnenschein, guten Tag. Was kann ich für Sie ....?
Herr Meier:	Ja, guten Tag, Christian Meier hier. Ich möchte gern ...., ob Sie vom 23. bis zum 25. Mai in Ihrem Hotel noch zwei Doppelzimmer für mich ....
Rezeptionist:	23. bis 25. Mai sagten Sie?
Herr Meier:	Ja.
Rezeptionist:	Ja, da .... noch zwei Doppelzimmer frei.
Herr Meier:	Was .... die Zimmer?
Rezeptionist:	Ein Zimmer .... 125 Euro pro Nacht ohne Frühstück. Für das Frühstück .... wir 20 Euro extra.
Herr Meier:	Gut. Könnten Sie die Zimmer auf meinen Namen ....?
Rezeptionist:	Ja, gerne. Wie war Ihr Name bitte?

(A21) Terminvereinbarung

Ergänzen Sie in dem Dialog die fehlenden Verben in der richtigen Form.

vorstellen ◆ interessieren ◆ grüßen ◆ gehen (3 x) ◆ haben ◆ sein ◆ kommen ◆ helfen ◆ vereinbaren ◆ finden ◆ passen ◆ sehen

Herr Franke:	Franke.
Frau Otto:	Gertrud Otto hier, guten Tag, Herr Franke.
Herr Franke:	Ja, Frau Otto, ich .... Sie! Wie .... es Ihnen?
Frau Otto:	Danke, gut. Und Ihnen?
Herr Franke:	Auch gut. Danke. Kann ich Ihnen ...., Frau Otto?
Frau Otto:	Ich würde gern mit Ihnen einen Termin ....
Herr Franke:	Worum .... es?
Frau Otto:	Es .... um ein neues Internetprojekt. Ich würde Ihnen das Projekt gerne .... Vielleicht .... Sie sich dafür.
Herr Franke:	Gut. Internetprojekte .... ich interessant. Würde es Ihnen am Mittwoch ...., um 10.00 Uhr?
Frau Otto:	Ja, Mittwoch ist prima, aber geht es vielleicht auch ein bisschen später? Ich .... um 10.00 Uhr noch eine Besprechung.
Herr Franke:	Wie .... es um 13.00 Uhr?
Frau Otto:	Ja, um 13.00 Uhr ist gut. Ich .... bei Ihnen vorbei.
Herr Franke:	Gut, Frau Otto, dann .... wir uns am Mittwoch.

Termine vereinbaren

(A22) Spielen Sie Telefongespräche.

Benutzen Sie die Redemittel aus A19.

a) Termine vereinbaren und absagen

① Rufen Sie bei der Firma OPEX an und vereinbaren Sie einen Termin mit Frau Grunewald. Sie möchten mit ihr über den Einkauf von 50 Computern für Ihre Firma sprechen.

② Rufen Sie bei der Firma Cleanex an und vereinbaren Sie einen Termin bei Herrn Weiß. Mitarbeiter von Cleanex machen in Ihrer Firma die Büros sauber und damit sind Sie nicht zufrieden.

③ Rufen Sie noch einmal bei der Firma OPEX an. Sie müssen dringend zu einem Geschäftstermin nach London und müssen den Termin mit Frau Grunewald verschieben.

b) Informationen erfragen

① Sie möchten gern einen Computerkurs machen, um mit Excel besser arbeiten zu können. Rufen Sie bei der Volkshochschule an und erkundigen Sie sich nach einem Kurs (Zeit, Preis usw.).

② Sie müssen für acht Mitarbeiter Ihrer Firma Hotelzimmer für drei Nächte reservieren. Rufen Sie im Hotel Paradies an, fragen Sie nach Preisen, einem Verhandlungsraum und Möglichkeiten zum Abendessen.

③ Bei einer Tochterfirma Ihres Betriebes in Deutschland gibt es ein internationales Projekt, für das Sie sich interessieren. Rufen Sie einen Kollegen in Deutschland an und fragen Sie nach Einzelheiten (Leitung, Dauer, Mitarbeiter usw.).

Die höfliche Bitte im Konjunktiv II *(Wiederholung)*   ⇨ Teil C Seite 63

Wie **wäre** es um 11.30 Uhr?   ➝ *Wäre* ist der Konjunktiv II von *sein*.
Ich **hätte** noch eine Frage.   ➝ *Hätte* ist der Konjunktiv II von *haben*.
Könnte ich bitte Herrn Schulze sprechen?   ➝ *Könnte* ist der Konjunktiv II von *können*.
Würde es Ihnen am Donnerstag passen?   ➝ *Würde + passen*
                                                      ist der Konjunktiv II von *passen*.

Die meisten Verben bilden den Konjunktiv II mit *würde* + Infinitiv.
Wenn Sie den Konjunktiv II verwenden, klingt die Bitte sehr höflich. Diese Form ist vor allem im Geschäftsleben üblich.

(A23) Sagen Sie es höflicher.

Verwenden Sie den Konjunktiv II.

♦ Passt es Ihnen nächste Woche?   *Würde es Ihnen nächste Woche passen?*

1. Haben Sie etwas Zeit für mich?   ....
2. Wie ist es, wenn wir heute zusammen essen gehen?   ....
3. Ich habe mal eine Bitte.   ....
4. Kannst du mir ein Brötchen aus der Kantine mitbringen?   ....
5. Frau Meier, öffnen Sie bitte das Fenster.   ....
6. Leihst du mir mal deinen Kugelschreiber?   ....
7. Kannst du das für mich kopieren?   ....
8. Hilfst du mir mal?   ....
9. Ist es möglich, dass wir den Termin verschieben?   ....

A24 Formulieren Sie höfliche Bitten.

1 ....
2 ....
3 ....
4 ....
5 ....
6 ....
7 ....
8 ....
9 ....
10 ....

A25 Dativ oder Akkusativ?
Ergänzen Sie *Sie* oder *Ihnen.*

♦ Einen Moment, ich verbinde *Sie.*

1. Ich kann .... nicht sagen, wann Herr Schulze zurückkommt.
2. Ich kann .... den Kurs am Freitag Nachmittag empfehlen.
3. Kann ich .... helfen?
4. Wenn sich der Termin noch ändert, schicke ich .... eine Mail.
5. Wie geht es ....?
6. Kann ich .... morgen zurückrufen?
7. Würde es .... am Donnerstag passen?
8. Ich möchte .... gerne die neuen Farbmuster zeigen.
9. Wann kann ich .... erreichen?
10. Ich informiere .... sofort.
11. Ich soll .... ausrichten, dass Herr Ortmann angerufen hat.

Verben mit Dativ/Akkusativ (Wiederholung) ⇨ Teil C Seite 64

Termine vereinbaren

(A26) Weitergabe von Informationen

a) Ergänzen Sie im Telefongespräch die fehlenden Verben in der richtigen Form.

ausrichten (2 x) ♦ wiederholen ♦ informieren ♦ warten ♦ tun ♦ sprechen ♦ zurückrufen ♦ erreichen

Frau Krüger: Kanzlei Schulze und Partner, guten Morgen. Was kann ich für Sie .... ?

Herr Ottmann: Guten Morgen, mein Name ist Marcus Ottmann, Firma ONKO. Ich würde gern Herrn Schulze ....

Frau Krüger: Das tut mir leid, Herr Schulze ist nicht im Hause. Kann ich ihm etwas .... ?

Herr Ottmann: Ja, das wäre nett. Könnten Sie bitte Herrn Schulze sagen, dass wir noch immer auf die Verträge .... ?

Frau Krüger: Ja, natürlich. Ich .... es ihm ....

Herr Ottmann: Ach, noch etwas. Könnten Sie Herrn Schulze bitten, dass er mich heute noch .... ? Es ist dringend.

Frau Krüger: Unter welcher Nummer kann er sie .... ?

Herr Ottmann: Meine Nummer ist 0 50, das ist die Vorwahl, und dann 1 76 34 49.

Frau Krüger: Ich .... : (0 50) 1 76 34 49.

Herr Ottmann: Genau. Und mein Name ist Ottmann.

Frau Krüger: Ich werde Herrn Schulze sofort .... , wenn er wieder im Hause ist.

Herr Ottmann: Herzlichen Dank.

b) Frau Veigel hat angerufen und für Ihre Kollegen Nachrichten hinterlassen. Geben Sie die folgenden Informationen an Ihre Kollegen weiter.

♦ Peter – die Drucker sind kaputt

   Peter, ich soll dir von Frau Veigel ausrichten/sagen, dass die Drucker kaputt sind.

   Frau Beckenbauer – Frau Veigel hat den Brief schon beantwortet

   Frau Beckenbauer, ich soll Ihnen von Frau Veigel ausrichten/ sagen, dass sie den Brief schon beantwortet hat.

1. Herr Schimmel – der Vertrag ist noch nicht angekommen

   Herr Schimmel, ich soll ....

2. Sabine – in der letzten Rechnung war ein Fehler

   ....

3. Petra – Frau Veigel braucht bis morgen das Dokument

   ....

4. Herr Brettschneider – Frau Veigel kommt zur Sitzung zehn Minuten später

   ....

5. Claudia – Frau Veigel hat die Preisliste erhalten

   ....

6. Frau Schumacher – Frau Veigel hat Kopfschmerzen und bleibt zu Hause

   ....

A27 E-Mail: Terminabsage (formell)

Sie haben einen Termin am 20. Mai um 10.00 Uhr mit einem Kunden. Leider können Sie den Termin nicht einhalten. Schreiben Sie eine E-Mail an den Kunden. Erklären Sie die Situation und begründen Sie Ihre Absage. Machen Sie einen neuen Terminvorschlag.

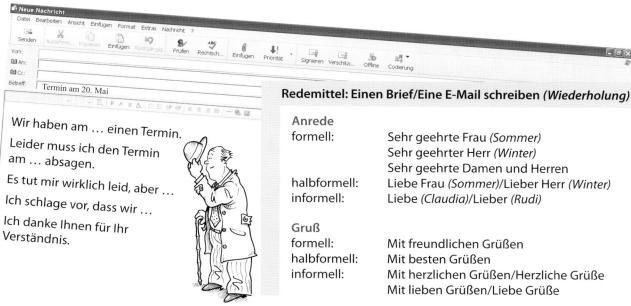

Betreff: Termin am 20. Mai

Wir haben am … einen Termin.

Leider muss ich den Termin am … absagen.

Es tut mir wirklich leid, aber …

Ich schlage vor, dass wir …

Ich danke Ihnen für Ihr Verständnis.

Redemittel: Einen Brief/Eine E-Mail schreiben *(Wiederholung)*

Anrede

formell:	Sehr geehrte Frau *(Sommer)*
	Sehr geehrter Herr *(Winter)*
	Sehr geehrte Damen und Herren
halbformell:	Liebe Frau *(Sommer)*/Lieber Herr *(Winter)*
informell:	Liebe *(Claudia)*/Lieber *(Rudi)*

Gruß

formell:	Mit freundlichen Grüßen
halbformell:	Mit besten Grüßen
informell:	Mit herzlichen Grüßen/Herzliche Grüße
	Mit lieben Grüßen/Liebe Grüße

A28 E-Mail: Terminabsage (informell)

a) Was passt? Kreuzen Sie an.

Betreff: Abendessen

Liebe Christine,
leider muss ich unser geplantes Abendessen für morgen .... (1). Mein Chef kam gerade mit einem wichtigen Auftrag zu mir, den ich bis übermorgen erledigen .... (2). Das bedeutet für mich, ... (3) ich heute und morgen länger arbeite, wahrscheinlich bis 22.00 Uhr. Was hältst Du .... (4), wenn wir uns am Wochenende sehen? Ich würde .... (5) gerne zu mir nach Hause einladen und uns etwas Leckeres kochen. Wie .... (6) es mit Huhn in Paprikasoße? Ich hoffe, Du hast für meine Absage Verständnis und wir sehen uns .... (7) Samstag oder am Sonntagabend.

.... (8) von Leon

1.	a) ☐ vereinbaren	2.	a) ☐ darf	3.	a) ☐ das	4.	a) ☐ davon
	b) ☐ stornieren		b) ☐ kann		b) ☐ dass		b) ☐ damit
	c) ☐ absagen		c) ☐ soll		c) ☐ wann		c) ☐ darüber
5.	a) ☐ Dich	6.	a) ☐ wärst	7.	a) ☐ im	8.	a) ☐ Liebe Grüße
	b) ☐ Dir		b) ☐ wären		b) ☐ um		b) ☐ Freundliche Grüße
	c) ☐ Du		c) ☐ wäre		c) ☐ am		c) ☐ Beste Grüße

b) Schreiben Sie selbst eine E-Mail an Christine. Sagen Sie das geplante Abendessen ab, nennen Sie einen Grund und machen Sie einen Vorschlag.

Umgangsformen im Geschäftsleben

A29 Lesen und hören Sie den folgenden Text. *1.10*

Umgangsformen

Umgangsformen im Geschäftsleben

Manche Leute glauben, dass gutes Benehmen oder Tischmanieren veraltet sind und ins 18. Jahrhundert gehören. In dieser Zeit, genauer gesagt 1788, hat Adolph Freiherr von Knigge ein Buch mit dem Titel *Über den Umgang mit Menschen* geschrieben, das viele praktische Tipps enthält. Doch wer denkt, die alten Verhaltensregeln aus dem 18. Jahrhundert würden heute nicht mehr gelten, der irrt sich. Gute Manieren sind modern. Fast jeden Monat erscheint auf dem Büchermarkt ein neuer Ratgeber mit Tipps und Tricks für das richtige Verhalten im Geschäftsleben. Nach einer aktuellen Umfrage unter 600 Führungskräften sehen 87 % der Manager einen direkten Zusammenhang zwischen persönlichem Erfolg und gutem Benehmen. Vor allem in Branchen mit Kundenkontakt ist gutes Benehmen sehr wichtig und vereinfacht den Abschluss von Geschäften.

Hier finden Sie einige Hinweise, die Sie im Umgang mit deutschen Geschäftspartnern beachten sollten.

Pünktlichkeit

„Pünktlichkeit ist die Höflichkeit der Könige." Wer sich bei einem Kundenbesuch verspätet, muss den Kunden noch vor dem vereinbarten Zeitpunkt informieren. Verspätungen sollten aber die absolute Ausnahme sein.

Begrüßung

Das Grüßen spielt in Deutschland eine sehr wichtige Rolle. Wenn jemand nicht grüßt, gerät er schnell in den Verdacht, unhöflich zu sein. Für den mündlichen Gruß gilt: Wer zuerst sieht, grüßt zuerst. Bei der Begrüßung mit Handschlag gibt der Gastgeber dem Gast, die ältere Person der jüngeren die Hand. Wenn man gerade sitzt, muss man zur Begrüßung aufstehen. Vor allem in Ländern, in denen man Körperkontakt meidet, empfindet man die deutsche Sitte des Händeschüttelns oft als unangenehm.

Vorstellung

Im Deutschen stellt man sich mit dem Vor- und Nachnamen vor und man sieht sich beim Vorstellen in die Augen. Die Anrede erfolgt mit Herr oder Frau und dem Nachnamen. Akademische Titel werden mitgenannt. Die Gelegenheit ist günstig, um eine Visitenkarte zu überreichen. Wenn Sie von einer anderen Person eine Visitenkarte erhalten, dürfen Sie die Visitenkarte nicht achtlos einstecken, sondern Sie müssen sie zuerst lesen. Und denken Sie immer daran: In Deutschland sagt man im Geschäftsleben „Sie". Duzen Sie nur, wenn jemand Sie mit „Du" anspricht.

Kleidung

Die Kleidung richtet sich nach der Branche und nach den Kunden. In Branchen, die viel mit Geld zu tun haben, wie Banken oder Versicherungen, trägt man eher ein klassisches Outfit. In kreativen Berufszweigen, also in Werbefirmen oder in der IT-Branche, ist die Kleidung informeller. Im Rahmen der Internationalisierung wird in vielen Unternehmen freitags unter dem Motto: „Casual Friday" gute Freizeitkleidung getragen.

Geschäftsessen

Bei Geschäftsessen heißt die Regel: Wer einlädt, bezahlt. Trinkgeld gibt man in Deutschland zwischen fünf und zehn Prozent. Zum Essen wünscht man „Guten Appetit!". Ein bisschen schwieriger wird es bei den Gesprächsthemen. Meiden sollten Sie Themen wie Politik, Religion, Krankheiten, die Konkurrenz oder private Probleme. Gute Gesprächsthemen sind Hobbys, Sport, das Wetter, der letzte Urlaub, Reisen und andere Länder und das Geschäft selbst.

(A30) Welche Aussage ist richtig?

a) Kreuzen Sie an. (Die Reihenfolge der Aufgaben folgt nicht immer der Reihenfolge des Textes.)

1. Gute Umgangsformen sind

   a) ☐ heute nicht mehr aktuell.   b) ☐ bei Banken und Versiche-   c) ☐ wichtig für die
   rungen wieder modern.   Karriere.

2. Die Kleidung

   a) ☐ ist in deutschen Firmen   b) ☐ hat großen Einfluss auf   c) ☐ hängt von den Kunden
   immer formell.   die Karriere.   bzw. der Branche ab.

3. In Deutschland

   a) ☐ betrachtet man   b) ☐ ist Pünktlichkeit unwichtig.   c) ☐ müssen Mitarbeiter
   Pünktlichkeit als Höflichkeit.   pünktlich sein und Chefs
   nicht.

4. Das Händeschütteln

   a) ☐ ist auf der ganzen   b) ☐ gehört in Deutschland   c) ☐ ist nur unter Kollegen
   Welt beliebt.   zur Begrüßung.   üblich.

5. Bei einem Geschäftsessen ist es wichtig,

   a) ☐ dass man alles über den   b) ☐ dass man unverbindlichen   c) ☐ dass man über die
   Geschäftspartner erfährt.   Smalltalk macht.   Konkurrenz spricht.

b) Formulieren Sie Empfehlungen wie im Beispiel.

♦ die folgenden Hinweise beachten

Ich empfehle Ihnen, die folgenden Hinweise zu beachten.

1. zu einem Geschäftstermin pünktlich kommen

   Ich empfehle Ihnen, ...

2. in Deutschland dem Gast die Hand geben

   ....

3. bei der Begrüßung dem Gast in die Augen sehen

   ....

4. die Visitenkarte nicht achtlos einstecken

   ....

5. deutsche Geschäftspartner mit „Sie" ansprechen

   ....

6. immer die passende Kleidung tragen

   ....

7. bei einem Geschäftsessen nicht über Politik und Religion sprechen

   ....

Infinitiv mit *zu (Wiederholung)*   ⇨ Teil C Seite 65

Umgangsformen

(A31) Gutes Benehmen

Ergänzen Sie die passenden Verben in der richtigen Form.

> sein ♦ finden ♦ erscheinen ♦ gehören ♦ gelten ♦ sehen ♦ vereinfachen ♦ enthalten

♦ Für manche Leute *gehört* gutes Benehmen ins 18. Jahrhundert.

1. Das Buch *Über den Umgang mit Menschen* aus dem Jahre 1788 .... viele praktische Tipps.

2. Die alten Verhaltensregeln aus dem 18. Jahrhundert .... heute immer noch.

3. Gute Manieren .... modern.

4. Fast jeden Monat .... auf dem Büchermarkt ein neuer Ratgeber mit Verhaltensregeln.

5. Nach einer aktuellen Umfrage .... 87 % der Manager einen direkten Zusammenhang zwischen persönlichem Erfolg und gutem Benehmen.

6. Richtiges Benehmen .... den Abschluss von Geschäften.

7. Hier .... Sie einige Hinweise.

(A32) Berichten Sie über Ihr Heimatland.

Caution

Was muss man beachten, …

□ wenn man eine neue Stelle in einer Firma bekommen hat?
□ wenn man an einem Geschäftsessen teilnimmt?
□ wenn man von Freunden zum Essen eingeladen wird?

> *Pünktlichkeit*
> *Kleidung*
> *Begrüßung*

10/12/17

(A33) Smalltalk

Smalltalk muss man üben. Führen Sie mit Ihrer Nachbarin/Ihrem Nachbarn einen netten Smalltalk. Berichten Sie anschließend, was Sie erfahren haben.

Typische Smalltalkthemen:

Wetter
Ihre Heimatstadt/Städte
Ihre Ausbildung/Ihr Beruf
Sport/Hobbys
Ihr Heimatland
(Essgewohnheiten, Kultur, Sehenswürdigkeiten)

Wichtige Redemittel für den Smalltalk

Wichtig für jeden Smalltalk: Wer fragt, führt das Gespräch!

□ Wir haben ja wieder schlechtes Wetter heute! Ich hoffe, dass das Wetter in den nächsten Tagen besser wird. Regnet es bei Ihnen auch so oft?

□ Kennen Sie unsere Stadt schon? Hatten Sie schon Gelegenheit, … *(das Rathaus)* zu besichtigen? Woher kommen Sie? Was ist Ihre Heimatstadt?

□ Wo haben Sie studiert? Wie lange arbeiten Sie schon bei …?

□ Interessieren Sie sich für … *(Fußball)*? Haben Sie das … *(das Endspiel der Fußballweltmeisterschaft)* gesehen? Treiben Sie gern/viel Sport?

□ Interessieren Sie sich *(für Kunst)*? Waren Sie schon mal … *(im Guggenheim-Museum in New York)*?

□ Essen Sie gern … *(deutsche Gerichte)*? Haben Sie schon mal … *(ein Weißbier)* probiert? Mögen Sie … *(die deutsche Küche)*?

(A34) Lesen Sie die folgenden Sätze.

Analysieren Sie. In welchem Kasus steht *Herr*?

Das ist Herr Schulze, unser Abteilungsleiter.
→ *Nominativ*

Ist das die Tasche des jungen Herrn?
→ ....

Ich gehe heute Abend mit Herrn Klein essen.
→ ....

Ich möchte gern Herrn Schulze sprechen.
→ ....

> **Deklination der maskulinen Nomen** ⇨ Teil C Seite 66
>
> Es gibt für maskuline Nomen zwei verschiedene Deklinationen: eine „normale" Deklination und eine sogenannte *n-Deklination*.
>
> Bei der *n-Deklination* enden die Nomen außer im Nominativ Singular immer auf *-n*. Dazu gehören Nomen wie: *der Herr, der Kollege* und *der Kunde*.

(A35) Ergänzen Sie *Herr, Kollege* und *Kunde*.

- ◆ Das ist ein Brief für *Herrn* Schimmel. *(Herr)*
- 1. Kennst du den neuen .... schon? *(Kollege)*
- 2. Wie findest du den .... aus der Verwaltung? *(Kollege)*
- 3. Sie sollten mit dem .... nicht über private Probleme sprechen. *(Kunde)*
- 4. Dort hinten am letzten Tisch sitzt der .... *(Kunde)*
- 5. Hast du schon mit .... Große gesprochen? *(Herr)*
- 6. .... Große, wer ist das? *(Herr)*
- 7. Der neue .... kommt heute um 15.00 Uhr. *(Kunde)*
- 8. Wann hast du mit dem .... den Termin vereinbart? *(Kunde)*

10|12|17

(A36) Post von Ihrem Freund Michael

Berlin, 4. Juli ...

Liebe(r) ...,

heute habe ich endlich Zeit, Dir einen Brief zu schreiben. Seit drei Wochen habe ich eine neue Stelle bei der Firma Okasio in Berlin. Ich arbeite im Moment an einem Projekt für ein neues Verkehrssystem. Natürlich muss ich mich erst mal ein bisschen einarbeiten. Ich habe flexible Arbeitszeiten und nette Kollegen, das ist gut. Mein Gehalt ist nicht so hoch, das empfinde ich als Nachteil. Aber die Arbeit macht mir bis jetzt sehr viel Spaß. Ich habe mein eigenes Büro und einen ganz modernen Computer. Gestern habe ich an meinem ersten Geschäftsessen teilgenommen. Ich musste einen Anzug und eine Krawatte tragen! Das Essen war sehr anstrengend. Ich wusste gar nicht, worüber ich mit den Kunden reden sollte.
Du suchst doch auch eine neue Stelle. Hast Du schon etwas gefunden? Schreib mir mal.

Viele Grüße
Michael

Antworten Sie Ihrem Freund.

Sie haben auch eine neue Stelle gefunden. Schreiben Sie in Ihrem Brief zu allen Punkten etwas: Ihre Tätigkeiten, Ihre Arbeitszeit, Ihr Gehalt, Ihr Arbeitsplatz, Ihre Kollegen.
Vergessen Sie Datum und Anrede nicht. Schreiben Sie auch eine kurze Einleitung und einen passenden Schluss.

Wissenswertes (fakultativ)

B1 Stellenanzeigen

a) Finden Sie für die folgenden Personen ein passendes Stellenangebot. Wenn Sie kein geeignetes Angebot finden, schreiben Sie Ø.

1. Christof ist Student. Er möchte nebenbei ein bisschen Geld verdienen, weil sein Stipendium nicht reicht.

2. Sabine hat in Berlin Jura studiert und sich auf Strafrecht spezialisiert. Sie sucht eine Stelle in einer Anwaltskanzlei.

3. Martina hat ihr Studium abgebrochen. Sie sucht erst mal nur einen Job, um Geld zu verdienen. Ihre Lieblingsbeschäftigung ist Telefonieren.

4. Anita telefoniert auch gern. Sie ist ausgebildete Verkäuferin.

5. Peter Heinemann hat Informatik studiert. Er sucht eine Stelle, bei der er viel Geld verdienen kann.

6. Kathrin hat drei Kinder und ist alleinerziehend. Sie ist von Beruf Sekretärin. Sie kennt sich auch mit Computern aus und möchte gerne mehr als nur Briefe schreiben. Sie sucht eine Halbtagsstelle.

a Telemarketing-Unternehmen sucht

Telefonisten/Telefonistinnen

Bei spezieller Eignung auch Einsatz als Teamleiter.
Wir bieten ein sehr gutes Arbeitsklima, einen Arbeitsplatz auf Dauer mit sozialer Absicherung.
Terminabsprachen unter: (03 41) 9 76 35 27

b City-Post-GmbH

Wir suchen für die Zustellung von Briefpost und Infopost in Ihrem Wohngebiet **zuverlässige Mitarbeiter**. Diese Tätigkeit ist geeignet für Studenten, Hausfrauen und Rentner, die sich ein Nebeneinkommen sichern wollen.

Bewerbungen ab 18 Jahre unter: (0 74) 53 74 52 42

c Immobilienfirma sucht

Mitarbeiter/in

für Immobilienverkauf, Verwaltung, Werbung und Webseitenerstellung. Wenn Sie flexibel, zeitlich ungebunden und selbstständig arbeiten können, bewerben Sie sich bitte mit Bild unter E-Mail: *immobilien@freenet.de*

d Suche für mein Handy-Geschäft

einen Top-Verkäufer/eine Top-Verkäuferin

Voraussetzungen: Berufsabschluss als Verkäufer/in, sehr gute Kommunikationsfähigkeiten, Mobilfunk-Erfahrung

Bewerbungen telefonisch unter:
(0 98) 5 36 27 18 oder schriftlich unter
O_2-Shop, Gerbergasse 3, 85764 Münchhausen

e Wir sind ein anerkanntes internationales Unternehmen und suchen für unsere Zweigstelle in Dresden einen/eine

Informatiker/in

- für die Programmierung einer betriebseigenen Software
- für die Schulung von Mitarbeitern
- zur Betreuung unseres Betriebssystems.

Wir bieten einen festen Arbeitsvertrag und gute Bezahlung. Wir erwarten Flexibilität, Leistungsbereitschaft und Kreativität.

Bewerbungen an Euroadvis bitte nur elektronisch mit Bild unter: *personal@euroadvis.com*

f Die Deutsche Versicherungsgesellschaft sucht ab September einen/eine

Juristen/Juristin

Als Jurist/in besitzen Sie gute Kenntnisse im Bereich Lebensversicherung und sind im Versicherungsvertragsrecht auf dem neuesten Stand. Sie sind analytisch und konzeptionell und arbeiten lösungsorientiert. Auf Sie wartet ein interessantes Arbeitsgebiet mit viel Verantwortung. Sie prüfen besondere Fälle und sprechen dann Empfehlungen aus. Sie beraten Ihre Kunden in schwierigen Fragen und erarbeiten Konzepte für unser Dienstleistungsangebot. Interessiert? Dann freuen wir uns auf Ihre Bewerbung unter: *s.sturm@dvg.com*

b) Leseverstehen
Beantworten Sie die Fragen in ganzen Sätzen.

1. Für wen ist die Stelle bei der City-Post-GmbH geeignet?

    ....

2. Ist die Stelle der Telefonistin/des Telefonisten eine befristete Arbeitsstelle?

    ....

3. Welche Berufsausbildung braucht man für die Stelle in dem Handy-Geschäft?

    ....

4. Welche Voraussetzungen muss die Juristin/der Jurist erfüllen, die/der sich für die Stelle bei der Deutschen Versicherungsgesellschaft bewerben will?

    ....

    ....

5. Welche Tätigkeiten umfasst das Arbeitsgebiet der Juristin/des Juristen?

    ....

    ....

6. Was sind die Tätigkeiten der Informatikerin/des Informatikers bei der Firma Euroadvis?

    ....

    ....

7. Was bietet die Firma Euroadvis?

    ....

8. Was erwartet die Immobilienfirma von ihrer zukünftigen Mitarbeiterin/ihrem zukünftigen Mitarbeiter?

    ....

B2 Berichten Sie.

- Wie ist die Situation auf dem Arbeitsmarkt in Ihrem Land? Gibt es viele Arbeitslose?
- Wie ist die Arbeitssituation in Ihrem Beruf?
- Was gehört in Ihrem Heimatland normalerweise zur Bewerbung um eine Stelle?
  (Lebenslauf mit oder ohne Passbild – Bewerbungsanschreiben – Zeugnisse – Referenzen …)
- Wie bewirbt man sich in Ihrem Heimatland? Schriftlich per Post oder per E-Mail?
- Was ist bei einer Bewerbung Ihrer Meinung nach besonders wichtig, was weniger wichtig?
  - ◇ Aussehen
  - ◇ Fachwissen
  - ◇ soziale Kompetenz
  - ◇ Beziehungen (dass man jemanden in einer einflussreichen Position persönlich kennt oder dass man jemanden kennt, der jemanden kennt usw.)
  - ◇ Selbstbewusstsein
  - ◇ Fremdsprachenkenntnisse
  - ◇ …

Wissenswertes

(B3) Onlinebewerbungen in Deutschland

Lesen Sie den folgenden Text und geben Sie die wichtigsten Hinweise wieder *(Man sollte …)*. Berichten Sie danach, was man in Ihrem Heimatland bei Onlinebewerbungen beachten muss.

Tipps und Tricks für Onlinebewerber in Deutschland

An Bewerbungen per Onlineformular und E-Mail kommen Jobsucher nicht mehr vorbei. Fast alle großen Unternehmen nutzen für Stellenausschreibungen Onlineformulare. Sie vereinfachen die Auswahlprozesse und sparen Arbeitszeit. Der Bewerber muss das Formular Schritt für Schritt ausfüllen, Anhänge hochladen und abschicken.

Eine zweite Form der Onlinebewerbung ist die Bewerbung per E-Mail. Diese Form nutzen vor allem kleinere Unternehmen. Bei der Bewerbung per E-Mail handelt es sich um eine „klassische" Bewerbungsmappe in digitaler Form. Der Bewerber verfasst ein Anschreiben und verschickt Lebenslauf und Zeugnisse als Dateianhänge.

Bei individuellen E-Mail-Bewerbungen hilft folgende Checkliste:

- Verwenden Sie eine seriöse E-Mail-Adresse.
- Formulieren Sie eine aussagekräftige Betreffzeile.
- Recherchieren Sie Ihren Ansprechpartner und senden Sie Ihre Bewerbung an die richtige Person. Schicken Sie keine Bewerbungen an Sammeladressen wie info@firma.de.
- Formulieren Sie das Anschreiben sorgfältig als E-Mail-Text oder als erste Seite des Anhangs. Das Anschreiben sollte nicht länger als eine DIN-A4-Seite sein und Ihre Motivation und Fähigkeiten beschreiben.
- Versenden Sie alle Unterlagen (Anschreiben, Lebenslauf, Zeugnisse) in einem Dokument im gängigen PDF-Format. Der Lebenslauf sollte zwei DIN-A4-Seiten nicht überschreiten und mit einem Foto versehen sein.
- Beachten Sie die Toleranzgrenze für die Größe des Anhangs (zwischen 1 und 2 MB). Zu große Datenmengen kommen oft nicht an oder landen im elektronischen Papierkorb.

Bei allen Formen der Bewerbungen spielen Gestaltung, Lesbarkeit und Rechtschreibung eine große Rolle.

Korrekte Rechtschreibung, ein sauberes, klares Schriftbild und inhaltliche Prägnanz verbessern Ihre Chancen!

(B4) Bewerbungsunterlagen

a) Lesen Sie den Lebenslauf und ordnen Sie die passenden Überschriften zu.

- Berufstätigkeit
- Persönliche Daten
- Sonstige Kenntnisse
- Ausbildung
- Hobbys
- Praktika

Lebenslauf

Kathrin Maschke
Bahnhofsplatz 5
01067 Dresden
geb. 17.3.1976 in Radebeul
verheiratet
deutsche Staatsangehörigkeit

....
1982–1986 Grundschule Köln
1986–1994 Gymnasium Köln, Abschluss: Abitur
1994–1999 Studium der Betriebswirtschaftslehre an der Universität Dresden
1999 Abschluss als Diplom-Betriebswirtin, Prädikat „gut"

....
März–Juni 1997 Ipromex, Dresden
Erarbeitung einer Marketinganalyse für Medikamente
März–Juni 1998 GOTEX, Dortmund
Abteilung Planung und Kontrolle
Mitarbeit im Projekt Kostensenkung

....
seit 1999 Projektmanagerin bei Ipromex, Dresden
Erstellung eines neuen Marketingkonzepts,
Analyse neuer Marktchancen

....
sehr gute Englischkenntnisse in Wort und Schrift
gute Französischkenntnisse
MS Office

....
Volleyball, Radfahren

b) In der Zeitung hat Kathrin Maschke eine interessante Stellenanzeige gefunden und beschlossen, sich um diese Stelle zu bewerben.
Bringen Sie die Sätze des Bewerbungsschreibens in die richtige Reihenfolge.

Sehr geehrter Herr Meier,

Pharmazeutikum sucht einen/eine

Projektleiter/in

für Marketinguntersuchungen.

Unsere Erwartungen: abgeschlossenes Hochschulstudium, Erfahrungen im Marketingbereich, Kenntnisse des Arzneimittelmarktes, Flexibilität, Ideenreichtum, analytische Fähigkeiten. Wir bieten ein gutes Gehalt und eine verantwortungsvolle Tätigkeit.

Bewerbungen unter: *meier@pharmazeutikum.de*

Wie Sie meinen Bewerbungsunterlagen entnehmen können, habe ich 1999 mein Studium als Diplom-Betriebswirtin abgeschlossen. Seit September 1999 arbeite ich in ungekündigter Stellung bei einem führenden Arzneimittelhersteller in Dresden und suche jetzt eine neue berufliche Herausforderung.

Anhang
Lebenslauf
Zeugnisse
Referenzen

in Ihrer Anzeige vom 9.8.20… beschreiben Sie eine berufliche Aufgabe, die mich besonders interessiert und für die ich mich bewerben möchte.

Ihre Anzeige in der Süddeutschen Zeitung vom 9.8.20…

Mit freundlichen Grüßen
Kathrin Maschke

Aufgrund meiner jahrelangen Tätigkeit als Projektmanagerin verfüge ich über ausgezeichnete Kenntnisse des Marktes und die Fähigkeit, meine Ideen in die Teamarbeit einzubringen. Zu meinen Stärken zählen außerdem analytisches Denken und ergebnisorientiertes Arbeiten.

Sollten Ihnen meine Bewerbungsunterlagen zusagen, stehe ich Ihnen gerne zu einem Vorstellungsgespräch zur Verfügung.

Verben

nicht müssen/nicht brauchen		
müssen	Du musst noch die Rechnung bezahlen. Ich muss die Tabletten nehmen.	positiv
nicht müssen	Du musst die Rechnung nicht bezahlen. Ich muss keine Tabletten nehmen.	negativ
nicht brauchen + zu	Du brauchst die Rechnung nicht zu bezahlen. Ich brauche keine Tabletten zu nehmen	
nur + müssen nur + brauchen + zu	Du musst nur eine Seite schreiben. Du brauchst nur eine Seite zu schreiben.	Einschränkung

(C1) Antworten Sie wie im Beispiel.

a) Soll ich die Rechnung bezahlen?

Nein danke, du brauchst die Rechnung nicht zu bezahlen.

Soll ich dir einen Kaffee mitbringen?

Nein danke, du brauchst mir keinen Kaffee mitzubringen.

1. Kann ich dir helfen? *Nein danke,* ....

2. Soll ich den Brief übersetzen? ....

3. Soll ich die E-Mail beantworten? ....

4. Soll ich mit dem Chef reden? ....

5. Soll ich dir einen Rat geben? ....

6. Soll ich Herrn Brehm vom Bahnhof abholen? ....

7. Soll ich zum Essen eine Flasche Wein mitbringen? ....

8. Soll ich einen Tisch im „Ratskeller" reservieren? ....

b) Soll ich alle Kollegen informieren? *(nur die Kollegen von der Personalabteilung)*

Nein, Sie brauchen nur die Kollegen von der Personalabteilung zu informieren.

1. Soll ich das ganze Dokument kopieren? *(nur eine Seite)*

....

2. Sollen wir das ganze Buch lesen? *(das erste Kapitel)*

....

3. Soll ich den ganzen Betrag allein bezahlen? *(nur die Hälfte des Betrags)*

....

4. Soll ich den Gast den ganzen Tag betreuen? *(nur am Vormittag)*

....

5. Soll ich die E-Mail an alle Kollegen weiterleiten? *(nur an den Chef)*

....

müssen/sollen

müssen	Mein Auto stand im Parkverbot. Ich muss 50 Euro Strafe zahlen.	Pflicht
	Ich muss heute länger arbeiten.	Notwendigkeit
sollen	Ich soll heute länger arbeiten. (Mein Chef hat das gesagt.)	Auftrag
	Frau Körner hat angerufen. Du sollst sie zurückrufen.	Weiterleitung eines Auftrages
	Soll ich Kaffee kochen?	Frage nach dem Wunsch einer anderen Person
	Du solltest mal einen Sprachkurs besuchen.	Empfehlung (im Konjunktiv II)

(C2) *Sollen* oder *müssen*?

a) Ergänzen Sie *sollen* oder *müssen*.

1. .... ich dich vom Bahnhof abholen?

2. Ich .... die Arbeit unbedingt bis Freitag beenden.

3. Herr Müller hat angerufen, du .... ihn zurückrufen.

4. Der Film ist unglaublich gut. Den .... du dir ansehen!

5. Dein Zug fährt in dreizehn Minuten. Du .... dich beeilen!

6. Sag Paul einen schönen Gruß, er .... bitte keine Blumen mitbringen.

7. Hast du immer noch Bauchschmerzen? Du .... mal zum Arzt gehen.

8. Ich .... jetzt auch samstags arbeiten, hat mein Chef gesagt.

b) Bilden Sie Sätze mit *sollen* oder *müssen*.

1. ich – den Brief – übersetzen – sollen/müssen – ?

   ....

2. Sie – sich schnell entscheiden – sollen/müssen – !

   ....

3. Gustav – Strafe wegen Falschparkens – bezahlen – sollen/müssen

   ....

4. ihr – bis zum Wettkampf – viel trainieren – sollen/müssen

   ....

können/dürfen/wollen/mögen/möchte(n) *(Wiederholung)*

können	Ich kann sehr gut Tennis spielen. Du kannst jetzt duschen.	Fähigkeit Gelegenheit
dürfen	Man darf nur in der Raucherecke rauchen. Darf ich hier mal telefonieren?	Erlaubnis höfliche Frage
wollen	Ich will mir ein neues Auto kaufen.	Absicht
mögen	Ich mag Vanilleeis mit heißen Himbeeren. Ich mag meinen neuen Chef nicht.	Vorliebe Antipathie
möchte(n)	Ich möchte gern ein Doppelzimmer reservieren.	Wunsch

Verben

C3 Ergänzen Sie die Modalverben in der richtigen Form.

		ich	du	er/sie/es	wir	ihr	sie/Sie
können	Präsens	kann	kannst	kann	können	könnt	können
	Präteritum	konnte	konntest	konnte	konnten	konntet	könnten
müssen	Präsens	muss	musst	muss	müssen	musst	mussen
	Präteritum	musste	musstest	musste	mussten	musstet	mussten
sollen	Präsens	soll	sollst	soll	sollen	sollt	sollen
	Präteritum	sollte	solltest	sollte	sollten	solltet	sollten
wollen	Präsens	woll	wollst	woll	wollen	wollt	wollen
	Präteritum	wollte	wolltest	wollte	wollen	wolltet	wollten
dürfen	Präsens	durfe	darfst	darf	darfen	darft	dürfen
	Präteritum	durfte	darftest	darfte	durften	durft	durften
mögen	Präsens	mag	magst	mag	mogen	magt	mogen
	Präteritum	mochte	mochtest	mochte	mochten	mochtet	mochten
möchte(n)	Präsens	möchte	möchtest	möchte	möchten	möchtet	möchten

→ *möchte(n)* hat keine eigene Vergangenheitsform!

Die Vergangenheit von: *Ich möchte ein Doppelzimmer mit Seeblick.*
ist: *Ich wollte ein Doppelzimmer mit Seeblick.*

C4 Antworten Sie.

- Müssen Sie am Arbeitsplatz Kaffee kochen? *ja, ich muss*
- Mögen Sie Ihre Direktorin/Ihren Direktor? (Sie dürfen lügen.) *ja, ich mag*
- Können Sie Ihren Computer selbst reparieren? *ja, ich kann*
- Wollen Sie lieber etwas anderes machen als Ihre jetzige Tätigkeit? *ja, ich woll*
- Sollen Sie mehr, länger, effizienter arbeiten? *ja ich soll*
- Dürfen Sie während Ihrer Arbeitszeit privat telefonieren? *ja ich durfe*

C5 Ergänzen Sie die Modalverben im Präteritum.

1. Wie lange ...*musstest*... du gestern arbeiten? *(müssen)*

2. Tut mir leid, ich ...*kann*... nicht eher kommen,
   ich ...*muss*... noch zwei E-Mails schreiben. *(können, müssen)*

3. Ich ...*woll*... eigentlich ein Zimmer mit Seeblick und nicht mit Straßenlärm! *(wollen)*

4. Kerstin ...*mochte*... schon als Kind keine Schokolade. *(mögen)*

5. Die Kollegen ...*durften*... früher noch im Büro rauchen. *(dürfen)*

6. Andreas ...*sollte*... den Bericht bis gestern abgeben.
   Der Bericht ist aber noch nicht fertig. *(sollen)*

7. Wir ...*mussten*... früher um 22.00 Uhr zu Hause sein
   und ...*durften*... nicht alleine ins Kino gehen. *(müssen, dürfen)*

8. Ich habe Peter eingeladen, aber er ...*woll*... nicht zu meiner Party kommen. *(wollen)*

C6 Jemanden höflich bitten

11/30/17

ich hätte gern
würden sie bitte

Sie fahren in den Urlaub. Ein Freund von Ihnen will während dieser Zeit in Ihrer Wohnung wohnen. Leider sehen Sie diesen Freund vor Ihrer Abfahrt nicht mehr. Sie hinterlassen also Ihren Wohnungsschlüssel und einen Brief an Ihren Freund beim Nachbarn.

Formulieren Sie diesen Brief und erklären Sie Ihrem Freund, was er in der Wohnung darf *(rauchen?)*, was er nicht darf *(laut Musik hören?)*, was er unbedingt tun muss *(die Katze füttern?)* und was er nicht zu tun braucht *(Geschirr abwaschen?)*.

Die höfliche Bitte im Konjunktiv II *(Wiederholung)*	
„normale" Frage/Bitte/Aussage	höfliche Frage/Bitte/Aussage
Haben Sie morgen Zeit?	**Hätten** Sie morgen Zeit?
Der Montag **ist** gut.	Der Montag **wäre** gut.
Kann ich hier mal telefonieren?	**Könnte** ich hier mal telefonieren?
Machen Sie bitte das Fenster **zu**.	**Würden** Sie bitte das Fenster **zumachen**?

C7 Ergänzen Sie die Verben im Konjunktiv II.

		ich	du	er/sie/es	wir	ihr	sie/Sie
sein	*Indikativ*	bin	bist	ist	sind	seid	sind
	Konjunktiv II	wäre	*wärest*	*wärst*	*wären*		
haben	*Indikativ*	habe	hast	hat	haben	habt	haben
	Konjunktiv II	*hätte*	*hättest*	hätte	*hätten*	*hättet*	*hätten*
können	*Indikativ*	kann	kannst	kann	können	könnt	können
	Konjunktiv II	*könnte*	*könntest*	könnte	*könnten*	*könntet*	*könnten*
sprechen	*Indikativ*	spreche	sprichst	spricht	sprechen	sprecht	sprechen
	Konjunktiv II	würde sprechen	....	....	....	....	....
			....	....	....	....	....

gehen
singen

C8 Sagen Sie es höflicher.

Bilden Sie Sätze mit *würde* + Infinitiv.

◆ Mach das Fenster auf! *Würdest du das Fenster aufmachen?*

1. Gib mir mal eine Kopfschmerztablette! *Könntest* ....

2. Fahr mich bitte nach Hause! ....

3. Holen Sie die Gäste vom Flughafen ab? *würden Sie*

4. Bezahlen Sie die Rechnung bitte sofort! ....

5. Kommen Sie heute Nachmittag bitte in mein Büro! ....

6. Buchen Sie für mich einen Flug nach Athen! *würden*

7. Raucht hier bitte nicht! *Könnten Sie hier bitte nicht rauchen*

8. Reservieren Sie bitte für das Geschäftsessen einen Tisch für sechs Personen!

wenn ich reich wäre, würde ich einen Flughaben kaufen
eigene Firma haben

Verben

C9 Formulieren Sie höfliche Bitten.

♦ *Ich hätte gern einen Kaffee.* — Mit Milch oder Zucker?

1. *Könnte ich bitte kurz telefonieren* — Ja, natürlich! Das Telefon steht gleich hier links.

2. .... — Ich habe leider in meinem Büro kein Faxgerät.
   Möchtest

3. *hättest Du mit mir ins Kino* — Nein, das geht nicht. Ich muss heute länger arbeiten.

4. .... — Nein, am Mittwoch habe ich leider keine Zeit.

5. .... — Ja, ich schicke Ihnen das Angebot sofort.

6. .... — Nein, tut mir leid, Kaffee muss ich erst kochen.

7. *hättest Du das Protokoll* — Nein, ich habe letzte Woche schon das Protokoll geschrieben.
   würdest noch ein mal geschrieben diese Woche

Verben mit Akkusativ *(Wiederholung)*

Das Verb regiert im Satz.

Ich   informiere   Sie sofort.
        informieren
NOMINATIV   AKKUSATIV

dich

anrufen ♦ bestellen ♦ beantworten ♦ bitten ♦
informieren ♦ lieben ♦ zurückrufen ♦ …

call, order, answer, ask/request, love

Verben mit Dativ *(Wiederholung)*

Das Verb regiert im Satz.

Ich   helfe   Ihnen gern.
        helfen
NOMINATIV   DATIV

wir

antworten ♦ danken ♦ glauben ♦ helfen ♦ passen ♦
schmecken ♦ widersprechen ♦ …

wir helfen den Studenten, fit, contradict

Verben mit Dativ und Akkusativ *(Wiederholung)*

Das Verb regiert im Satz.

Ich   zeige   Ihnen   die Farbmuster.
        zeigen
NOMINATIV   DATIV   AKKUSATIV

dir, color

ausrichten ♦ empfehlen ♦ leihen ♦ schicken ♦
sagen ♦ versprechen ♦ zeigen ♦ …

deliver a message, align, promise

C10 Bilden Sie Sätze.

Achten Sie auf den Kasus.

♦ ich – du – gern – bei den Hausaufgaben – helfen — *Ich helfe dir gern bei den Hausaufgaben.*

1. ich – Sie – morgen – zurückrufen — *ich rufe sie morgen zurück*

2. ich – Sie – dieser Friseur – empfehlen — *ich empfehle Ihnen dieser*

3. ich – der Chef – etwas ausrichten – sollen – ? — *sollte ich dem Chef etwas*

4. ich – Sie – über den Stand der Dinge – informieren — *ich informiere Sie über den Stand der Dinge*

5. ich – du – für die Blumen – danken — *ich danke dir für*

6. er – die Mail – sofort – beantworten — *er beantwortet die Mail sofort*

7. wann – es – Sie – passen – ? — *wann passt es Ihnen*

8. mein Mann – ich – jeden Tag – im Büro – anrufen — *ich rufe meinen Mann jeden Tag im Büro an*

er bittet um

Infinitiv mit *zu* (Wiederholung)

Ich empfehle dir, die richtige Kleidung zu tragen.
Ich rate dir, mit Kunden nicht über Politik zu sprechen.

→ Nach *empfehlen* und *raten* steht oft ein Infinitiv mit *zu*.

Sie **dürfen** mit Kunden nicht über Politik sprechen.

→ Nach Modalverben steht <u>kein</u> Infinitiv mit *zu*.

(C11) Wörter und Wendungen mit Infinitiv mit *zu*

Folgende Wörter und Wendungen werden oft mit einem Infinitiv mit *zu* gebraucht. Vervollständigen Sie die Sätze.

♦ Ich habe keine Lust, *(in der Kantine essen)*   *Ich habe keine Lust, in der Kantine zu essen.*

1. Ich habe keine Zeit, *(die Mail beantworten)* ....

2. Ich habe die Absicht, *(mir eine andere Stelle suchen)* ....

3. Ich habe Lust, *(heute früher nach Hause gehen)* ....

4. Ich habe die Möglichkeit, *(einen Computerkurs besuchen)* ....

5. Es ist sehr wichtig, *(an der Besprechung teilnehmen)* ....

6. Es ist absolut verboten, *(in den Büroräumen rauchen)* ....

7. Es ist unmöglich, *(das Projekt diesen Monat abschließen)* ....

8. Es ist zu spät, *(die Preise noch ändern)* ....

9. Es ist richtig, *(die Arbeitszeiten verkürzen)* ....

10. Ich bitte dich, *(mich rechtzeitig informieren)* ....

11. Ich verspreche dir, *(nicht zu spät kommen)* ....

12. Ich habe vor, *(Deutsch lernen)* ....

13. Ich empfehle dir, *(immer freundlich sein)* ....

(C12) Formen Sie die Sätze um.

Verwenden Sie dabei die folgenden Wendungen.

es ist verboten ♦ es ist erlaubt ♦ den Wunsch haben ♦ die Absicht haben ♦ empfehlen

♦ Hier dürfen Sie nicht rauchen.   *Es ist verboten, hier zu rauchen.*

1. Der Abteilungsleiter möchte heute eher nach Hause gehen.

....

2. Du solltest die Visitenkarte nicht achtlos einstecken.

....

3. Sie dürfen hier parken.

....

4. Wir wollen mit dem Chef über eine Gehaltserhöhung reden.

....

5. Ich möchte die Arbeit bis 15.00 Uhr beenden.

....

6. Meiner Meinung nach sollten Sie mit Frau Kümmel über das Problem reden.

Nomen

Deklination der maskulinen Nomen

	Singular		Plural	
	„normale" Deklination	n-Deklination	„normale Deklination"	n-Deklination
Nominativ	der Mann	der Kunde	die Männer	die Kunden
Akkusativ	den Mann	den Kunden	die Männer	die Kunden
Dativ	dem Mann	dem Kunden	den Männern	den Kunden
Genitiv	des Mannes	des Kunden	der Männer	der Kunden

Nach demselben Prinzip wie *Kunde* (n-Deklination) werden folgende maskuline Nomen dekliniert:

1. männliche Personen und Tiere auf *-e*:

   Personen: der Experte ♦ der Junge ♦ der Kollege ♦ der Kunde ♦ der Laie ♦ der Neffe ♦ der Riese ♦ der Zeuge ♦ …

   Nationalitäten: der Brite ♦ der Bulgare ♦ der Däne ♦ der Franzose ♦ der Grieche ♦ der Ire ♦ …

   Tiere: der Affe ♦ der Hase ♦ der Löwe ♦ …

2. weitere männliche Personen:

   der Bauer ♦ der Held ♦ der Kamerad ♦ der Nachbar ♦ der Prinz ♦ der Herr (Plural: die Herren)

3. Nomen auf *-and/-ant, -ent, -ist*:

   der Doktorand ♦ der Elefant ♦ der Lieferant ♦ der Demonstrant ♦ …
   der Student ♦ der Präsident ♦ der Produzent ♦ der Patient ♦ …
   der Polizist ♦ der Kommunist ♦ der Terrorist ♦ der Journalist ♦ …

4. einige Nomen aus dem Griechischen:

   der Biologe ♦ der Fotograf ♦ der Architekt ♦ der Diplomat ♦ der Automat

5. einige abstrakte Nomen (Genitiv zusätzlich mit *-s*):

   der Name (des Namens)
   ebenso: der Gedanke ♦ der Glaube ♦ der Buchstabe ♦ der Wille ♦ der Friede

---

(C13) Kennen Sie …?

Üben Sie die Nomen. Bilden Sie Fragen wie im Beispiel.

♦ der Kollege	*Kennen Sie den Kollegen?*	*Welchen Kollegen meinen Sie?*
1. der Zeuge	....	....
2. der Patient	....	....
3. der Franzose	....	....
4. der Kunde	....	....
5. der Polizist	....	....
6. der Junge	....	....
7. der Fotograf	....	....
8. der Herr	....	....
9. der Architekt	....	....
10. der Journalist	....	....

Nomen

C14 Ergänzen Sie die Nomen in der richtigen Form.

Achtung! Nicht alle Nomen werden auf -n dekliniert.

♦ Der *Verkehrspolizist* hat einen Strafzettel geschrieben. *(Verkehrspolizist)*

1. Die Gespräche mit dem .... fanden in freundlicher Atmosphäre statt. *(Präsident)*

2. Habt ihr Ärger mit dem ....? *(Lieferant)*

3. Frau Schön hat schon wieder einen neuen .... *(Mann)*

4. Bei der Pressekonferenz waren viele .... anwesend. *(Journalist)*

5. Das ist der Bau eines berühmten .... *(Architekt)*

6. Sie ist mit einem .... verheiratet. *(Diplomat)*

7. Ich möchte ins Elisabeth-Krankenhaus. Dort kenne ich den .... gut. *(Chefarzt)*

8. Was ist die E-Mail-Adresse des neuen ....? *(Student)*

9. Er ist der .... meines .... *(Neffe, Freund)*

10. Sprechen Sie mit Ihrem .... *(Nachbar)*

C15 Nominalisierungen

a) Bilden Sie Nomen auf -ung.

♦ jemanden untersuchen   *die Untersuchung*

1. jemanden behandeln   ....

2. jemanden betreuen   ....

3. jemanden vertreten   ....

4. jemanden verhaften   ....

5. etwas entwickeln   ....

6. etwas umsetzen   ....

7. forschen   ....

b) Bilden Sie Nomen auf -e.

♦ etwas suchen   *die Suche*

1. fragen   ....

2. lehren   ....

3. recherchieren   ....

C16 Komposita

Was passt zusammen? Ordnen Sie zu. Manchmal gibt es mehrere Möglichkeiten.

♦	Führungs-	-firma	6.	Stellen-	-essen
1.	Geschäfts-	-kräfte	7.	Arbeits-	-angebot
2.	Gast-	-formen	8.	Geschäfts-	-karte
3.	Werbe-	-geber	9.	Verhaltens-	-vertrag
4.	Gesprächs-	-partner	10.	Kunden-	-kontakt
5.	Umgangs-	-themen	11.	Visiten-	-regeln

Rückblick

D1 Wichtige Redemittel

Hier finden Sie die wichtigsten Redemittel des Kapitels.

Berufe

Verschiedene Tätigkeiten:

kranke Menschen untersuchen und behandeln ◆ Menschen pflegen und versorgen ◆ Verbrecher suchen, verhaften und verhören ◆ andere Menschen vor Gericht vertreten ◆ gläubige Menschen betreuen und Predigten halten ◆ an einer Universität lehren und forschen ◆ Maschinen oder Verkehrssysteme konstruieren ◆ die Interessen seines Landes vertreten und mit Menschen aus anderen Ländern verhandeln ◆ Pläne haben, umsetzen ◆ an Olympischen Spielen teilnehmen ◆ neue Softwareprogramme entwickeln ◆ recherchieren und Artikel schreiben ◆ sich mit etwas beschäftigen ◆ Schüler unterrichten ◆ Kunden betreuen ◆ Menschen helfen ◆ Rechnungen schreiben ◆ früh aufstehen ◆ viele Dienstreisen machen ◆ Zu den Aufgaben eines *(Reiseleiters)*/einer *(Innenarchitektin)* gehören … ◆ *(Eine Managerin)* muss am Computer arbeiten.

Ansehen und Fähigkeiten:

ein hohes/niedriges Ansehen haben ◆ Als *(Reiseleiter/Informatiker)* muss man viele Sprachen sprechen, programmieren können, gut mit Menschen umgehen können. ◆ als *(Reiseleiter/Informatiker)* braucht man gute Sprachkenntnisse, Organisationstalent, gute Menschenkenntnis, gute Nerven, Computerkenntnisse … ◆ Als *(Reiseleiter)* sollte man zuverlässig, fleißig, kommunikativ, ordentlich, kontaktfreudig, freundlich, autoritär, kreativ, gewissenhaft, pünktlich, geduldig, konsequent, attraktiv, lernfähig, überzeugend … sein.

Arbeitsbedingungen

viel/wenig Geld verdienen ◆ ein hohes/niedriges Gehalt bekommen ◆ flexible/feste Arbeitszeiten haben ◆ selbstständig arbeiten ◆ einen unbefristeten/befristeten Arbeitsvertrag haben ◆ viele Überstunden machen ◆ gute Karrieremöglichkeiten haben ◆ eine abwechslungsreiche Arbeit haben ◆ Der Arbeitgeber erlaubt/verbietet die private Nutzung des Internets/private E-Mails.

Kontakte im Büro oder am Telefon

jemanden anrufen ◆ jemanden zurückrufen ◆ mit jemandem telefonieren ◆ ein Telefongespräch führen/beenden ◆ den Namen nennen ◆ eine Nachricht hinterlassen ◆ jemandem etwas ausrichten ◆ einen Termin vereinbaren/verschieben/absagen ◆ einen Terminvorschlag machen

Umgangsformen im Geschäftsleben

Gutes Benehmen ist wichtig. ◆ „Pünktlichkeit ist die Höflichkeit der Könige." ◆ jemandem zur Begrüßung die Hand geben/die Begrüßung mit Handschlag ◆ formelle/informelle Kleidung tragen ◆ jemanden duzen/siezen ◆ eine Visitenkarte überreichen ◆ im Restaurant Trinkgeld geben ◆ Gesprächsthemen *(wie Politik)* meiden

D2 Kleines Wörterbuch der Verben

Modalverben

Infinitiv	3. Person Singular Präsens	3. Person Singular Präteritum	3. Person Singular Perfekt
dürfen	er darf	er durfte	er hat gedurft
können	er kann	er konnte	er hat gekonnt
mögen	er mag	er mochte	er hat gemocht
müssen	er muss	er musste	er hat gemusst
sollen	er soll	er sollte	er hat gesollt
wollen	er will	er wollte	er hat gewollt

Rückblick

Unregelmäßige Verben

Infinitiv	3. Person Singular Präsens	3. Person Singular Präteritum	3. Person Singular Perfekt
anbieten (Hilfe)	er bietet an	er bot an	er hat angeboten
anrufen	er ruft an	er rief an	er hat angerufen
bewerben (sich um eine Stelle)	er bewirbt sich	er bewarb sich	er hat sich beworben
bleiben (zu Hause)	er bleibt	er blieb	er ist geblieben
einladen (jemanden)	er lädt ein	er lud ein	er hat eingeladen
empfehlen (einen Kurs)	er empfiehlt	er empfahl	er hat empfohlen
empfinden	er empfindet	er empfand	er hat empfunden
gelten (eine Regel)	sie gilt	sie galt	sie hat gegolten
helfen	er hilft	er half	er hat geholfen
hinterlassen (eine Nachricht)	er hinterlässt	er hinterließ	er hat hinterlassen
kommen	er kommt	er kam	er ist gekommen
leihen (einen Stift)	er leiht	er lieh	er hat geliehen
meiden (ein Gesprächsthema)	er meidet	er mied	er hat gemieden
tragen (Kleidung)	er trägt	er trug	er hat getragen
verbieten (private E-Mails)	er verbietet	er verbot	er hat verboten
verbinden (jemanden am Telefon)	er verbindet	er verband	er hat verbunden
vertreten (eine Meinung)	er vertritt	er vertrat	er hat vertreten
verlieren (den Reisepass)	er verliert	er verlor	er hat verloren
verschieben (einen Termin)	er verschiebt	er verschob	er hat verschoben
werden (krank/Direktor)	er wird	er wurde	er ist geworden

Einige regelmäßige Verben

Infinitiv	3. Person Singular Präsens	3. Person Singular Präteritum	3. Person Singular Perfekt
absagen (einen Termin)	er sagt ab	er sagte ab	er hat abgesagt
ausrichten (jemandem etwas)	er richtet aus	er richtete aus	er hat ausgerichtet
buchstabieren (den Namen)	er buchstabiert	er buchstabierte	er hat buchstabiert
duzen (jemanden)	er duzt	er duzte	er hat geduzt
irren (sich)	er irrt sich	er irrte sich	er hat sich geirrt
siezen (jemanden)	er siezt	er siezte	er hat gesiezt
überreichen (eine Visitenkarte)	er überreicht	er überreichte	er hat überreicht
umsetzen (Pläne)	er setzt um	er setzte um	er hat umgesetzt
verdienen (Geld)	er verdient	er verdiente	er hat verdient
verhandeln	er verhandelt	er verhandelte	er hat verhandelt
vereinbaren (einen Termin)	er vereinbart	er vereinbarte	er hat vereinbart

Kapitel 2

(D3) Evaluation

Überprüfen Sie sich selbst.

Ich kann	gut	nicht so gut
Ich kann über Berufe, berufliche Tätigkeiten, Fähigkeiten und Eigenschaften berichten.	☐	☐
Ich kann meinen Beruf beschreiben, Vor- und Nachteile benennen.	☐	☐
Ich kann meine Meinung formulieren, Zustimmung und Ablehnung deutlich machen.	☐	☐
Ich kann Vorschläge im beruflichen Umfeld unterbreiten.	☐	☐
Ich kann Termine mündlich und schriftlich vereinbaren, absagen und verschieben.	☐	☐
Ich kann telefonisch Informationen erfragen und geben.	☐	☐
Ich kann Informationen weiterleiten.	☐	☐
Ich kann einen Text über Umgangsformen im Geschäftsleben verstehen und über Umgangsformen in meinem Heimatland berichten.	☐	☐
Ich kann einen Smalltalk führen.	☐	☐
Ich kann Stellenanzeigen und Bewerbungsunterlagen verstehen. *(fakultativ)*	☐	☐

Lesen und fernsehen

Kommunikation

- Über das eigene Leseverhalten berichten
- Eine Buchauswahl treffen und begründen
- Über Lesestrategien sprechen
- Über ein geschichtliches Ereignis sprechen
- Hypothesen formulieren
- Über verschiedene Medien sprechen
- Über das Fernsehprogramm und das Fernsehverhalten diskutieren
- Grafiken beschreiben
- Eine E-Mail schreiben

Wortschatz

- Lesen
- Bücher und Buchdruck
- Medien und Zubehör
- Fernsehen

Lesen

(A1) Lesen und hören Sie den folgenden Text. *1.11*

Leser und Nichtleser

Im Land der Dichter und Denker scheiden sich die Geister[*]: Die einen <u>kommen nicht ohne</u> Bücher <u>aus</u>, die anderen brauchen überhaupt keine Bücher zum Leben. Neun Prozent der Bundesbürger, davon mehr als die Hälfte Männer, sind „<u>buchresistent</u>": Wenn es um Bücher geht, werden sie zu „<u>Totalverweigerern</u>". Statt Bücher zu lesen, greifen sie lieber zur TV-Fernbedienung oder surfen durchs Internet. Die größte Gruppe sind mit rund 40 Prozent die „Wenigleser". Sie konsumieren bis zu neun Bücher im Jahr. Ein Viertel der Bevölkerung zählt als „Normalleser" und kommt auf 10 bis 18 Bücher im Jahr. Echte <u>Bücherwürmer</u> und <u>Leseratten</u> sind 27 Prozent der Deutschen. Sie <u>verschlingen</u> jährlich mindestens 19 Bücher. Dabei leihen gerade Vielleser viele Bücher bei Freunden oder in der Bibliothek aus, statt sie selbst neu zu kaufen. Sehr klein und sehr skurril ist die Gruppe der „Bücher kaufenden Nichtleser": Sieben Prozent der Bundesbürger kaufen zwar regelmäßig Bücher, lesen sie aber kaum. Die Werke werden verschenkt oder als Dekoration ins Regal gestellt. 40 Prozent der Bundesbürger haben in ihrem Regal 50 bis 200 Bücher stehen. Jeder Vierte <u>verfügt über</u> 200 bis 500 Exemplare. Und bei 14 Prozent gibt es sogar mehr als 500 Bücher im Schrank.

[*]Es scheiden sich die Geister. = Es gibt unterschiedliche Meinungen.

(A2) **Ordnen Sie zu.**

a) Welche Erklärungen passen zu den unterstrichenen Wendungen im Text?

1. kommen nicht ohne *(Bücher)* aus   → Person, die gern und viel liest
2. Totalverweigerer   schnell und mit Spannung lesen
3. Leseratte/Bücherwurm   hat
4. *(buch)*resistent sein   können ohne *(Bücher)* nicht leben
5. ein Buch verschlingen   sich nicht verführen lassen
6. skurril   Person, die etwas prinzipiell ablehnt
7. verfügt über   seltsam

b) Ergänzen Sie die Informationen aus dem Text.

Gruppe	Prozentzahl	Was tun die Mitglieder der Gruppe?
Totalverweigerer	9 %	....
Wenigleser	....	....
Normalleser	....	*lesen ungefähr 10 bis 18 Bücher im Jahr*
Leseratten/Bücherwürmer	....	....
Bücher kaufende Nichtleser	....	....

c) Antworten Sie. Wie viele Bücher stehen bei den Deutschen im Bücherregal?

A3 Was kann man mit Büchern machen?

Suchen Sie die Verben aus dem Text.

....

....

....

....

....

lesen

A4 Wörter rund ums Buch

a) Welches Nomen passt?

der Bücherwurm ♦ der Schriftsteller ♦ die Bibliothek ♦ der Literaturkritiker ♦ die Buchhandlung ♦ der Verlag

1. .... leiht Bücher aus.
2. .... bringt Bücher auf den Markt.
3. .... beurteilt Bücher.
4. .... liest ganz viele Bücher.
5. .... schreibt literarische Bücher.
6. .... verkauft Bücher.

b) Komposita. Was passt zusammen?
Ordnen Sie zu. Manchmal gibt es mehrere Möglichkeiten.

Bücher-   -händler
Bestseller-   -held
Kriminal-   -buch
Fach-   -regal
Buch-   -messe
Roman-   -roman
                   -autor

c) Bringen Sie die Wörter in eine Reihenfolge. Beginnen Sie mit der kleinsten Einheit.

die Seite ♦ die Zeile ♦ der Abschnitt ♦ die Silbe ♦ das Wort ♦ der Text ♦ der Buchstabe ♦ das Buch

.... → .... → .... → ....

.... → .... → .... → *das Buch*

A5 Fragen Sie Ihre Nachbarin/Ihren Nachbarn und berichten Sie.

▫ Zu welcher Lesergruppe aus A2b zählen Sie sich selbst?

▫ Was lesen Sie täglich/oft/selten/nie?

Zeitungen ♦ Zeitschriften ♦ Fachbücher ♦ Literatur ♦ Biografien ♦
Reisebücher ♦ Kochbücher ♦ Krimis ♦ Nachrichten im Internet ♦ ...

▫ Wann lesen Sie?

beim Frühstück ♦ in der Straßenbahn/im Zug ♦ während der Arbeitszeit ♦ im Urlaub ♦
in der Mittagspause ♦ vor dem Einschlafen ♦ am Wochenende ♦ ...

▫ Wie beurteilen Sie sich selbst? Sind Sie ein schneller oder ein langsamer Leser?

▫ Was ist zurzeit Ihr Lieblingsbuch?

Lesen

(A6) Einen Buchpreis auswählen

a) Ihre Nachbarin/Ihr Nachbar hat einen Buchpreis gewonnen. Sie dürfen den Preis für sie/ihn auswählen. Welches Buch bekommt Ihre Nachbarin/Ihr Nachbar? Begründen Sie Ihre Auswahl.

- ▫ Ich wähle für meine Nachbarin/meinen Nachbarn das Buch …, weil …
- ▫ Ich glaube, meine Nachbarin/mein Nachbar würde sich über das Buch … freuen, denn …
- ▫ Meine Nachbarin/Mein Nachbar sollte das Buch … bekommen.
- ▫ Sie/Er hat mir erzählt, dass sie/er …, deshalb halte ich das Buch … für geeignet.

1

Denke nach und werde reich
Die Erfolgsgesetze
Von Napoleon Hill

Der Amerikaner Napoleon Hill gilt als Pionier des positiven Denkens. In seinem neuen Buch präsentiert er zahlreiche praktische Ratschläge, Regeln und viele anschauliche Beispiele, die Ihnen helfen, Ihren persönlichen Erfolg zu erlangen.

2

Kerners Köche. Die besten Rezepte aus der TV-Show

Das Buch zur erfolgreichsten Koch-TV-Show Deutschlands „Kochen bei Kerner" – mit Rezepten von Johannes B. Kerner und den beliebtesten und bekanntesten Profiköchen des deutschen Fernsehens.

3

Marco Polo: Reiseführer Berlin

Von der Berliner Mauer, die 28 Jahre lang Ost und West trennte, ist kaum noch etwas zu bemerken. Berlin ist die Hauptstadt des wiedervereinigten Deutschlands geworden. Das hat auch die Medien, die Dienstleistungsbranche und die Hotelbetreiber nach Berlin gezogen. Vor allem in der Mitte Berlins sieht man viele Veränderungen: Restaurants, Galerien und Boutiquen machen Berlin zur gegenwärtig interessantesten Stadt Deutschlands.

4

Bartimäus
Die Pforte des Magiers
Von Jonathan Stroud

Ein spannender Fantasy-Roman mit viel britischem Humor. Der Dämon Bartimäus ist 5 000 Jahre alt und so etwas wie ein Held gegen seinen Willen. Eigentlich will er nur seine Ruhe haben und hält auch nicht viel von Zauberei. Doch die schicksalhafte Begegnung mit Nathanael, der sein Herr und Meister wird, hält eine Menge Abenteuer für ihn bereit.

5

Das Parfum
Die Geschichte eines Mörders
Von Patrick Süskind

Mit diesem Roman, einer Kriminalgeschichte über einen Mörder im Frankreich des 18. Jahrhunderts, erreichte Patrick Süskind innerhalb weniger Jahre eine Millionenauflage. Neben der spannend erzählten Geschichte ist die Verwendung verschiedener literarischer Stile aus unterschiedlichen Epochen eine Besonderheit des Buches, die es zu einem typischen Werk der Postmoderne macht.

6

Nachrichten aus einem unbekannten Universum
Eine Zeitreise durch die Meere
Von Frank Schätzing

Der Autor führt den Leser unter die Meeresoberfläche und lässt ihn eine Zeitreise bis zu den Anfängen unserer Welt machen. Meere bedeckten den größten Teil der Erdoberfläche – unser Wissen darüber ist noch immer sehr gering. In lockerer und verständlicher Sprache versucht Frank Schätzing auch die Leser zu erreichen, die bisher kein naturwissenschaftliches Sachbuch gelesen haben.

b) Worum geht es in den Büchern? Ergänzen Sie die Sätze. Nicht alle Möglichkeiten passen.

> Geld ♦ einen Zauberer, der gar kein Zauberer sein will ♦ einen Mörder aus dem 18. Jahrhundert ♦ die Zeit vor 5 000 Jahren ♦ verschiedene literarische Stile ♦ die Geheimnisse des Meeres ♦ Ratschläge, wie man erfolgreich wird ♦ die Meeresoberfläche ♦ Tipps für Berlintouristen ♦ Kochrezepte ♦ eine TV-Sendung ♦ Tipps für Berliner

1. In *Denke nach und werde reich* geht es um ....

2. In *Kerners Köche* geht es um ....

3. Im *Reiseführer Berlin* geht es um ....

4. In *Bartimäus* geht es um ....

5. Im *Parfum* geht es um ....

6. In *Nachrichten aus einem unbekannten Universum* geht es um ....

A7 Lesestrategien

a) Welche Lesestrategie passt zu welcher Beschreibung? Ordnen Sie zu.

> detailliertes Lesen ♦ selektives Lesen ♦ vergleichendes Lesen ♦ kursorisches Lesen

....	....
Diese Form des Lesens ist an Zusammenhängen und am Argumentationsgang interessiert.	Man kann auch Querlesen oder Überfliegen sagen. Es dient dazu, einen Überblick zu gewinnen.
....	....
Ergänzt andere Lesetechniken. Man versucht, schnell nur bestimmte Informationen zu finden.	Man liest etwas Neues sehr genau, interessiert sich für jede Einzelheit.

b) Nutzen Sie eine oder mehrere Lesestrategien?

c) Welche Strategie passt Ihrer Meinung nach am besten zu den Textsorten?

> Anzeigen ♦ ein wissenschaftlicher Text aus Ihrem Fachgebiet ♦ ein populärwissenschaftlicher Text aus einem anderen Fachgebiet ♦ ein Reiseprospekt ♦ ein Krimi ♦ die Börsennachrichten ♦ Sportberichte ♦ ein Gedicht ♦ der Aufsatz eines Schülers ♦ ein politischer Kommentar

A8 Hören Sie eine Radiosendung von der Leipziger Buchmesse. 1.12

Was ist richtig, was ist falsch? Kreuzen Sie an.

	richtig	falsch
1. Der Mitteldeutsche Rundfunk machte eine Umfrage über die interessantesten Bücher der Buchmesse.	☐	☐
2. Der erste Besucher interessiert sich für neue populärwissenschaftliche Bücher.	☐	☐
3. Die Besucherin findet ihren Beruf ein bisschen langweilig und liest deshalb gerne Kriminalromane.	☐	☐
4. Der zweite Besucher ist Germanist und schreibt eine Buchrezension über Jakob Hein.	☐	☐

Reise in die Vergangenheit

A9 Infinitivkonstruktionen

Lesen Sie die Beispielsätze.

a) **Statt** Bücher **zu** lesen, greifen die Totalverweigerer lieber zur TV-Fernbedienung.
b) Er besuchte die Buchmesse, **ohne** sich ein einziges Buch **anzu**sehen.
c) Ich lese, **um** mich **zu** entspannen.

Welche Infinitivkonstruktion drückt die folgende Beschreibung aus?
Ordnen Sie die Beispielsätze zu.

.... drückt eine Absicht oder ein Ziel aus.
.... beschreibt, dass man etwas nicht tut, was erwartet wird.
.... drückt aus, dass anstelle einer erwarteten Handlung eine
             nicht erwartete Handlung realisiert wird.

| **Sinngerichtete Infinitivkonstruktionen** | ⇨ Teil C Seite 96 |

A10 Ergänzen Sie die Sätze frei.

♦ Sie sieht jeden Abend fern, statt *ein Buch zu lesen*.
1. Er gibt jeden Monat zu viel Geld aus, statt ....
2. Sie leiht sich Bücher aus der Bibliothek, statt ....
3. Sie liest täglich Zeitung, um ....
4. Er fährt Auto, ohne ....
5. Ich sehe sonntags fern, um ....
6. Der Kritiker schreibt eine Buchrezension, ohne ....
7. Sie arbeitet bis 21.00 Uhr, statt ....
8. Ich lerne Deutsch, um ....
9. Wir treffen uns jeden Freitag in der Kneipe, um ....
10. Er ging nach Hause, ohne ....
11. Ich esse keine Süßigkeiten mehr, um ....
12. Er schläft bis mittags, statt ....

A11 Gedruckte Bücher oder E-Books?

In einer Zeitung lesen Sie folgende Mitteilung:

> Nach einer aktuellen Studie der Universität Hamburg kaufen E-Book-Leser auch weiterhin gedruckte Bücher. Dabei lesen die Buchkäufer die gedruckten Bücher vor allem zu Hause, E-Books meist unterwegs. Für E-Books geben die Nutzer durchschnittlich 50,62 Euro im Jahr aus, für gedruckte Bücher sind es 115,67 Euro.

a) Sammeln Sie mit Ihrer Nachbarin/Ihrem Nachbarn Vor- und Nachteile von gedruckten und elektronischen Büchern.

b) Berichten Sie von Ihren eigenen Erfahrungen.

c) „Die Zahl der verkauften Lesegeräte und E-Books stieg im letzten Jahr weiter an. In den nächsten Jahren werden die E-Books die gedruckten Bücher langsam verdrängen."
Schreiben Sie in einem Diskussionsforum Ihre Meinung dazu (ca. 80 Wörter).

Redemittel: Meinungsäußerung

□ Ich glaube/denke auch, dass …
  Es stimmt, dass …
  Ich stimme der Aussage zu.
  Ich sehe das auch so.

□ Ich bin nicht der Meinung, dass …
  Ich halte die Aussage für falsch/
  nicht ganz richtig.
  Ich möchte der Aussage gerne
  widersprechen.

□ Meiner Meinung nach …

□ Ich kann mir vorstellen, dass …
  Ich habe den Eindruck, dass …

Eine Reise in die Vergangenheit

A12 Eine Zeitreise ins 15. Jahrhundert

a) Was fällt Ihnen ein, wenn Sie an das 15. Jahrhundert denken? Sammeln Sie Ideen in Gruppen oder recherchieren Sie im Internet. Präsentieren Sie anschließend Ihre Ergebnisse im Plenum. Nennen Sie ca. fünf Punkte.

b) Was meinen Sie: Sind die folgenden Aussagen richtig oder falsch? Diskutieren Sie in Kleingruppen.

	richtig	falsch
1. Das 15. Jahrhundert war die Epoche der großen Entdeckungen und Weltreisen.	☐	☐
2. Die Menschen haben friedlich zusammengelebt.	☐	☐
3. In dieser Zeit konnten nur wenige Menschen lesen und schreiben.	☐	☐
4. Zur Vervielfältigung schrieben Sklaven die Bücher mit der Hand ab.	☐	☐
5. Der deutsche Johannes Gutenberg hat den modernen Buchdruck erfunden.	☐	☐
6. Die von Gutenberg im 15. Jahrhundert gedruckte Bibel zählt noch heute zu den schönsten Büchern der Welt.	☐	☐

Überprüfen Sie Ihre Lösungen nach dem Lesen des Textes A13.

A13 Lesen und hören Sie den folgenden Text. *1.13*

Klären Sie vor Beginn die Bedeutung der folgenden Wörter mit Ihrem Wörterbuch: *zeitraubendes Verfahren – der Grundgedanke der Erfindung – bewegliche Metall-Letter – kostbares Pergament.*

Die Erfindung des Buchdrucks

Das 15. Jahrhundert spielt in der Geschichte eine große Rolle, es ist der Übergang vom Mittelalter zur Neuzeit. Spanier und Portugiesen entdeckten über den Seeweg neue Welten und in vielen Ländern gab es politische Veränderungen. Gleichzeitig war es ein Jahrhundert voller Gegensätze: Erste kirchliche Reformen und neue Wege in der Kunst standen auf der einen Seite – schreckliche Kriege und Inquisitionsprozesse auf der anderen Seite.

In dieser Zeit konnten nur wenige Menschen lesen und schreiben. Bücher wie die Bibel wurden in der Regel von Mönchen mit der Hand abgeschrieben, um sie zu vervielfältigen*. Es existierte auch schon der Holzdruck, doch das war ein sehr zeitraubendes Verfahren. Der 1397 geborene Johannes Gutenberg war ein ehrgeiziger und begabter Drucker. Er wollte Exemplare der Bibel herstellen, die schöner als die Abschriften der Mönche waren. Deshalb erfand er etwas ganz Neues: den Buchdruck mit beweglichen Metall-Lettern. Der Grundgedanke seiner Erfindung war die Zerlegung* eines Textes in einzelne Druckelemente wie Klein- und Großbuchstaben oder Satzzeichen. Diese Elemente wurden dann zu Wörtern, Zeilen und Seiten zusammengefügt, was einen schnelleren Druck ermöglichte.

Als Gutenbergs Meisterwerk gilt die 42-zeilige Bibel. Das zweibändige Werk mit insgesamt 1 282 Seiten entstand auf dem Höhepunkt seiner Karriere mithilfe von etwa 20 Mitarbeitern. Gutenberg hat für seine Bibel auch 290 verschiedene Bilder gegossen, die später in den Text eingefügt wurden. Von den 180 Exemplaren wurden vermutlich 150 auf Papier und 30 auf kostbarerem Pergament gedruckt. Heute existieren davon noch 48 Exemplare. Die Gutenberg-Bibel zählt bis heute zu den schönsten gedruckten Büchern der Welt.

Mit seiner unscheinbaren Erfindung hat Gutenberg eine Medienrevolution eingeleitet. Durch sein Verfahren mit den beweglichen Lettern konnten Bücher und Texte schneller, billiger und in größeren Mengen gedruckt und verbreitet werden. Damit leistete Gutenbergs System einen großen Beitrag zur Alphabetisierung.

*vervielfältigen = **kopieren**

*Zerlegung = **etwas auseinandernehmen/trennen**

Medien

A14 Textarbeit

a) Was bedeuten diese Zahlen im Text?

1397   *Gutenberg wurde 1397 geboren.*

20   ....

180   ....

1282   ....

48   ....

b) Informationen über das 15. Jahrhundert: Bilden Sie Sätze im Präteritum.

♦   das 15. Jahrhundert – in der Geschichte – eine große Rolle – spielen

Das 15. Jahrhundert spielte in der Geschichte eine große Rolle.

1. neue Welten – Spanier und Portugiesen – über den Seeweg – entdecken

....

2. in vielen Ländern – politische Veränderungen – es – geben

....

3. ein Jahrhundert voller Gegensätze – es – sein

....

4. es – erste kirchliche Reformen – auf der einen Seite – und – Inquisitionsprozesse – auf der anderen Seite – geben

....

5. in dieser Zeit – nur wenige Menschen – lesen und schreiben – können

....

6. Mönche – Bücher wie die Bibel – mit der Hand – abschreiben

....

7. den Buchdruck mit beweglichen Lettern – Johannes Gutenberg – erfinden

....

c) Ergänzen Sie die passenden Nomen bzw. Verben aus dem Text.

Nomen	Verben
die Entdeckung	*etwas entdecken*
....	sich verändern
....	reformieren
die Vervielfältigung	....
die Existenz	....
....	drucken
die Herstellung	....
....	abschreiben
die Erfindung	....
....	(einen Text) zerlegen
die Entstehung	....
die Einleitung (einer Medienrevolution)	....
die Verbreitung (von Texten)	....
....	beitragen

(A15) Passiv

a) Analysieren Sie. In welchem Satz steht die Handlung im Mittelpunkt, in welchem die Person? Welcher Satz steht im Aktiv, welcher Satz im Passiv?

Die Bücher wurden von Mönchen mit der Hand abgeschrieben. → ....

Mönche haben die Bücher mit der Hand abgeschrieben. → ....

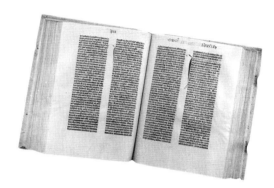

Passiv	⇨ Teil C Seite 90
Präsens	Die Bücher werden abgeschrieben.
Präteritum	Die Bücher wurden abgeschrieben.
Perfekt	Die Bücher sind abgeschrieben worden.

b) Ergänzen Sie die Verben im Passiv Präteritum.

♦ Der Buchdruck mit beweglichen Lettern *wurde* von Johannes Gutenberg *erfunden*. (erfinden)

1. Bücher wie die Bibel .... früher von Mönchen mit der Hand .... *(abschreiben)*

2. Der Text .... von Gutenberg in einzelne Druckelemente .... *(zerlegen)*

3. Diese Elemente .... dann zu Wörtern, Zeilen und Seiten .... *(zusammenfügen)*

4. Für die Bibel .... auch 290 verschiedene Bilder .... *(gießen)*

5. Die Bilder .... später in den Text .... *(einfügen)*

6. Von den 180 Exemplaren .... vermutlich 150 auf Papier und 30 auf kostbarem Pergament .... *(drucken)*

7. Mit Gutenbergs Erfindung .... eine Medienrevolution .... *(einleiten)*

8. Durch sein Verfahren mit den beweglichen Lettern .... Texte schneller, billiger und in größeren Mengen .... *(verbreiten)*

Medien

(A16) Wann wurde was erfunden?

Raten und berichten Sie.

1987 ♦ 1605 ♦ 1886 ♦ 1941 ♦ 1929 ♦ 1973 ♦ 1876 ♦ 1956

1. Der Fernseher *wurde 1929 erfunden.*

2. Das Handy ....

3. Das MP3-Format ....

4. Das Faxgerät ....

5. Der Z1* ....

6. Das Telefon ....

7. Das Radio ....

8. Die Zeitung ....

* Z1 = der erste frei programmierbare Computer

Fernsehen

A17 Welche Gegenstände sehen Sie auf der Zeichnung?

Ordnen Sie zu.

> der Fernseher ♦ das Handy ♦ der Computerbildschirm ♦ die Tastatur ♦ die Steckdose ♦ der Ordner ♦ das Radio ♦ das Verbindungskabel ♦ der Drucker ♦ die Lautsprecher ♦ das Telefon ♦ der Kugelschreiber ♦ das Faxgerät ♦ die Maus ♦ das Mauspad ♦ der USB-Anschluss ♦ die Zeitung ♦ der Einschaltknopf

— der Drucker

A18 Medien

a) Berichten Sie.

- □ Welche von den Erfindungen in A16 halten Sie für die wichtigste?
- □ Welches Medium nutzen Sie am häufigsten?
- □ Welches Medium/Welche Medien nutzen Sie …

  - ◇ für Informationen? ....
  - ◇ zur Entspannung? ....
  - ◇ beim Autofahren? ....
  - ◇ in Ihrem Beruf? ....

b) Erklären Sie die Grafik. Berichten Sie anschließend über die Mediennutzung in Ihrem Heimatland.

- ◇ Die Grafik zeigt …
- ◇ An erster/zweiter … Stelle liegt …
- ◇ … Prozent der Erwachsenen/ jungen Erwachsenen … *(sehen fern/hören/lesen/ nutzen …)*
- ◇ Fast jeder …/jeder Zweite/ jeder Dritte … *(sieht fern/ hört/liest/nutzt …)*
- ◇ In meinem Heimatland …

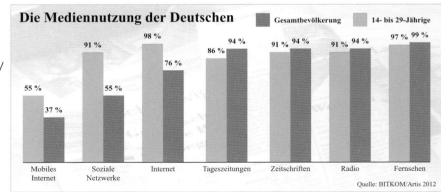

Die Mediennutzung der Deutschen ▉ Gesamtbevölkerung ▉ 14- bis 29-Jährige

	Mobiles Internet	Soziale Netzwerke	Internet	Tageszeitungen	Zeitschriften	Radio	Fernsehen
Gesamtbevölkerung	55 %	55 %	98 %	86 %	91 %	91 %	97 %
14- bis 29-Jährige	37 %	91 %	76 %	94 %	94 %	94 %	99 %

Quelle: BITKOM/Artis 2012

Fernsehen

A19 Ein gemeinsamer Fernsehabend

In der Fernsehzeitung lesen Sie das folgende Angebot für den Abend. Sie wohnen in einer Wohngemeinschaft und haben nur einen Fernseher. Bilden Sie kleine Gruppen und wählen Sie ein Programm aus. Begründen Sie Ihre Entscheidung.

> Wie wäre es, wenn wir … sehen würden?
> Wir sollten uns unbedingt … ansehen.
> Ich schlage vor, dass wir … sehen.

MO 21.5. | 20.15 Uhr

Der Kommissar und die Nonne *Deutsche Kriminalkomödie*	CSI – Den Tätern auf der Spur *Amerikanische Krimiserie*	Menschenjäger *Tierdokumentation*	Die 80er-Show *Musik-Show*	Muppets – Die Schatzinsel *Amerikanischer Spielfilm*	Auslandsreporter *Politmagazin*
Schwester Camilla ist eine eigenwillige, aber liebenswerte Ordensschwester, widerspricht gern ihren Vorgesetzten und wird an einen anderen Ort versetzt. Kaum ist sie im neuen Kloster angekommen, liegt eine Leiche in der Kapelle.	Ein Schrei auf der Eröffnung einer Kunstausstellung – schon gibt es einen Toten. Während alle über den Mord reden, stiehlt ein Kunstdieb die wertvollen japanischen Kunstschätze.	Im Jahre 1820 töteten Wölfe in einem harten Winter zehn Kinder. Sind wir immer noch von Wölfen bedroht? Eine spannende Dokumentation über das Verhalten der Wölfe.	Lang, lang ist es her … Moderator Oliver Geißen lässt die 1980er-Jahre wieder aufleben und erinnert dabei auch an das erste Reaktor-Unglück in Tschernobyl.	Die wilden Puppen aus der Muppet-Show erleben ihr fünftes Abenteuer. Mit Tempo, Witz und Gesang – ein toller Film.	Aktuelle Reportagen aus den Krisengebieten der Welt und interessante Geschichten aus dem Leben in anderen Ländern.

A20 Fernsehsendungen

a) Welche Sendungen sehen Sie am liebsten?

> Liebesfilme ♦ Komödien ♦ Actionfilme ♦ Krimis ♦ Zeichentrickfilme ♦ Tierfilme ♦ Dokumentarfilme ♦ amerikanische Serien ♦ Serien aus Ihrem Heimatland ♦ Nachrichten ♦ Politmagazine ♦ Börsenberichte ♦ Wissenschaftssendungen ♦ Shows ♦ Talkshows ♦ Musiksendungen ♦ Sportsendungen ♦ Quizsendungen ♦ Homeshopping-Sendungen ♦ Werbesendungen

b) Welche Person passt zu welcher Sendung? Ordnen Sie zu.

der Nachrichtensprecher	....	der Stuntman	....
der Serienheld	....	der Volkswirt	....
der Talkmaster	....	der Showmaster	....
der Sportreporter	....	der Wissenschaftsjournalist	....
der Dirigent	....	der Auslandskorrespondent	....
der Zeichner	....	der Schauspieler	....

Fernsehen

A21 Hören Sie eine Radiosendung zum Thema *Fernsehen*. 1.14

a) Was ist richtig, was ist falsch? Kreuzen Sie an.

	richtig	falsch
1. Sprecherin 1 streitet sich jedes Mal mit ihrem Mann darüber, welche Sendung gesehen wird.	☐	☐
2. Sprecher 1 meint, dass das Fernsehen den Menschen die Zeit raubt.	☐	☐
3. Sprecher 2 sieht nur Fernsehsendungen, bei denen man etwas lernt.	☐	☐
4. Sprecherin 2 hat Ärger mit ihren Kindern und möchte das Fernsehen verbieten.	☐	☐

A22 Antworten Sie selbst.

Was fällt Ihnen spontan bzw. als erstes zum Thema *Fernsehen* ein?

A23 Berichten Sie.

- Wie lange sehen Sie täglich fern?

- Laufen ausländische Filme in Ihrem Fernsehprogramm synchronisiert oder mit Untertiteln? Ist es Ihrer Meinung nach besser, wenn die Filme synchronisiert sind? Begründen Sie Ihre Meinung.

- Zahlen Sie für das Fernsehen in Ihrem Heimatland eine Gebühr?

- Wie viele Fernsehsender gibt es in Ihrem Heimatland? Was ist Ihr Lieblingssender? Was ist Ihre Lieblingssendung?

A24 Lesen und hören Sie den folgenden Text. 1.15

Wer bestimmt eigentlich das Fernsehprogramm?

Vorbei sind die Zeiten, als Programmdirektoren das Fernsehprogramm nach ihrem eigenen Geschmack gestalteten. Heutzutage wird das Programm von Marketing- und Werbeexperten genau auf die Zielgruppen abgestimmt. Ein einfaches Beispiel: Kindersendungen laufen natürlich dann, wenn Kinder zuschauen, also nur bis in den frühen Abend. Und so funktioniert es auch für alle anderen Zielgruppen, denn nach vielen Untersuchungen wissen die Experten alles über die Sehgewohnheiten der Deutschen: Hausfrauen sehen gern tagsüber fern, deshalb werden in dieser Zeit vor allem Talkshows gezeigt. Teenies dürfen sich zwischen 18.00 und 20.00 Uhr über Serien wie „Gute Zeiten, schlechte Zeiten" freuen.

Die Eltern übernehmen die Macht über die Fernbedienung mit den Nachrichten um 20.00 Uhr. Ab 20.15 Uhr beginnt der harte Kampf um die Einschaltquoten und die Programmgestalter achten ganz genau darauf, was die anderen Programme machen. Läuft zum Beispiel am Samstagabend die von allen Zielgruppen geliebte Sendung „Wetten, dass …"*, zeigen die anderen Sender nur Spielfilmwiederholungen. Oder: Läuft in einem Programm ein Fußball-Länderspiel, versuchen andere Programme nicht, einen Bruce-Willis-Film zu zeigen, weil beide Sendungen die gleiche Zielgruppe haben: Männer zwischen 18 und 49.

Spätabends kommen die Polit-Talkshows für politisch interessierte Menschen und ab Mitternacht denken die Programmgestalter verstärkt an einsame Herzen. Man kann also sagen: Jeder Sender versucht, die möglichen Zielgruppen zu bedienen und beobachtet dabei die anderen Sender ganz genau.

*Wetten, dass … = Samstagabendshow mit prominenten Gästen und Menschen, die etwas Besonderes können/zeigen

A25 Leseverstehen

Kreuzen Sie die richtige Lösung an.

1. In dem Text geht es um
   - a) ☐ die beliebtesten Fernsehsendungen.
   - b) ☐ die Gestaltung des Fernsehprogramms.
   - c) ☐ die Macht der Programmdirektoren.

2. Die Programmmacher orientieren sich an den Sehgewohnheiten
   - a) ☐ aller Fernsehzuschauer.
   - b) ☐ der deutschen Hausfrauen.
   - c) ☐ von Eltern und ihren Kindern.

3. Die Konkurrenzsender spielen
   - a) ☐ eine untergeordnete Rolle.
   - b) ☐ keine Rolle.
   - c) ☐ eine große Rolle.

A26 Textarbeit

a) Ergänzen Sie. An welche Zielgruppen denken die Programmgestalter in Deutschland:

tagsüber ....   ab 20.00 Uhr ....

zwischen 18.00 und 20.00 Uhr ....

spätabends ....   nach Mitternacht ....

b) Berichten Sie. Welche Sendungen haben in Ihrem Heimatland die meisten Zuschauer?

c) Ergänzen Sie die fehlenden Verben in der richtigen Form.

wissen ♦ denken ♦ fernsehen ♦ abstimmen ♦ zuschauen ♦ beginnen ♦ übernehmen ♦ synchronisieren ♦ achten

- ♦ Ausländische Filme werden im deutschen Fernsehen *synchronisiert*.
1. Das Programm wird von Marketing- und Werbeexperten auf die Zielgruppen ....
2. Kindersendungen laufen natürlich dann, wenn Kinder ....
3. Nach vielen Untersuchungen .... die Experten alles über die Sehgewohnheiten der Deutschen.
4. Hausfrauen .... gern tagsüber ....
5. Um 20.00 Uhr .... die Eltern die Macht über die Fernbedienung.
6. Ab 20.15 Uhr .... der harte Kampf um die Einschaltquoten.
7. Die Programmgestalter .... ganz genau darauf, was die anderen Programme machen.
8. Ab Mitternacht .... die Programmgestalter verstärkt an einsame Herzen.

A27 Wird das Fernsehprogramm immer schlechter?

Sie haben im Fernsehen eine Sendung zum Thema: *Wird das Fernsehprogramm immer schlechter?* gesehen.
Auf der Webseite des Senders finden Sie im Diskussionsforum folgende Meinung:

Max aus Hildesheim: Das Fernsehprogramm ist in den letzten Jahren viel schlechter geworden. Ich kann die amerikanischen Familienserien, die vielen Krimis und Kochsendungen nicht mehr sehen! Meinen Fernseher habe ich jetzt verschenkt und sehe nur noch ausgewählte Sendungen wie Nachrichten im Internet. Und ich rufe euch auf: Schmeißt eure Fernseher endlich weg oder verschenkt sie an Leute, die ihr nicht leiden könnt!

Schreiben Sie nun Ihre Meinung (ca. 80 Wörter).

Wissenswertes

A28 Was wäre, wenn …?

Sammeln Sie in Ihrer Gruppe jeweils zwei Antworten und berichten Sie.

Fragen	Antwort Person 1:	Antwort Person 2:
1. Was würden Sie tun, wenn Sie das Fernsehprogramm bestimmen könnten?		
2. In welchen Filmen würden Sie am liebsten mitspielen, wenn Sie ein Schauspieler/eine Schauspielerin wären?		
3. Was würden Sie auf eine Insel mitnehmen? Einen Fernseher, ein Radio, einen (Tablet-)PC oder eine Bücherkiste? Entscheiden Sie sich für ein Medium.		
4. Was für Bücher würden Sie schreiben, wenn Sie Schriftsteller wären?		
5. Was würden Sie tun, wenn Sie mehr Freizeit hätten?		
6. Wenn es eine Zeitmaschine geben würde, in welcher Zeit würden Sie gern leben?		

Konjunktiv II: Gegenwart und Vergangenheit ⇨ Teil C Seite 88

Gegenwart	Vergangenheit
Ich wäre gern ein großer Schriftsteller. Ich hätte gern mehr Freizeit. Ich würde gern einen Film produzieren.	Ich wäre gern ein großer Schriftsteller gewesen. Ich hätte gern mehr Freizeit gehabt. Ich hätte gern einen Film produziert.

Die Vergangenheit wird gebildet mit:
hätte/wäre + Partizip II.

A29 Eine Zeitreise in die Vergangenheit

Stellen Sie sich vor, Sie hätten im Mittelalter gelebt. Wie hätte Ihr Leben ausgesehen?
Beantworten Sie die Fragen im Konjunktiv II in der Vergangenheit.

1. Wo hätten Sie gelebt?
   a) in einer mittelalterlichen Stadt – leben
      Ich hätte in einer mittelalterlichen Stadt gelebt.
   b) in einem Haus mit kleinen Fenstern – wohnen
   c) in einem Bett aus Holz oder Eisen – schlafen
   d) wahrscheinlich den ganzen Tag – frieren

2. Was hätten Sie beruflich gemacht?
   a) vielleicht als Apotheker – arbeiten
   b) meine eigene Medizin – zusammenstellen
   c) als Apotheker eine angesehene Person – sein
   d) viel Geld – verdienen

3. Was hätten Sie gegessen und getrunken?
   a) viel Fleisch, Brot, Kraut und getrocknetes Obst – essen
   b) das Brot – selbst backen
   c) zum Frühstück – Bier – trinken
   d) zum Essen die Hände, einen Löffel oder ein Messer – benutzen

4. Wie hätte Ihr Tagesablauf ausgesehen?
   a) um 5.00 Uhr – aufstehen
   b) zu Fuß zur Arbeit – gehen
   c) zwölf Stunden in der Apotheke – stehen
   d) abends – Lieder – singen – und Liebesgedichte von Rittern – lesen

Wissenswertes *(fakultativ)*

B1 Die Welt der Nachrichten

Berichten Sie.

- Sehen Sie regelmäßig Nachrichten im Fernsehen?
- Worüber möchten Sie in den Nachrichten informiert werden?

> über das Weltgeschehen ♦ über Neuigkeiten aus der Politik Ihres Heimatlandes ♦
> über Entwicklungen in der Wirtschaft ♦ über Verbrechen ♦ über Katastrophen ♦
> über das Leben von Prominenten ♦ über das Wetter ♦ über Sportwettkämpfe ♦
> über neue wissenschaftliche Entwicklungen ♦ über Krankheiten und andere
> Bedrohungen ♦ über glückliche Menschen und positive Ereignisse ♦ …

- Welche Themen beherrschen in Ihrem Heimatland die Nachrichtensendungen?
- Gibt es Themen, die Ihrer Meinung nach nicht in Nachrichtensendungen gehören?

B2 Lesen Sie den folgenden Text.

Nachrichten in der Krise

Die Jagd nach Attentätern, Pressekonferenzen von Politikern, Krieg im Nahen Osten – für Nachrichtensendungen in Deutschland bietet das politische Weltgeschehen immer wieder eine große Auswahl an Themen. Doch wer in Deutschland die Nachrichten einschaltet, kann auch ganz andere Dinge sehen und hören, z. B. dass ein Supermodel seine Assistentin geschlagen hat oder dass ein verrückter Autofahrer in eine <u>Menschenmenge</u> gefahren ist. Seit Jahren beschweren sich Medienexperten über die <u>Entpolitisierung</u> der Nachrichten. Dieser Trend, den man früher nur bei den privaten Fernsehsendern beobachten konnte, ist nun auch bei den öffentlich-rechtlichen Sendern zu bemerken.

In den letzten Jahren stieg der Anteil der unpolitischen Themen in den Nachrichten bei der ARD von 32 auf 43 Prozent, beim ZDF von 34 auf 48 Prozent. Damit liegen die beiden öffentlich-rechtlichen Fernsehsender aber noch weit hinter den privaten Sendern RTL (63 Prozent) und Sat.1 (70 Prozent) zurück. Die Ursache dafür liegt, laut einer Studie, in der <u>zunehmenden</u> Wichtigkeit von sogenannten „Angstthemen". Es vergeht kein Abend, an dem nicht von Familientragödien, Morden oder anderen Verbrechen berichtet wird. Besonders beliebt sind Filmaufnahmen, die Emotionen zeigen oder beim Zuschauer Emotionen hervorrufen – und dafür scheint ein tragisches Ereignis besser geeignet zu sein als die Rede eines Politikers. Die Redakteure der Nachrichtensender wollen auf diese Weise den <u>Rückgang</u> der Zuschauerzahlen verhindern. Diese Entwicklung hat in den USA schon vor vielen Jahren begonnen. Auch dort hat der Kampf <u>renommierter</u> Nachrichtensender gegen die private Konkurrenz zum Sieg der Sensationen über politische Informationen geführt.

Übrigens: Den Spitzenplatz bei den unpolitischen Themen nehmen die Nachrichten von RTL II ein. Dort berichtet man nicht mehr über reale Kriege, sondern über den „Schuh-Krieg" in der deutschen Fußball-Nationalmannschaft oder über ein neues Videospiel, ein Kriegsspiel natürlich. Auch die neueste Gefahr für die Menschheit ist eine Nachricht wert. Sie heißt: Tanorexia. Eine neue Grippeart? Nein, es ist der unkontrollierbare Wunsch weißer Menschen nach brauner Haut.

B3 Welche Aussage ist richtig?

a) Kreuzen Sie an.

1. In den Nachrichten in Deutschland

   a) ☐ geht der Anteil der politischen Meldungen zurück.
   b) ☐ geht es nur noch um Kriege und Katastrophen.
   c) ☐ steigt der Anteil der Politik.

2. Der Anteil von unpolitischen Themen in den Nachrichten

   a) ☐ ist bei den privaten Fernsehsendern am höchsten.
   b) ☐ ist bei den öffentlich-rechtlichen Sendern am höchsten.
   c) ☐ ist bei allen Sendern gleich.

3. Sogenannte Angstthemen sind

   a) ☐ politische Themen.
   b) ☐ Themen, die beim Zuschauer Emotionen hervorrufen.
   c) ☐ Berichte über Supermodels und andere Prominente.

4. Mit dem Hervorrufen von Emotionen wollen die Nachrichtenmacher

   a) ☐ die Menschen informieren.
   b) ☐ das Interesse an Politik wecken.
   c) ☐ keine Zuschauer verlieren.

5. In den USA

   a) ☐ haben politische Themen in den Nachrichten einen hohen Stellenwert.
   b) ☐ hat die Sensation den Kampf gegen die politische Information gewonnen.
   c) ☐ gibt es keine renommierten Nachrichtensender mehr.

6. Die Nachrichten von RTL II berichten

   a) ☐ über wichtige Ereignisse im Leben der Menschen.
   b) ☐ hauptsächlich über Kriege.
   c) ☐ hauptsächlich über Themen, die nichts mit Politik zu tun haben.

b) Welche Erklärung passt zu den unterstrichenen Wörtern im Text? Markieren Sie die richtige Lösung.

1. eine Menschenmenge = viele/wenige Menschen an einem Ort
2. Entpolitisierung der Nachrichten = Der Anteil der Politik nimmt zu/ab.
3. zunehmende Wichtigkeit = Die Wichtigkeit steigt/sinkt.
4. „Angstthemen" = Themen, die Angst hervorrufen/bekämpfen sollen
5. Rückgang der Zuschauer = Die Zahl der Zuschauer steigt/sinkt.
6. renommierte Nachrichtensender = Die Nachrichtensender haben einen guten/schlechten Ruf.

c) Was kann man miteinander kombinieren? Ordnen Sie zu.

Nachrichten- ――――――→ -geschehen
Welt- ――――   -platz
Medien-   -sendungen
Familien-   -tragödien
Film-   -spiel
Spitzen-   -experten
Kriegs-   -aufnahmen
Menschen-   -zahlen
Zuschauer-   -menge

B4 Markieren Sie die richtige Präposition.

♦ Das politische Weltgeschehen bietet *für* Nachrichtensendungen viele Themen. *für*/von/über

1. .... Jahren beschweren sich Medienexperten *Vor/Seit/Bis*
    .... die Entpolitisierung der Nachrichten. *mit/für/über*

2. Diesen Trend konnte man früher nur .... den privaten Fernsehsendern beobachten. *von/bei/im*

3. .... den letzten Jahren stieg der Anteil der unpolitischen Themen *In/Seit/Vor*
    in den Nachrichten bei der ARD von 32 .... 43 Prozent. *mit/auf/zu*

4. Damit liegen die beiden öffentlich-rechtlichen Fernsehsender aber
    noch weit .... den privaten Sendern. *über/hinter/auf*

5. Die Ursache dafür liegt .... der zunehmenden Wichtigkeit *bei/für/in*
    .... sogenannten „Angstthemen". *für/von/in*

6. Besonders beliebt sind Filmaufnahmen, die .... Zuschauer Emotionen hervorrufen. *beim/bei/mit*

7. .... USA hat der Kampf renommierter Nachrichtensender *Im/In der/In den*
    .... die private Konkurrenz zum Sieg der Sensationen geführt. *gegen/mit/über*

8. Bei RTL II berichtet man nicht mehr .... reale Kriege. *von/in/über*

B5 Schreiben Sie selbst Nachrichten.

a) Was ist letzte Woche alles passiert? Schreiben Sie Sätze im Passiv Präteritum.

Nomen:	**Verben:**
Tor ♦ Mitarbeiter ♦ Ausstellung ♦ Wahl ♦ Gespräche ♦ Gemälde ♦ Film ♦ Verbrechen ♦ ausländische Gäste ♦ Benzinpreise ♦ Reformen	eröffnen ♦ erhöhen ♦ umsetzen ♦ versteigern ♦ schießen ♦ entlassen ♦ gewinnen ♦ führen ♦ begehen ♦ empfangen ♦ zeigen

♦ *Ein Tor wurde geschossen.*

1. ....   6. ....
2. ....   7. ....
3. ....   8. ....
4. ....   9. ....
5. ....   10. ....

b) Schreiben Sie zu jeder Kategorie eine Nachricht.

Wirtschaft	**Katastrophen**	**Kultur**
Firma ... ♦ in wirtschaftlichen Schwierigkeiten sein ♦ ... Mitarbeiter entlassen müssen	Überschwemmungen in ... ♦ Straßen und Häuser ♦ unter Wasser stehen	Bild von ... ♦ bei Christies in London versteigern ♦ neue Besitzer ♦ ... Millionen Euro bezahlen müssen

Außenpolitik	**Weltgeschehen**	**Wetter**
der Außenminister ♦ heute nach ... reisen ♦ ein Vier-Augen-Gespräch führen ♦ Gesprächsthemen sind ...	Wahlen in ... ♦ gewinnen ♦ verlieren	teilweise ♦ Sonne scheinen ♦ regnen ♦ Tageshöchsttemperaturen ...

c) Bilden Sie Gruppen.
Schreiben Sie reale oder fiktive Nachrichten und lesen Sie die Nachrichten anschließend vor.

Verben

Verben

Konjunktiv II

Gegenwart *(Wiederholung)*

Indikativ (real)	**Konjunktiv (irreal)**
Hilfsverben:	→ hätte/wäre:
Ich habe kein Geld.	Ich hätte gern Geld.
Ich bin krank.	Ich wäre gern gesund.
andere Verben:	→ würde + Infinitiv:
Ich fahre nicht in den Urlaub.	Ich würde gern in den Urlaub fahren.
Ich arbeite jeden Tag.	Ich würde gern weniger arbeiten.
Ich kaufe mir keinen Porsche.	Ich würde mir gern einen Porsche kaufen.
Modalverben:	→ könnte/müsste/dürfte:
Ich kann nicht gut kochen.	Könnte ich doch besser kochen!
Ich muss jeden Tag so weit fahren.	Müsste ich doch nicht jeden Tag so weit fahren!
Darf ich hier mal telefonieren?	Dürfte ich hier mal telefonieren?

Vergangenheit

Indikativ (real)	**Konjunktiv (irreal)**
Hilfsverben:	→ hätte gehabt/wäre gewesen:
Ich hatte kein Geld.	Ich hätte gern Geld gehabt.
Ich war krank.	Ich wäre gern gesund gewesen.
andere Verben:	→ wäre/hätte + Partizip II:
Ich bin nicht in den Urlaub gefahren.	Ich wäre gern in den Urlaub gefahren.
Ich habe jeden Tag gearbeitet.	Ich hätte gern weniger gearbeitet.
Ich habe mir keinen Porsche gekauft.	Ich hätte mir gern einen Porsche gekauft.

(C1) ## Wünsche

Formulieren Sie viele Wünsche.

> jetzt im Urlaub ♦ eine größere Wohnung ♦ schön und reich ♦ Ski fahren ♦ vor Prüfungen nicht immer so aufgeregt ♦ Protokoll schreiben ♦ Englisch sprechen ♦ Wäsche bügeln ♦ ein sparsameres Auto ♦ mehr Freizeit ♦ kochen ♦ das Auto waschen

Könnte ich doch besser *kochen!*, ...

....

Hätte ich doch ....

....

Müsste ich doch nicht immer ....

....

Wäre ich doch ....

....

C2 Hätten wir nur alles anders gemacht!

Bilden Sie Sätze mit dem Konjunktiv II in der Vergangenheit wie im Beispiel.

◆ Ich habe kein Geld mehr. *(etwas Geld sparen)* — *Hätte ich doch etwas Geld gespart!*

Was, du hattest einen Unfall? *(vorsichtiger fahren)* — *Wärst du doch vorsichtiger gefahren!*

1. Wir stehen im Stau.
   (mit dem Zug fahren)

2. Ich habe kein Geschenk.
   (Blumen kaufen)

3. Alexander muss 200 Euro Strafe zahlen.
   (langsamer fahren)

4. Ich bin gestresst.
   (Urlaub machen)

5. Das Essen schmeckt schrecklich.
   (selbst kochen)

6. Es regnet in Strömen.
   (Regenschirm mitnehmen)

7. Ich weiß nicht, was passiert ist.
   (Zeitung lesen)

8. Ich bin umsonst hierher gekommen.
   (vorher einen Termin vereinbaren)

9. Meine Mutter steht vor der Tür.
   (meine Wohnung sauber machen)

10. Petra hat die Prüfung nicht bestanden.
    (fleißiger lernen)

C3 Irreale Bedingungen: Wenn ich das gewusst hätte!

Bilden Sie Sätze mit dem Konjunktiv II in der Vergangenheit wie im Beispiel.

◆ Der Job wird schlecht bezahlt. *(sich nicht bewerben)*

Wenn ich gewusst hätte, dass der Job so schlecht bezahlt wird, hätte ich mich nicht beworben.

1. Der Film ist langweilig. *(sich einen anderen Film ansehen)*

   Wenn ich gewusst hätte, dass der Film so langweilig ist, ...

2. Das Studium ist schwer. *(ein anderes Fach studieren)*

3. Das Wetter ist hier schlecht. *(sich für ein anderes Urlaubsland entscheiden)*

4. Die Reise dauert lange. *(zu Hause bleiben)*

5. Das Essen in diesem Restaurant ist teuer. *(zu meinem „Lieblingsitaliener" gehen)*

6. Meine Nachbarin ist unfreundlich. *(eine andere Wohnung mieten)*

C4 Was wäre wenn …?

Bilden Sie Sätze a) in der Gegenwart und b) in der Vergangenheit.

- dich besuchen: (Gegenwart)   a)   Wenn ich Zeit hätte, *würde ich dich besuchen*.
           (Vergangenheit)   b)   Wenn ich Zeit gehabt hätte, *hätte ich dich besucht*.

1. die Prüfung bestehen: a)   Wenn du fleißig lernen würdest, ...
            b)   ....

2. sie anrufen: a)   Wenn ich Petras Telefonnummer hätte, ...
            b)   ....

3. mir eine Wohnung kaufen: a)   Wenn ich im Lotto gewinnen würde, ...
            b)   ....

4. nicht zu spät kommen: a)   Wenn der Zug pünktlich wäre, ...
            b)   ....

5. nicht so oft krank sein: a)   Wenn du mehr auf deine Gesundheit achten würdest, ...
            b)   ....

6. wissen, was in der Welt los ist: a)   Wenn du regelmäßig Zeitung lesen würdest, ...
            b)   ....

Das Passiv

Aktiv: Mönche schreiben die Bücher ab.
Passiv: Die Bücher *werden* abgeschrieben.   ⟶ *werden* + Partizip II

Bei einem Passivsatz steht die Handlung im Vordergrund, nicht die Person.

Das Passiv benutzt *werden* als Hilfsverb: Ich werde eingeladen.
                                                    Ich bin eingeladen worden.

Man kann *werden* auch als Vollverb benutzen: Ich werde 18.
                                                    Ich bin 18 geworden.

	Präsens		**Präteritum**		**Perfekt**		
ich	werde	gefragt	wurde	gefragt	bin	gefragt worden	
du	wirst	gefragt	wurdest	gefragt	bist	gefragt worden	
er/sie/es	wird	gefragt	wurde	gefragt	ist	gefragt worden	
wir	werden	gefragt	wurden	gefragt	sind	gefragt worden	
ihr	werdet	gefragt	wurdet	gefragt	seid	gefragt worden	
sie/Sie	werden	gefragt	wurden	gefragt	sind	gefragt worden	

Passiv im Nebensatz:
Präsens: Ich weiß nicht, wann der Kühlschrank repariert wird.
Präteritum: Ich weiß nicht, wann der Kühlschrank repariert wurde.
Perfekt: Ich weiß nicht, wann der Kühlschrank repariert worden ist.

Passiv mit Modalverben:
Präsens: Der Kühlschrank muss repariert werden.
Präteritum: Der Kühlschrank musste repariert werden.

Verben

(C5) Formulieren Sie Sätze in der angegebenen Zeitform.

♦ der Chef – informieren	Präsens:	*Der Chef wird informiert.*
	Perfekt:	*Der Chef ist informiert worden.*

1. die Rechnung – bezahlen   Präsens: ....

        Präteritum: ....

2. die Wörter – wiederholen   Perfekt: ....

        Präteritum: ....

3. die Filme – synchronisieren   Präsens: ....

        Präteritum: ....

4. die Sendung – von vielen Menschen – sehen   Präsens: ....

        Perfekt: ....

5. die Bücher – schneller und billiger – drucken   Präsens: ....

        Präteritum: ....

(C6) Nachrichten

Ergänzen Sie die Verben im Passiv Präteritum.

beseitigen ♦ aufführen ♦ empfangen ♦ abbrechen ♦ einweihen ♦ diskutieren ♦ festnehmen ♦ entlassen ♦ eröffnen ♦ kontrollieren ♦ verkaufen ♦ sperren

♦ Der griechische Premierminister *wurde* heute vom Bundespräsidenten *empfangen.*

1. Nach Aussage des Vorstandsvorsitzenden *wurden* in der vergangenen Woche 100 Mitarbeiter ....

2. Die Weltmeisterschaft .... im Olympiastadion feierlich ....

3. Die Schäden nach dem Sturm .... von freiwilligen Mitarbeitern der Feuerwehr ....

4. Das neue Theaterstück des Dramatikers Volker Braun .... gestern Abend an der Volksbühne ....

5. Die Diamantendiebe .... am Freitag von der Polizei am Frankfurter Flughafen ....

6. Der Bestseller der britischen Autorin .... im vergangenen Jahr fünf Millionen Mal ....

7. Die Gespräche über die Reform des Arbeitsmarktes zwischen Regierung und Gewerkschaften .... ergebnislos ....

8. Ein neues Gesetz zum Schutz der Kinder .... heute im Bundestag ....

9. Nach einem Unfall .... die Autobahn A 8 für fünf Stunden von der Polizei ....

10. Auf der Museumsinsel in Berlin .... gestern ein weiteres Museum ....

11. Der Flugverkehr über Deutschland nimmt zu. Im letzten Jahr .... im deutschen Luftraum über drei Millionen Flüge von der Deutschen Flugsicherung (DFS) ....

Verben

C7 Wann?

Bilden Sie Fragen im Passiv Perfekt und antworten Sie wie im Beispiel.

* Paket – abschicken

  Wann ist das Paket abgeschickt worden?   *Ich weiß nicht, wann das Paket abgeschickt worden ist.*

1. Haus – bauen

   ....?   ....

2. Firma – gründen

   ....?   ....

3. Fernseher – erfinden

   ....?   ....

4. Regierung – wählen

   ....?   ....

5. Ausstellung – eröffnen

   ....?   ....

6. Buch – veröffentlichen

   ....?   ....

7. Preise – erhöhen

   ....?   ....

8. Bankräuber – verhaften

   ....?   ....

9. Supermarkt – schließen

   ....?   ....

10. Konzert – im Radio senden

    ....?   ....

C8 Im Haushalt gibt es viel zu tun.

Was muss noch alles gemacht werden? Ordnen Sie die Verben zu und bilden Sie Passivsätze mit *müssen*.

kehren ◆ abwaschen ◆ putzen ◆ auswechseln ◆ reparieren ◆ waschen ◆ braten ◆ streichen ◆ zusammenbauen ◆ schneiden ◆ kontrollieren

* die Fenster   *Die Fenster müssen geputzt werden.*
1. die Glühlampe   ....
2. das Regal   ....
3. das Waschbecken   ....
4. die Treppe   ....
5. die Heizung   ....
6. die Wand   ....
7. das Geschirr   ....
8. die Zwiebeln   ....
9. das Fleisch   ....
10. die Wäsche

C9 Fleißige Helfer

Unglaublich, aber wahr!
Die Heinzelmännchen waren da und haben alles schon gemacht.
Bilden Sie aus Ihren Sätzen von C8 Passivsätze im Präteritum und im Perfekt.

Präteritum	Perfekt
◆ *Die Fenster wurden geputzt.*	*Die Fenster sind geputzt worden.*
1.	....
2.	....
3.	....
4.	....
5.	....
6.	....
7.	....
8.	....
9.	....
10.	....

C10 Fragen und antworten Sie wie im Beispiel.

◆ das neue Programm – installieren ◆ der Informatiker

Ist das neue Programm schon installiert worden?

Nein, *das Programm konnte noch nicht installiert werden.*
Der Informatiker war noch nicht da.

1. der Patient – operieren ◆ der Arzt

....?

Nein, ...

2. das Dach – reparieren ◆ der Dachdecker

....?

Nein, ...

3. der Fußboden – reinigen ◆ die Reinigungsfirma

....?

Nein, ...

4. das Wohnzimmer – tapezieren ◆ der Maler

....?

Nein, ...

5. der Rasen – schneiden ◆ der Gärtner

....?

Nein, ...

6. die Rechnung – schreiben ◆ die Sekretärin

....?

Nein, ...

Verben

C11 *Worden* oder *geworden*?

Ergänzen Sie.

♦ Wie alt ist Peter eigentlich *geworden?*
1. Wann ist die Bibliothek geschlossen ....?
2. Ich gratuliere dir! Dein erster Artikel ist veröffentlicht ....
3. Ich habe gehört, deine Tochter ist Ärztin ....
4. Paul gibt eine Party. Er ist Abteilungsleiter ....
5. Ich weiß nicht, ob der Drucker schon angeschlossen .... ist.
6. Ich muss Kerstin entschuldigen. Sie ist gestern krank ....

Reflexive Verben

Das Verb regiert im Satz.

Ich · sehe · mich · im Spiegel an.

ansehen

NOMINATIV · AKKUSATIV

Ich · sehe · mir · den Film an.

ansehen

NOMINATIV · DATIV · AKKUSATIV

Ich · wasche · mich.

waschen

NOMINATIV · AKKUSATIV

Ich · wasche · mir · die Hände.

waschen

NOMINATIV · DATIV · AKKUSATIV

	Akkusativ		Dativ		
ich	wasche	mich	wasche	mir	die Hände
du	wäschst	dich	wäschst	dir	die Hände
er/sie/es	wäscht	sich	wäscht	sich	die Hände
wir	waschen	uns	waschen	uns	die Hände
ihr	wascht	euch	wascht	euch	die Hände
sie/Sie	waschen	sich	waschen	sich	die Hände

Normalerweise steht das Reflexivpronomen im Akkusativ. Wenn es aber eine andere Akkusativergänzung gibt, steht das Reflexivpronomen im Dativ.

C12 Formulieren Sie Aufforderungen im Imperativ.

Beachten Sie: Bei den Verben: *sich etwas kaufen, merken, ausdenken, leihen* und *vorstellen (im Kopf)* sind Akkusativ- und Dativergänzung obligatorisch.

♦ sich die Nase putzen   *Putz dir die Nase!*
1. sich die Füße waschen   ....
2. sich die Jacke anziehen   ....
3. sich das Foto genau ansehen   ....
4. sich die Haare kämmen   ....
5. sich den schönen Anzug kaufen   ....
6. sich die Telefonnummer merken   ....
7. sich eine Geschichte ausdenken   ....
8. sich 1 000 Euro von Paul leihen   ....
9. sich eine schöne grüne Wiese vorstellen   ....

Fakultative und obligatorische Reflexivpronomen

Das Reflexivpronomen ist fakultativ.	Das Reflexivpronomen ist obligatorisch.
Ich ärgere mich. Ich ärgere meinen Nachbarn.	Ich bedanke mich.
anmelden – anziehen – umziehen – ärgern – aufregen – beruhigen – beschäftigen – entschuldigen – duschen – erinnern – föhnen – fürchten – langweilen – treffen – unterhalten – verabschieden – verletzen – waschen	bedanken – beeilen – befinden – einigen – beschweren – erkälten – erkundigen – freuen – interessieren – irren – streiten – verabreden – verlieben – verspäten

C13) Was passt zusammen?

Wie heißen die Reflexivpronomen?

1. Paul erinnert *sich*   (a) über meine Nachbarin.
2. Wir interessieren ....   (b) an seine Schulzeit.
3. Ich ärgere ....   (c) über die Politik der Regierung?
4. Bewirbst du ....   (d) in einer schwierigen Situation.
5. Streitet ihr ....   (e) schon wieder deine Haare?
6. Entschuldigen Sie ....   (f) um einen Studienplatz in Deutschland?
7. Wäschst du ....   (g) für Kunst.
8. Wir befinden ....   (h) vor Spinnen.
9. Christine fürchtet ....   (i) bitte bei Frau Müller.

C14) Formulieren Sie Sätze.

♦ (Andreas – ärgern) – täglich – über das Fernsehprogramm

Andreas ärgert sich täglich über das Fernsehprogramm.

1. (ich – ansehen) – oft – die Nachrichten im deutschen Fernsehen

....

2. (ich – langweilen) – bei Talkshows und Spielsendungen

....

3. (Maria und Jan – streiten) – immer – um die Fernbedienung

....

4. (Hans – unterhalten) – mit Julia – gern – über Filme

....

5. (wir – interessieren) – vor allem – für Filme aus Frankreich

....

6. (ich – aufregen) – immer – über den Nachrichtensprecher von RTL

....

7. (Matthias – erkälten) – jedes Jahr – im Skiurlaub

....

8. (ihr – erkundigen) – nach den Öffnungszeiten – des Museums – ?

....

9. (du – beeilen) – bitte – !

....

Sätze

Sätze

Sinngerichtete Infinitivkonstruktionen

statt/anstatt … zu:

Statt Bücher zu lesen, greifen die Totalverweigerer lieber zur TV-Fernbedienung.

→ Drückt aus, dass anstelle einer erwarteten Handlung eine nicht erwartete Handlung realisiert wird (*statt Bücher zu lesen ↔ zur Fernbedienung greifen*).

ohne … zu:

Er besuchte die Buchmesse, ohne sich ein einziges Buch anzusehen.

→ Beschreibt, dass man etwas nicht tut, was erwartet wird (*ohne sich ein einziges Buch anzusehen*).

um … zu:

Ich lese, um mich zu entspannen.

Ich bin hier, um einen Überblick über neue Bücher zu bekommen.

→ Drückt eine Absicht oder ein Ziel aus (*um mich zu entspannen*).

Infinitivkonstruktionen mit *statt/anstatt … zu, ohne … zu, um … zu*

hängen nicht von einem Verb ab, sondern sind unabhängig und haben einen eigenen Sinn.

Sie haben kein eigenes Subjekt, sondern beziehen sich auf das Subjekt im Hauptsatz.

(C15) Bilden Sie Infinitivkonstruktionen.

Formen Sie die kursiv gedruckten Sätze um. Verwenden Sie *um … zu, ohne … zu* oder *(an)statt … zu.*

♦ *Er hört nicht zu.* Er spricht nur von sich selbst.

Statt zuzuhören, spricht er nur von sich selbst.

1. Sie fährt in den Urlaub. *Sie will sich erholen.*

....

2. *Sie gibt kein Geld für Kleidung aus.* Sie trägt immer ihre alten Sachen.

....

3. *Er bereitet sich nicht auf den Wettkampf vor.* Er geht jeden Abend in die Disko.

....

4. Sie fährt zum Bahnhof. *Sie will ihre Mutter abholen.*

....

5. *Er geht nicht zum Arzt.* Er geht krank zur Arbeit.

....

6. Sie ist ins Bett gegangen. *Sie hat den Fernseher nicht ausgeschaltet.*

....

7. *Er vergleicht die Preise vorher nicht.* Er bezahlt für das Auto viel zu viel Geld.

....

8. Sie ging zum Direktor. *Sie hat keinen Termin vereinbart.*

....

9. *Sie besucht nicht die Vorlesung.* Sie geht ins Café.

....

10. Er kommt jeden Morgen ins Büro. *Er grüßt nicht.*

....

Rückblick

D1 Wichtige Redemittel

Hier finden Sie die wichtigsten Redemittel des Kapitels.

Lesen

der Wenigleser ♦ der Normalleser ♦ die Leseratte ♦ der Bücherwurm ♦ ohne Bücher nicht auskommen/nicht leben können ♦ keine Bücher zum Leben brauchen ♦ Bücher verschlingen/kaufen/lesen/konsumieren/ausleihen/verschenken/auswählen/beurteilen ♦ ein Totalverweigerer oder „buchresistent" sein

Über ein Jahrhundert/ein geschichtliches Ereignis sprechen

eine große Rolle in der Geschichte spielen ♦ einen Übergang *(vom Mittelalter zur Neuzeit)* kennzeichnen ♦ Es vollzogen sich politische Veränderungen. ♦ Es wurden Entdeckungen gemacht. ♦ Es gab viele Widersprüche. ♦ Es fanden schreckliche Kriege statt. ♦ Die Menschen konnten *(nicht lesen und schreiben)*. ♦ Sie wohnten in … ♦ Sie aßen … und tranken … ♦ Sie übten Berufe wie *(Handwerker)* aus.

Hypothesen in der Vergangenheit formulieren

Wenn ich *(im 15. Jahrhundert)* gelebt hätte,
… hätte ich *(in einem kleinen Haus)* gewohnt. ♦ … hätte ich *(viel Fleisch)* gegessen und *(Wein)* getrunken. ♦ … wäre ich bestimmt *(ein Handwerker)* gewesen. ♦ … hätte ich *(auf dem Markt)* gearbeitet. ♦ … wäre ich *(um 5.00 Uhr)* aufgestanden. ♦ … wäre ich *(zu Fuß zur Arbeit)* gegangen. ♦ … hätte ich *(12 Stunden am Tag)* gearbeitet. ♦ … hätte ich *(Liebesgedichte von Rittern)* gelesen.

Medien und Zubehör

der Fernseher ♦ das Handy ♦ das Telefon ♦ das Radio ♦ die Zeitung ♦ das Faxgerät ♦ der Computer ♦ der Drucker ♦ der Bildschirm ♦ die Tastatur ♦ die Steckdose ♦ das Verbindungskabel ♦ der Lautsprecher ♦ die Maus ♦ das Mauspad ♦ der USB-Anschluss ♦ der Einschaltknopf ♦ die Fernbedienung

Fernsehen

private und öffentlich-rechtliche Fernsehsender *(Pl.)* ♦ das Fernsehprogramm ♦ die Sendezeit ♦ die Fernsehsendung ♦ Filme werden synchronisiert/laufen mit Untertiteln. ♦ Fernsehsender und Sendungen haben Marktanteile und Einschaltquoten ♦ Die Einschaltquote steigt/sinkt. ♦ Das Fernsehprogramm richtet sich nach den Zielgruppen. ♦ Experten wissen alles über die Sehgewohnheiten der Deutschen. ♦ Die Programmgestalter richten sich nach …

D2 Kleines Wörterbuch der Verben

Unregelmäßige Verben

Infinitiv	3. Person Singular Präsens	3. Person Singular Präteritum	3. Person Singular Perfekt
befinden *(sich)*	er befindet sich	er befand sich	er hat sich befunden
bestehen *(eine Prüfung)*	er besteht	er bestand	er hat bestanden
bitten *(um Hilfe)*	er bittet	er bat	er hat gebeten
entstehen	es entsteht	es entstand	es ist entstanden
erfinden *(den Buchdruck)*	er erfindet	er erfand	er hat erfunden
gewinnen *(einen Überblick)*	er gewinnt	er gewann	er hat gewonnen
gießen *(Blei)*	er gießt	er goss	er hat gegossen

greifen *(zur Fernbedienung)*	er greift	er griff	er hat gegriffen
laufen	er läuft	er lief	er ist gelaufen
(an)sehen	er sieht (an)	er sah (an)	er hat (an)gesehen
sinken	er sinkt	er sank	er ist gesunken
steigen	er steigt	er stieg	er ist gestiegen
streiten *(sich)*	er streitet sich	er stritt sich	er hat sich gestritten
überbieten *(einen Preis)*	er überbietet	er überbot	er hat überboten
unterhalten *(sich)*	er unterhält sich	er unterhielt sich	er hat sich unterhalten
verschlingen *(Bücher)*	er verschlingt	er verschlang	er hat verschlungen
vollziehen *(sich, Veränderung)*	sie vollzieht sich	sie vollzog sich	sie hat sich vollzogen
waschen	er wäscht	er wusch	er hat gewaschen

Einige regelmäßige Verben

Infinitiv	3. Person Singular Präsens	3. Person Singular Präteritum	3. Person Singular Perfekt
beeilen *(sich)*	er beeilt sich	er beeilte sich	er hat sich beeilt
beschweren *(sich)*	er beschwert sich	er beschwerte sich	er hat sich beschwert
synchronisieren *(einen Film)*	er synchronisiert	er synchronisierte	er hat synchronisiert
verfügen *(über viele Bücher)*	er verfügt	er verfügte	er hat verfügt

(D3) Evaluation

Überprüfen Sie sich selbst.

Ich kann	gut	nicht so gut
Ich kann über mein Leseverhalten berichten.	❐	❐
Ich kann eine Buchauswahl treffen und begründen.	❐	❐
Ich kann eine kurze Inhaltsangabe von Büchern verschiedener Gattungen verstehen.	❐	❐
Ich kann Hypothesen in der Gegenwart und der Vergangenheit formulieren.	❐	❐
Ich kann einen einfachen populärwissenschaftlichen Text über den Buchdruck verstehen.	❐	❐
Ich kann etwas über die verschiedenen Medien sagen, meine Vorlieben und Abneigungen benennen.	❐	❐
Ich kann über das Fernsehprogramm in meinem Heimatland und mein Fernsehverhalten mündlich und schriftlich berichten.	❐	❐
Ich kann einfache Grafiken zu verschiedenen Themen beschreiben.	❐	❐
Ich kann Texte über Nachrichten und Nachrichten selbst verstehen und einfache Nachrichten formulieren. *(fakultativ)*	❐	❐

Werbung und Konsum

Kommunikation

- Über Werbung sprechen
- Informationen aus Werbeanzeigen entnehmen
- Produkte und ihre Eigenschaften beschreiben
- Werbetexte verfassen
- Ein längeres Verkaufsgespräch führen
- Sich nach Einzelheiten erkundigen
- Sich über Ware und Lieferverzögerungen
mündlich und schriftlich beschweren

Wortschatz

- Werbung
- Produkteigenschaften
- Einkaufen
- Beschwerde

Werbung

Werbung: Wirkung und Geschichte

A1 Berichten Sie.

- □ Was fällt Ihnen zu dem Wort *Werbung* ein? Assoziieren Sie.
- □ Sehen, hören oder lesen Sie manchmal Werbung?
- □ Welche Werbeformen gibt es in Ihrem Heimatland? *(Fernsehspots, Radiospots, Zeitungsannoncen, Plakate, Werbung per Post, Internetwerbung, Werbung per SMS …)*
- □ Haben Sie einmal etwas gekauft, weil Ihnen eine Werbung besonders gut gefallen hat?

A2 Werbung im Fernsehen

a) Lesen Sie die Ergebnisse einer Umfrage.

Werbung findet man im Fernsehen überall. Hier ist das Ergebnis einer aktuellen Umfrage zum Thema: *Werbung im Fernsehen.*

Welche Werbung wirkt?
(Mehrfachnennungen waren möglich.)

Welche Werbeform beeinflusst Ihr Konsumverhalten?

27 % der klassische Werbespot
26 % als Information oder Tipp „verpackte" Werbung, etwa in Wohn- oder Kochshows
5 % versteckte Werbung in Filmen, Serien oder Shows (Produktplacement)
1 % Sponsorenwerbung bei Fußballspielen und Sportveranstaltungen
37 % Werbung beeinflusst mein Konsumverhalten nicht.

Welche Werbeform stört Sie im Fernsehen am meisten?

71 % der klassische Werbeblock, der das Programm minutenlang unterbricht
50 % 30-Sekunden-Spots, die die Sendung nur kurz unterbrechen
48 % Werbung, die während einer Sendung am Bildrand erscheint
17 % Werbung der Fernsehsender für ihr eigenes Programm
10 % „Dieser Film wird Ihnen präsentiert von …" (Präsenterwerbung)
10 % Werbung, die zwischen zwei Sendungen läuft
8 % Werbung, die in Filmen oder Shows versteckt ist (Produktplacement)
3 % Sponsorenwerbung bei Fußballübertragungen und anderen Sportveranstaltungen
5 % Mich stört Werbung nicht!

Quelle: TV-Spielfilm 9/06

b) Welche Werbeform stört Sie im Fernsehen am meisten? Berichten Sie.

c) Finden Sie die richtige Erklärung.

kurzer Werbefilm — Sponsorenwerbung
versteckte Werbung z. B. in Spielfilmen oder Serien → Werbespot
Werbung z. B. bei Sportveranstaltungen zum Imagegewinn — Produktplacement
mehrere aufeinanderfolgende Werbespots — Werbeblock

d) Was kann man miteinander verbinden? *(Manchmal gibt es mehrere Lösungen.)*

Konsum- -veranstaltungen
Sport- -unterbrechungen
Spielfilm- -übertragungen
Fußball- -verhalten

A3 Lesen und hören Sie den folgenden Text.

Werbung bis 1900

Historiker sind der Meinung, dass Werbung schon sehr alt ist. Geht man von der Definition aus, dass Werbung „alle <u>Maßnahmen zur Absatzförderung</u>" umfasst, gab es tatsächlich schon im alten Ägypten vor 6 000 Jahren Werbung. Dazu zählen zum Beispiel kommerzielle Werbetafeln aus Stein, die man in den Ruinen von Pompeji gefunden hat, oder die <u>Marktschreier</u>, die früher von Markt zu Markt zogen und laut ihre Produkte zum Verkauf anboten.

Die moderne Werbung begann aber erst im 17. Jahrhundert mit der Geburt der ersten Tageszeitung 1650 in Leipzig. Endlich gab es ein passendes Medium zur Verbreitung der Werbung. Neben der Werbung in Zeitungen entstanden schnell spezielle <u>Werbezeitungen</u>, in die Händler gegen Bezahlung ihre Waren eintragen konnten. Diese Werbezeitungen standen unter staatlicher Kontrolle und der Staat verdiente bei jeder Anzeige mit. Um noch mehr Geld zu verdienen, hat König Friedrich Wilhelm I. die Werbung in Tageszeitungen sogar ganz verboten. Erst 1850 nach der Einführung der <u>Pressefreiheit</u> durften Tageszeitungen wieder Werbeanzeigen drucken.

In der zweiten Hälfte des 19. Jahrhunderts veränderte sich die Werbung. Am Anfang hatten die Anzeigen mehr den Charakter von Produktbeschreibungen, ab 1870 wurden sie immer fantasievoller. Die Werbung begann, sich an spezielle soziale Schichten zu richten. Heute nennt man das <u>Zielgruppenwerbung</u>. Es entstand <u>der erste Boom</u> in der Werbebranche. Der Anzeigenteil nahm in den Zeitungen immer mehr Platz ein, der Anteil aktueller Berichte oder Nachrichten wurde immer kleiner. Gegen 1900 bestanden in einigen Großstädten die Zeitungen bis zu 80 % aus Werbung.

Um die Jahrhundertwende starteten Unternehmen wie *Maggi* oder *Nivea* große Werbekampagnen, um ihre Produkte als Marken zu etablieren. Aus diesen frühen Werbeaktionen der Industrie entstanden berühmte Markennamen, die noch heute oft mit Produktnamen gleichgesetzt werden (Nivea = Hautcreme, Maggi = Suppenwürze). In dieser Zeit versuchten die Firmen <u>erstmals</u>, Wünsche bei den Konsumenten zu wecken. Die Werbung stellte nicht nur das Produkt in schönen Bildern dar, sondern sie wollte den Konsumenten auch davon überzeugen, dass er das Produkt unbedingt braucht. Eine weitere Entwicklung dieser Zeit war die Etablierung von <u>Scheinwelten</u>. Das Produkt wurde mit Träumen

und Wünschen verbunden, die beim Kauf in Erfüllung gehen. Die Werbung begann, mit den Träumen der Menschen zu spielen.

A4 Ordnen Sie die im Text unterstrichenen Wörter den Erklärungen zu.

> Zielgruppenwerbung ♦ Pressefreiheit ♦ Scheinwelt ♦ Maßnahmen zur Absatzförderung ♦ Marktschreier ♦ Werbezeitungen ♦ der erste Boom ♦ zum ersten Mal

1. Strategien zur Steigerung der Verkaufszahlen ....

2. Menschen, die zum Beispiel auf Marktplätzen laut ihre Produkte anbieten ....

3. eine Zeitung, die nur aus Werbung besteht ....

4. der Staat hat keine Kontrolle über die Medien (außer im Rahmen der bestehenden Gesetze) ....

5. Werbung für eine ganz bestimmte Käufergruppe ....

6. der erste wirtschaftliche Erfolg ....

7. eine frei erfundene Welt ....

8. erstmals ....

Werbung

A5 Beantworten Sie die Fragen zum Text in ganzen Sätzen.

1. Wann gab es die erste Werbung?

   ....

2. Welche Beispiele werden für die frühe Werbung angeführt?

   ....

3. Wann begann die „moderne" Werbung?

   ....

4. Wer verdiente mit den Werbezeitungen viel Geld?

   ....

5. Was hat König Friedrich Wilhelm I. getan, um noch mehr Geld zu verdienen?

   ....

6. Wann veränderte sich die Werbung?

   ....

7. Was veränderte sich?

   ....

8. Welches Werbeziel hatten die Firmen um die Jahrhundertwende?

   ....

A6 Ergänzen Sie die fehlenden Verben im Präteritum.

stehen ◆ wollen ◆ verbinden ◆ verdienen ◆ anbieten ◆ entstehen ◆ verändern ◆ starten ◆ versuchen ◆ beginnen ◆ bestehen ◆ spielen

◆ Marktschreier *boten* früher laut ihre Produkte zum Verkauf *an*.

1. Die moderne Werbung .... im 17. Jahrhundert.

2. Es .... schnell spezielle Werbezeitungen.

3. Diese Werbezeitungen .... unter staatlicher Kontrolle.

4. Bei jeder Werbeanzeige .... der Staat Geld.

5. In der zweiten Hälfte des 19. Jahrhunderts .... sich die Werbung.

6. Gegen 1900 .... in einigen Großstädten die Zeitungen bis zu 80 Prozent aus Werbung.

7. Unternehmen wie *Maggi* oder *Nivea* .... große Werbekampagnen.

8. In dieser Zeit .... die Firmen erstmals, Wünsche bei den Konsumenten zu wecken.

9. Die Werbung .... den Konsumenten davon überzeugen, dass er das Produkt unbedingt braucht.

10. Später .... man das Produkt mit Träumen und Wünschen, die beim Kauf in Erfüllung gehen.

11. Die Werbung .... mit den Träumen der Menschen.

(A7) Markennamen

Im Lesetext steht: *„Aus diesen frühen Werbeaktionen der Industrie entstanden berühmte Markennamen, die noch heute oft mit Produktnamen gleichgesetzt werden."*

Hier finden Sie weitere besonders erfolgreiche Markennamen.

Welche Marke steht für welches Produkt? Ordnen Sie zu.

Maggi	Klebestreifen
Tempo	Suppenwürze
Odol	löslicher Kaffee
Tesa	(Kopf-)Schmerztablette
Nescafé	Beruhigungsmittel
Valium	Papiertaschentücher
Aspirin	Mundwasser

(A8) Welche Werbung gefällt Ihnen? Was ist Ihre Lieblingswerbung?

Berichten Sie schriftlich oder mündlich.

- ☐ Um welches Produkt geht es in dieser Werbung?
- ☐ Wer ist die Zielgruppe?
- ☐ Was für Menschen kommen in der Werbung vor?
- ☐ Welche Farben dominieren? Gibt es Musik?
- ☐ Hat die Werbung ein langsames oder schnelles Tempo?
- ☐ Was passiert in der Werbung?
- ☐ Wie lang ist die Werbung?
- ☐ Was für Wünsche/Gefühle weckt die Werbung?

(A9) Eine Werbeaktion planen

Eine Sprachschule sucht nach der richtigen Werbestrategie und bittet Sie um Ihre Mitarbeit. Die Schule bietet Deutschkurse an und möchte die Anzahl der Teilnehmer und der Kurse erhöhen.

Sprechen Sie mit Ihrem Gesprächspartner/Ihrer Gesprächspartnerin über die folgenden Punkte. Machen Sie Vorschläge und reagieren Sie auf die Vorschläge Ihres Partners/Ihrer Partnerin. Einigen Sie sich auf eine gemeinsame Strategie.

Eine Werbeaktion für eine Sprachschule planen

- ☐ Wer ist die Zielgruppe?
- ☐ Welche Art Werbung passt am besten? Welche Medien sollte man benutzen?
- ☐ Wie oft sollte man die Werbung wiederholen?
- ☐ Wie hoch sind die Kosten?

Redemittel: Diskussion

- ☐ Meiner Meinung nach …
  Ich bin davon überzeugt, dass …
  Ich bin mir sicher, dass …
- ☐ Ich schlage vor, dass wir …
- ☐ Vielleicht sollten wir …
- ☐ Ich bin mit deinem/Ihrem Vorschlag (nicht) einverstanden.
- ☐ Nein, das glaube ich nicht.
- ☐ Davon kannst du/können Sie mich nicht überzeugen.
- ☐ Wir könnten uns doch auf … einigen.

Relativsätze

⇨ Teil C Seite 125

Bei vielen Fernsehsendern finden Sie **den klassischen Werbeblock**, <u>der das Programm minutenlang unterbricht</u>.

50 % der Zuschauer mögen keine **30-Sekunden-Spots**, <u>die eine Sendung kurz unterbrechen</u>.

Werbung, <u>die in Filmen und Shows versteckt ist</u>, heißt Produktplacement.

Die unterstrichenen Sätze sind Relativsätze, die das Bezugswort näher beschreiben. Sie werden mit einem Relativpronomen eingeleitet.
Relativsätze sind Nebensätze.

Das Relativpronomen richtet sich in Genus und Numerus nach dem Bezugswort, im Kasus nach der Stellung im Relativsatz.

▫ 50 % der Zuschauer mögen keine **30-Sekunden-Spots**, <u>die eine Sendung kurz unterbrechen</u>.
        ⤷ Plural   ⤷ Nominativ

Werbung (seitliche Beschriftung)

A10 Vorlieben und Abneigungen beim Fernsehen

a) Ergänzen Sie die Relativpronomen im Nominativ oder Akkusativ.

♦ Mich stören 30-Sekunden-Spots, *die* die laufende Sendung nur kurz unterbrechen.

1. Mich stört der klassische Werbeblock, ... die spannendsten Filme unterbricht.

2. Mich stört Werbung, ... während einer Sendung am Bildrand erscheint.

3. Ich mag keine Reporter, ... dumme Fragen stellen.

4. Mich stört die Frisur der Moderatorin, ... die Talkshow am Sonntag moderiert.

5. Ich mag keine Krimis, ... zu brutal sind.

6. Ich mag keine Kochshows, ... Werbung für Produkte machen.

7. Mich stört der neue Serienheld, ... der Sender jetzt als Superstar feiert.

8. Ich hasse meine Fernbedienung, ... nie richtig funktioniert.

9. Ich finde den Anzug des Nachrichtensprechers hässlich, ... er jeden Mittwoch trägt.

10. Ich mag das Interview der Woche nicht, ... jeden Sonntag gezeigt wird.

b) Ergänzen Sie die Relativpronomen im Dativ oder Akkusativ.

Ich mag keine **Sendungen**, <u>in denen man über Politik spricht</u>.

Bei Relativsätzen mit präpositionalen Ausdrücken steht die Präposition vor dem Relativpronomen. Der Kasus richtet sich nach der Präposition.

1. Ich mag Talkshows, zu .... man interessante Gäste einlädt.

2. Ich finde Komödien toll, über .... man lachen kann.

3. Ich mag Filme, über .... man nachdenken muss.

4. Ich mag Wissenschaftssendungen, bei .... ich etwas lernen kann.

5. Ich finde Kochsendungen lehrreich, in .... ein Profikoch etwas erklärt.

6. Ich mag Krimis, in .... der Mörder gefunden wird.

c) Und Sie? Was mögen Sie? Ergänzen Sie.

Ich mag ....

Werbung: Produkte und ihre Eigenschaften

(A11) Werbeanzeigen

a) Lesen Sie die folgenden Werbeanzeigen.

Weiß, wie man Flecken entfernt: die erste
Waschmaschine mit Antifleckensystem.

SIEMENS

Gras, Tomate, Rotwein. Fleck ist nicht gleich Fleck. Das weiß jetzt
zum ersten Mal eine Waschmaschine. Die neuen Siemens-Waschmaschinen mit Antifleckensystem passen Wassertemperatur und Waschphase
14 Fleckenarten individuell an. Und die neue varioSoft-Trommel unterstützt
mit ihrer einzigartigen Oberflächenstruktur eine gründliche, aber schonende
Fleckenentfernung. Ganz ohne Spezialwaschmittel. Sie sehen, Siemens
hat für jeden Anspruch die richtige Antwort in Technik und Design. Mehr
Informationen beim Fachhändler oder unter www.siemens.de/hausgeraete.

Siemens. Die Zukunft zieht ein.

„Wir bieten den direkten Weg
ins Internet. Der Weg zu uns
führt über FAZjob.NET"

Kristina Knopp, Leiterin Personalmarketing, United Internet

Kluge Köpfe profitieren ab sofort bei der Stellensuche auch
online vom Renommee einer
der besten Zeitungen der Welt:
FAZjob.NET ist die neue Karriereplattform der F.A.Z. Hier
suchen erfolgreiche Unternehmen erstklassige Fach- und
Führungskräfte. Eine besonders
einfache Bedienung und umfassender Service erleichtern Ihnen
zusätzlich den Weg zu neuen
beruflichen Herausforderungen.
Viel Erfolg!

Frankfurter Allgemeine
FAZJOB.NET
Wir bringen Sie weiter.

b) Fragen zu den Anzeigen. Was ist richtig? Kreuzen Sie an.

1. Für wen ist die Karriereplattform der F.A.Z. geeignet?

    a) ☐ Für alle, die eine Stelle suchen.

    b) ☐ Für junge Menschen, die sich nach der Ausbildung/dem Studium um eine Stelle bewerben wollen.

    c) ☐ Für Interessenten mit einem akademischen Abschluss und einigen Jahren Berufserfahrung, auch in
       leitenden Positionen.

2. Warum soll man sich für die Karriereplattform der F.A.Z. entscheiden?

    a) ☐ Die Zeitung hat einen guten Ruf und verfügt über sehr gute
       Kontakte zu Unternehmen.

    b) ☐ Die Plattform benutzt die neueste Software.

    c) ☐ Die Plattform garantiert Erfolg bei der Jobsuche.

3. Was ist neu an der Waschmaschine von Siemens?

    a) ☐ Die Waschmaschine arbeitet mit einem Waschprogramm,
       das sich auf unterschiedliche Fleckenarten einstellen kann.

    b) ☐ Man kann mit der Waschmaschine sprechen.

    c) ☐ Zusammen mit einem Spezialwaschmittel gehen alle Flecken raus.

A12 Ergänzen Sie die passenden Adjektive aus den Werbeanzeigen.

Frankfurter Allgemeine Zeitung:

erstklassige ♦ neue ♦ besten ♦ erfolgreiche ♦ einfache ♦ ~~kluge~~

Kluge Köpfe profitieren ab sofort bei der Stellensuche auch online vom Renommee einer der .... Zeitungen der Welt: FAZjob.NET ist die .... Karriereplattform der F.A.Z. Hier suchen .... Unternehmen .... Fach- und Führungskräfte. Eine besonders .... Bedienung und umfassender Service erleichtern Ihnen den Weg zu neuen beruflichen Herausforderungen. Viel Erfolg.

Siemens:

einzigartigen ♦ neuen ♦ richtige ♦ gründliche

Gras, Tomate, Rotwein. Fleck ist nicht gleich Fleck*. Das weiß jetzt zum ersten Mal Ihre Waschmaschine. Die .... Siemens-Waschmaschinen mit Antifleckensystem passen Wassertemperatur und Waschphase 14 Fleckenarten individuell an. Und die neue varioSoft-Trommel unterstützt mit ihrer .... Oberflächenstruktur eine ...., aber schonende Fleckenentfernung. Ganz ohne Spezialwaschmittel. Sie sehen, Siemens hat für jeden Anspruch die .... Antwort in Technik und Design.

* Fleck ist nicht gleich Fleck. = Es gibt Unterschiede zwischen den Flecken.

A13 Adjektive: Komparation

Komparation der Adjektive ⇨ Teil C Seite 119

Werbung arbeitet:
1. mit gesteigerten Adjektiven: *die beste Zeitung*
2. mit besonders positiv wirkenden Adjektiven: *erstklassig, einzigartig, umfassend.*

Positiv	Komparativ	Superlativ
einfach	einfacher → *er*	am einfachsten/der einfachste → *st*
gut	besser	am besten/der beste
viel	mehr	am meisten/der meiste
hoch	höher	am höchsten/der höchste

Ergänzen Sie die Superlative.

Unsere Produkte haben … die .... Preise. *(niedrig)*
… die .... Qualität. *(hoch)*
… den .... Energieverbrauch. *(gering)*
… den .... Service. *(gut)*
… die .... Auszeichnungen. *(viel)*
… die .... Lösungen. *(effektiv)*
… das .... Design. *(schön)*
… die .... Materialien. *(edel)*

Der doppelte Komparativ

Je <u>älter</u> der Käse ist, desto/umso <u>besser</u> schmeckt er.
→ Nebensatz → Hauptsatz

A14 Satzbau

Ergänzen Sie die Sätze wie im Beispiel. Achten Sie auf den Satzbau.

♦ Je mehr Sterne ein Hotel hat, *(teuer – die Übernachtung – sein)*
Je mehr Sterne ein Hotel hat, *desto teurer ist die Übernachtung.*

1. Je deutlicher das Gerät erklärt wird, *(einfach – man – es – bedienen – können)*

....

2. Je mehr Geld Sie investieren, *(hoch – Ihr Gewinn – sein)*

....

3. Je größer das Auto ist, *(schwierig – man – einen Parkplatz – in der Stadt – finden)*

....

4. Je höher die Waschtemperatur ist, *(sauber – die Wäsche – werden)*

....

5. Je mehr Werbung man macht, *(erfolgreich – man – das Produkt – verkaufen – können)*

....

A15 Adjektivdeklination

Ergänzen Sie die Adjektive in der richtigen
Form aus dem Werbetext der Bahn.

8.49 Uhr. Hauptbahnhof. Jetzt ganz

schnell zum .... *(dringend)*

Kundentermin.

Der Zug rast. Ihr Puls nicht. Denn Sie haben

keine Staus an .... *(nervig)*

Baustellen. Keine .... *(langsam)*

Sonntagsfahrer auf der linken Spur.

Keine .... *(lästig)* Tankpausen.

Sie haben im ICE ein .... *(entspannt)*

Ambiente bei Spitzengeschwindigkeiten von

bis zu 300 km/h. So können Sie sich nur auf

sich konzentrieren. Und auf Ihren

Geschäftstermin.

Die Bahn **DB**

Bei 300 km/h vereint sich Freude am Fahren mit Spaß an der Arbeit.

**Die Bahn macht mobil. Komfortstark. Entspannend.
Mit dem ICE in nur 1 ¼ Stunden von Köln nach Frankfurt**

8.49 Uhr. Hauptbahnhof. Jetzt
ganz schnell zum dringenden
Kundentermin. Der Zug rast. Ihr
Puls nicht. Denn Sie haben keine
Staus an nervigen Baustellen.
Keine langsamen Sonntagsfahrer
auf der linken Spur.

Keine lästigen Tankpausen.
Sie haben im ICE ein
entspanntes Ambiente bei Spitzengeschwindigkeiten von bis
zu 300 km/h. So können Sie sich
nur auf sich konzentrieren. Und
auf Ihren Geschäftstermin.

Und übrigens: Im ICE von
Hamburg nach Berlin in 1 ½
und ab 10.12. im ICE Sprinter
von Frankfurt nach München
unter 3 Stunden.
Jetzt buchen unter
www.bahn.de

Deklination der Adjektive ⇨ Teil C Seite 121

A16 Ergänzen Sie die Adjektive in den Werbetexten.

Achten Sie darauf, ob ein bestimmter/unbestimmter Artikel oder ein Possessivpronomen vor dem Adjektiv steht.

1. Unser Relax-Pflegebad sorgt für eine *intensive* Hautpflege und für ein .... Badegefühl. *(intensiv, herrlich)*

2. Das Sparprogramm unserer Bank ermöglicht Ihnen eine .... Altersvorsorge. *(optimal)*

3. Unser .... Brot besteht aus wertvollen Zutaten. Beginnen Sie den Tag mit den .... Vitaminen A, D und E. *(hochwertig, wichtig)*

4. Das .... Wohnen muss nicht teuer sein. Wir entwickeln für Sie die .... Lösungen. Mit unseren Möbeln werden Ihre .... Träume wahr. Bestellen Sie jetzt unseren .... Katalog. *(modern, gut [Superlativ], schön [Superlativ], neu)*

5. Unsere .... Heizungssysteme sorgen für einen .... Energieverbrauch. Mit den .... Wärmesystemen unserer Firma sparen Sie Geld und tun etwas für die Umwelt. *(neu, gering, innovativ)*

6. Bei uns finden Sie alles: eine .... Bedienung und .... Preise. *(einfach, niedrig)*

7. Das System hält Ihr Auto in einer .... Situation besser in der Spur. *(gefährlich)*

8. Kartoffeln sind die Grundlage für eine .... Ernährung und ein .... Essen. *(gesund, gut)*

9. Unsere Technik wurde von der .... Zeitung Europas ausgezeichnet. *(groß [Superlativ])*

10. Die .... Bücher aus vier Jahrzehnten finden Sie jetzt in unserer .... Bestseller-Ausgabe. *(gut [Superlativ], einmalig)*

A17 Wortschatz: Adjektive

a) Lesen Sie.

Achtung bei *billig* und *teuer*: Im Deutschen wirkt das Wort *billig* abwertend, deshalb versuchen Werbeexperten, es mit anderen Wörtern zu umschreiben. Die Adjektive *preiswert* und *günstig* zum Beispiel wirken positiver als *billig*. Das Wort *teuer* wird im Geschäftsleben übrigens auch vermieden. Dafür nimmt man lieber die Beschreibung *kostenintensiv*.

Übertreibungen: In der Werbung ist nichts normal. Es geht immer um das *beste* Produkt, das *neueste* Design, alles ist *einzigartig* und *erstklassig*. Werbung arbeitet mit Übertreibungen.

b) Sie sind Werbefachmann/-frau. Sagen Sie es ausdrucksvoller.

> einzigartig ◆ fantastisch ◆ riesig ◆ topmodern ◆ superschnell ◆ hauchdünn ◆ erstklassig ◆ bildschön ◆ supergünstig ◆ hochaktuell ◆ brandneu

◆ Die Möbel sind in <u>aktuellen</u> Farben.	*Die Möbel sind in <u>hochaktuellen</u> Farben.*
1. Der Ausblick ist <u>prima</u>.	....
2. Die Internetverbindung ist <u>schnell</u>.	....
3. Wir haben <u>sehr gute</u> Mitarbeiter.	....
4. Das Produkt ist <u>billig</u>.	....
5. Das System ist <u>neu</u>.	....
6. Das Gerät ist in einem <u>modernen</u> Design.	....
7. Die Firma macht <u>schöne</u> Schuhe.	....
8. Die Büroräume sind <u>groß</u>.	....
9. Das ist ein <u>besonderes</u> Angebot.	....
10. Die Schokoladentafeln sind <u>dünn</u>.	....

Einkaufen

A18) Werbeagentur

Sie haben den Auftrag, die Werbung für die folgenden Produkte zu übernehmen. Finden Sie passende Namen zu den Produkten und schreiben Sie dann Werbetexte dazu. Arbeiten Sie in kleinen Gruppen. Präsentieren Sie anschließend Ihre Ideen.

A19) Stellen Sie ein (typisches) Produkt aus Ihrem Heimatland vor.

Gehen Sie auf folgende Punkte ein:

- Was ist das für ein Produkt?
- Wo wird das Produkt hergestellt? Stellt es nur eine einzige Firma her?
- Wozu wird das Produkt benutzt?

- Welche Eigenschaften hat das Produkt?
- Wem würden Sie dieses Produkt empfehlen?
- Was kostet das Produkt?
- Was halten Sie von dem Produkt?

Einkaufen

A20) Frau Seifert braucht einen neuen Kühlschrank. *1.17*

Hören Sie das folgende Gespräch im Fachgeschäft und beantworten Sie die Fragen.

1. Welche Farbe gefällt Frau Seifert? ....
2. Was ist das Problem mit dem Typ AX 1000? ....
3. Wie viele Kilogramm Ware kann man beim Typ AX 2000 einfrieren? ....
4. Was ist das Besondere an den Glasplatten? ....
5. Wie viele Stunden kann der Kühlschrank die Ware ohne Strom kühl halten? ....
6. Was ist der normale Preis für den Kühlschrank? ....
7. Wie lange hat der Kühlschrank Garantie? ....

A21 Produkte kaufen

a) Formulieren Sie Fragen. Fragen Sie nach:

- ♦ den Farben des Regenschirms

  In welchen Farben gibt es diesen Regenschirm?
  In welchen Farben haben Sie diesen Regenschirm?

1. dem Preis für die Waschmaschine

   ....
   ....

2. der Garantiezeit für die Waschmaschine

   ....
   ....

3. dem Liefertermin für die Waschmaschine

   ....
   ....

4. der Bezahlung für die Waschmaschine
    (bar, per Banküberweisung, per Kreditkarte?) ....

5. der Schnelligkeit des Autos

   ....

6. den Besonderheiten des Autos

   ....
   ....

7. den Größen für das gelbe T-Shirt
    mit der grünen Maus

   ....

8. den Umtauschmöglichkeiten für das
    gelbe T-Shirt mit der grünen Maus

   ....

9. dem Material des Pullovers
    (Wolle, Baumwolle, synthetisches Material?) ....

b) Welches Verb passt? Ergänzen Sie. *(Manchmal gibt es mehrere Möglichkeiten.)*

- ♦ Was kann ich für Sie *tun?*

1. Ich .... einen neuen Kühlschrank.
2. Ich kann Ihnen ein paar neue Modelle ....
3. Ich .... Ihnen dieses Modell.
4. Also die Farbe Rosa .... ich sehr seltsam für einen Kühlschrank.
5. Hellgrün .... mir besser.
6. Diese Farbe .... gut zu meinen anderen Möbeln.
7. Diesen Knopf muss man ....
8. Ich möchte Sie noch auf eine Besonderheit aufmerksam ....
9. Was .... der Kühlschrank?
10. Wie lange .... der Kühlschrank Garantie?
11. Wann können Sie den Kühlschrank ....?

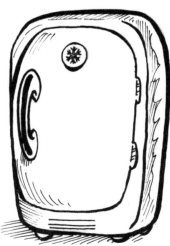

A22 Rollenspiele

Suchen Sie sich ein Produkt aus und spielen Sie mit Ihrer Nachbarin/Ihrem Nachbarn Verkaufsgespräche.
Sie brauchen einen neuen/eine neue/ein neues:

1

Preis ♦ Farbe ♦ PS ♦ Spitzengeschwindigkeit ♦ Beschleunigungszeit von 0 auf 100 ♦ Einparkhilfe ♦ einklappbare Außenspiegel ♦ Navigationssystem ♦ hochwertige Soundanlage ♦ beheizbare Sitze ♦ Panoramadach ♦ Dachgepäckträger ♦ Videobildschirm für Kinder

3

2

Preis ♦ Spiegelreflexkamera ♦ Kompaktkamera ♦ Autofokus ♦ Zoomfunktion ♦ intelligente Belichtung ♦ Gesichtserkennung ♦ Wechselobjektive

Preis ♦ Farbe ♦ elektrisches Fahrrad oder normales Fahrrad ♦ Gangschaltung/Gänge ♦ Komfortsattel oder Sportsattel ♦ breite oder dünne Reifen ♦ Diebstahlsicherung

A23 Partizip II als Adjektiv

Partizip II als Adjektiv

Der Kühlschrank hat ein eingebautes Gefrierfach.

→ eingebaut + es
Partizip II + Adjektivendung

Das Adjektiv *eingebautes* kommt vom Verb *einbauen*, genauer gesagt vom Partizip II: *eingebaut*.
Bei Adjektiven, die vom Partizip II kommen, ist die Handlung meistens abgeschlossen.

Wie heißen die passenden Adjektive?
Achten Sie darauf, ob ein bestimmter oder unbestimmter Artikel vor dem Adjektiv steht.

♦ Dieses Auto wurde am meisten <u>verkauft</u>.

Es ist <u>das</u> meist*verkaufte* Auto.

1. In den Kühlschrank wurde eine Spezialbeleuchtung <u>eingebaut</u>.

Der Kühlschrank hat <u>eine</u> .... Spezialbeleuchtung.

2. Unsere Firma hat dieses Sicherheitssystem neu <u>entwickelt</u>.

Das ist <u>ein</u> neu .... Sicherheitssystem.

3. Die meisten Leute haben im letzten Jahr dieses Lied <u>gehört</u>.

Es ist <u>das</u> meist........................ Lied des letzten Jahres.

4. Das Teil wird von uns selbst <u>hergestellt</u>.

Das ist <u>ein</u> von uns selbst .... Teil.

5. Das Programm wurde bereits <u>getestet</u>.

Das ist <u>ein</u> bereits .... Programm.

6. Die Tür wurde vor dem Einbruch von einem Wachmann <u>geöffnet</u>.

Die Diebe kamen durch <u>eine</u> .... Tür.

7. Dieses Handtuch wurde schon <u>benutzt</u>.

Das ist <u>ein</u> .... Handtuch.

8. Ich habe den Brief schon <u>gelesen</u>. Er liegt auf deinem Schreibtisch.

<u>Der</u> .... Brief liegt auf deinem Schreibtisch.

Beschwerde

Partizipien als Adjektive ⇨ Teil C Seite 124

Die Werbung unterbricht den laufenden Film. → *laufend* + *en*
Partizip I + Adjektivendung

Das Adjektiv *laufenden* kommt vom Verb *laufen*, genauer gesagt vom Partizip I: *laufend*.
Das Partizip I wird gebildet aus dem Infinitiv und der Endung: *-d*.
Bei Adjektiven, die vom Partizip I kommen, ist die Handlung nicht abgeschlossen.

A24 Partizip I als Adjektiv

Wie heißt das Partizip I und das Adjektiv?

◆	Der Film <u>läuft</u>.	→ *laufend*	→ *der laufende Film*
1.	Der Vogel <u>singt</u>.	→	→ *der* .... *Vogel*
2.	Der Zug <u>kommt an</u>.	→	→ ....
3.	Die Suppe <u>kocht</u>.	→	→ ....
4.	Die Farben <u>leuchten</u>.	→	→ ....
5.	Die Tür <u>schließt</u> schlecht.	→	→ ....
6.	Die Nachfrage <u>sinkt</u>.	→	→ ....
7.	Die Kosten <u>steigen</u>.	→	→ ....

A25 Konsumverhalten

Fragen Sie Ihre Nachbarin/Ihren Nachbarn und berichten Sie.

▫ Wie oft gehen Sie pro Woche einkaufen?

▫ Was kaufen Sie täglich, wöchentlich, einmal im Monat,
ein bis zweimal im Jahr, einmal im Leben?

▫ Wofür geben Sie besonders viel Geld aus?

▫ Bei welchen Produkten versuchen Sie zu sparen?

▫ Lassen Sie sich von Preisnachlässen/Rabatten
zum Kauf animieren?

▫ Haben Sie schon einmal in einem teuren
Designergeschäft eingekauft?

▫ Haben Sie schon einmal etwas gekauft,
was Sie nie gebraucht haben?

▫ Was war das hässlichste Produkt,
das Sie jemals gekauft haben?

▫ Haben Sie schon einmal etwas reklamiert bzw.
sich über ein Produkt beschwert?

A26 Ein passendes Geschenk

Ihre Nachbarin/Ihr Nachbar hat bald Geburtstag. Finden Sie durch gezielte (aber nicht zu direkte) Fragen heraus,
was sie/er noch braucht oder über welches Geschenk sie/er sich besonders freuen würde.

Die Beschwerde

A27 Frau Seifert ruft im Geschäft an. *1.18*

Sie wartet noch immer auf ihren Kühlschrank. Lesen und hören Sie das Gespräch.

Geschäft:	*Küchen und Geräte*, guten Tag, was kann ich für Sie tun?
Frau Seifert:	Ja, guten Tag, Seifert hier. Ich habe vor zwei Wochen einen Kühlschrank bei Ihnen gekauft und Sie wollten mir den Kühlschrank vor einer Woche liefern.
Geschäft:	Moment bitte, da muss ich Sie mit der Auslieferung verbinden.
Herr Krug:	Krug, guten Tag. Was kann ich für Sie tun?
Frau Seifert:	Helene Seifert hier. Sie wollten mir vor einer Woche meinen Kühlschrank liefern, genauer gesagt am Freitag, dem Dreizehnten. Ich habe den ganzen Nachmittag gewartet, aber der Kühlschrank ist nicht gekommen.
Herr Krug:	Moment, Frau Seifert. Könnten Sie mir bitte erst mal die Bestellnummer nennen?
Frau Seifert:	Die Nummer ist 342 765 938. Also, ich habe den ganzen Freitagnachmittag gewartet und niemand ist gekommen. Dann habe ich bei Ihnen angerufen und jemand hat mir gesagt, dass der Kühlschrank am Mittwoch geliefert wird, abends, zwischen 18.00 und 20.00 Uhr. Aber am Mittwoch kam der Kühlschrank auch nicht. Und jetzt reicht es mir, wirklich, ich möchte, dass Sie den Kühlschrank heute noch liefern.
Herr Krug:	Ich verstehe Ihren Ärger, Frau Seifert. Aber der Fehler liegt nicht bei uns. Bei der Firma *Friso* gab es Produktionsprobleme. Ich sehe hier im Computer, dass die Firma nächsten Montag die Kühlschränke liefern kann.
Frau Seifert:	Warum haben Sie mich nicht darüber informiert?
Herr Krug:	Das tut mir leid. Das war ein Versäumnis von uns. Ich werde die Firma *Friso* sofort anrufen und dafür sorgen, dass Sie am Montagabend Ihren Kühlschrank haben.
Frau Seifert:	Kann ich mich darauf verlassen?
Herr Krug:	Ja, ganz bestimmt. Am Montagabend haben Sie Ihren Kühlschrank.
Frau Seifert:	Gut. Wenn der Kühlschrank am Montagabend nicht hier ist, möchte ich mein Geld zurück.
Herr Krug:	Ich werde mich persönlich um eine pünktliche Lieferung kümmern, Frau Seifert.
Frau Seifert:	Das hoffe ich. Auf Wiederhören.
Herr Krug:	Auf Wiederhören.

A28 Sich beschweren

Ordnen Sie die Redemittel zu.

Kunde	Firma	
☐	☐	Ich möchte mich über … beschweren.
☐	☐	Ich kann Ihren Ärger *(nicht)* verstehen.
☐	☐	Ich werde mich persönlich darum kümmern.
☐	☐	Es war abgesprochen/vereinbart, dass …
☐	☐	Ich habe erwartet, dass …
☐	☐	Wenn Sie nicht *(bis zum Wochenende liefern)*, dann *(möchte ich mein Geld zurück)*.
☐	☐	Das tut mir leid.
☐	☐	Ich werde dafür sorgen, dass …
☐	☐	Ich bin nicht zufrieden mit …
☐	☐	Wir werden das prüfen/überprüfen.

Beschwerde

A29 **Rollenspiele**

Wählen Sie eine Situation aus und beschweren Sie sich (telefonisch oder persönlich).
Nennen Sie auch die Gründe für Ihre Beschwerde.

Managementkurs

Sie nehmen an einem Managementkurs teil. Nach drei Tagen stellen Sie fest, dass Sie nicht das lernen, was Sie erwartet haben. Die Unterrichtsbeispiele haben mit Ihrer Firma nichts zu tun und es gibt kein Material zum Nachschlagen.

Kühlschrank

Frau Seifert hat ihren Kühlschrank endlich bekommen. Nach zwei Tagen ging die Beleuchtung nicht mehr und das Super-Gefriersystem funktioniert ebenfalls nicht.

Fernseher

Sie haben einen neuen Flachbildfernseher im Internet gekauft, der Ihnen gestern geliefert wurde. Leider wurde kein Stromkabel mitgeschickt und auf der rechten Seite ist ein großer Kratzer.

Gebrauchtes Auto

Sie haben bei einem Autohändler ein drei Jahre altes Auto für 10 000 Euro gekauft, doch nach einer Woche bemerken Sie, dass die Bremsen nicht gut gehen, die Klimaanlage kaputt ist und der Motor seltsame Geräusche macht.

---

werden ⇨ Teil C Seite 128

Ich kümmere mich persönlich darum.
Wir überprüfen das.

⟶ Präsens

Ich werde mich persönlich darum <u>kümmern</u>.
Wir werden das <u>überprüfen</u>.

⟶ werden + Infinitiv
Futur I

In diesen Sätzen hat das Verb *werden* die Bedeutung eines Modalverbs. Es betont die Absicht des Sprechers.

A30 *Werden*

Antworten Sie wie im Beispiel.

♦ Wann rufen Sie mich zurück?   *Ich werde Sie morgen zurückrufen.*

1. Können Sie die Rechnung noch mal kontrollieren?

   ....

2. Kümmern Sie sich darum, dass der Gast abgeholt wird?

   ....

3. Können Sie den Termin einhalten?

   ....

4. Wann besuchst du Tante Annelies endlich im Krankenhaus?

   ....

5. Wann gibst du deine Masterarbeit ab?

   ....

6. Sorgen Sie dafür, dass der Kühlschrank bis Freitag geliefert wird?

   ....

A31 Noch mehr Probleme …

Ergänzen Sie die Verben in der richtigen Form.

> Im Deutschen werden Fehlhandlungen oft mit Verben mit dem Präfix *ver-* ausgedrückt, zum Beispiel:
> *nicht richtig rechnen = sich verrechnen, nicht richtig schreiben = sich verschreiben.*

verrechnen ◆ verhören ◆ verspäten ◆ versalzen ◆ vergessen ◆ verfahren ◆ verschreiben ◆ verlaufen

1. Wo bleibt denn dein Kollege? – Er kommt mit dem Auto. Er hat sich sicher ....

2. Entschuldigung, wo ist das Stadttheater? – Ach, da haben Sie sich ...., Sie müssen in die andere Richtung gehen.

3. Diese Rechnung kann doch nicht stimmen! – Die Kellnerin hat sich bestimmt ....

4. Wir hatten doch heute früh einen Termin mit der Firma KULL. Wo warst du denn? – Ach, den Termin habe ich total ....

5. Die Suppe schmeckt ja schrecklich! – Der Koch ist sicher verliebt. Er hat die Suppe ....

6. Was hast du denn in die E-Mail geschrieben? Das Projekt wird doch erst in einem Jahr fertig und nicht in einem Monat. – Entschuldigung, ich habe mich ....

7. Die Schauspielerin ist nicht pünktlich. Sie hat sich mal wieder ....

8. Die Sitzung ist um 15.00 Uhr? Frau Krause hat mir gestern gesagt, die Sitzung ist um 16.00 Uhr! – Da hast du dich sicher ....

A32 Beschwerdemail

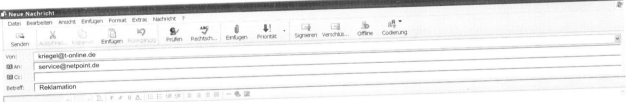

Sehr geehrte Damen und Herren,

am 25. Mai dieses Jahres habe ich bei Ihnen einen Flachbild-Fernseher vom Typ AT 250 bestellt, der am 23. Juni geliefert wurde. Beim Auspacken musste ich leider feststellen, dass das Stromkabel fehlte. Ich kann den Fernseher also nicht anschließen. Außerdem hat der Fernseher auf der rechten Seite einen großen Kratzer. Wahrscheinlich ist das Gerät beim Transport beschädigt worden. Ich gehe davon aus, dass Sie mir innerhalb einer Woche ein neues Gerät zusenden und das beschädigte Gerät bei mir abholen. Wenn Sie mir das nicht garantieren können, fordere ich mein Geld in voller Höhe zurück.

Mit freundlichen Grüßen
Katja Kriegel

Schreiben Sie selbst eine Beschwerdemail.

Wählen Sie ein Thema:

▫   Sie haben ein neues Sofa bestellt und es fehlen die Füße.

▫   Sie haben im Internet einen blauen Bademantel ersteigert und einen grünen Schlafanzug zugeschickt bekommen.

▫   Sie haben eine Kaffeemaschine bestellt. Es fehlt aber die Kanne und die Gebrauchsanweisung ist in Chinesisch.

Wissenswertes (fakultativ)

B1 Kaufen und schenken

Lesen Sie den folgenden Text von Wladimir Kaminer aus dem Buch: Helden des Alltags.

Menschen, die einkaufen

Seitdem die Kaufhalle *Knüller-Kiste – die ganze Welt für 99 Pfennig* neben unserem Haus auf der Schönhauser Allee ihre Türen geöffnet hat, hat sich unsere Wohnung immer mehr in eine Testzentrale für internationale Fehlgeburten der modernen Haushaltselektronik verwandelt. Meine Frau geht gern in diesem Laden einkaufen. Sie nennt es Soft-Shopping, weil man dort sein leichtes Konsumfieber ohne große finanzielle Verluste kurieren kann.

Das erste Wunder der Technik, das sie in der *Knüller-Kiste* eroberte, war ein Mückenvertreiber, der laut der beiliegenden Instruktionen nicht nur blutdürstige Insekten und Kakerlaken, sondern auch alle denkbaren Nagetiere bis zu fünf Kilo Lebendgewicht aus der Wohnung fernhält. Und das durch bloßes Aussenden hoher Frequenzen, die für das menschliche Ohr vollkommen unhörbar sind. In unserer Wohnung gab es aber weder Insekten noch Nagetiere, nur unsere Katze Marfa, die man nicht einmal mit einer Motorsäge von ihrem Lieblingsheizkörper in der Küche trennen könnte. Im Kinderzimmer hatten wir jedoch eine Mücke, die schon lange bei uns lebte und sich entsprechend anständig benahm: Sie summte leise, aß hauptsächlich vegetarisch und war mit der Zeit ein vollwertiges Mitglied unserer Familie geworden. Bei dieser Mücke nun wollte meine Frau die vernichtende Kraft der modernen Technik prüfen.

„Wenn es stimmt, was in der Gebrauchsanweisung steht, dann werde ich dieses Gerät meiner Mutter im Nordkaukasus schicken. In ihrem Dorf gibt es jedes Jahr richtig fette Mücken, außerdem Ratten und Mäuse. Die Bewohner sind hilflos. Aber nicht mehr lange", meinte meine Frau.

Abends schalteten wir das Gerät an, und ein Rotlicht-Lämpchen begann zu blinken. Die hohen Frequenzen verbreiteten sich sofort in unserer Wohnung. Wir merkten nichts davon. Die Mücke im Kinderzimmer auch nicht. Dafür aber unser Nachbar. Er war die ganze Nacht wach und ging in seinem Zimmer hin und her. Merkwürdige Geräusche drangen aus der Wohnung nebenan zu uns, als würde der Mann sich gegen die Wand werfen. Bums! Tratatatata. Bums! Tratatata. Er sprang gegen die Wand, kehrte zu seiner Ausgangsposition zurück und nahm erneut Anlauf. Wir befürchteten schon, er würde sich unter dem Einfluss der hohen Frequenzen in ein Insekt verwandeln.

Meine Frau behauptete sogar, gehört zu haben, wie der Nachbar bereits einige Male die Decke gestreift hätte. Ich glaube jedoch nicht, dass man eine derartig komplexe Verwandlung in einer Nacht durchmachen konnte. So etwas braucht Zeit. Außerdem hat unser Nachbar einen viel zu großen Bierbauch, um sich an der Decke halten zu können. Trotzdem machten wir uns große Sorgen um ihn. Gleich am nächsten Morgen ging ich nach nebenan und fragte unseren Nachbarn, wie es ihm gehe. Er erzählte, er hätte ein Dart-Spiel von seinem Kollegen geschenkt bekommen und die ganze Nacht gespielt. Der Mückenvertreiber schien keine Wirkung zu haben. Trotz dieses schlechten Testergebnisses schickten wir das Gerät in den Nordkaukasus zu meiner Schwiegermutter.

Straße in Berlin

kamen

heilen

wieder

meinte
nur durch …

erleben

Wissenswertes

Eine Woche später ergatterte meine Frau in der *Knüller-Kiste* eine elektrische Wanduhr. Sie hatte nur drei Mark gekostet, zeigte aber trotzdem die Zeit an.

Der Nachbar spielte fast jede Nacht Dart, mal gegen die eine, mal gegen die andere Wand. Wir konnten an den Geräuschen erkennen, dass er immer treffsicherer wurde. Meine Schwiegermutter rief uns an und erzählte, was im Dorf passiert war, nachdem sie unser Gerät angeschaltet hatte. Es kam zu einer noch nie da gewesenen Invasion von Mücken, Riesenraupen und Zieselmäusen. Alles Leben aus der Steppe kam angelaufen, um in den Genuss der ausländischen Frequenzen zu gelangen. Die aufgebrachte Dorfbevölkerung zwang meine Schwiegermutter, das Gerät zu vernichten. Der Mückenvertreiber wurde öffentlich im Garten des Hauses durch Zerhacken zur Strecke gebracht. Das Ungeziefer kehrte jedoch nicht in die Steppe zurück. „Aber schickt mir nichts mehr", bat meine Schwiegermutter am Telefon.

Unser Nachbar traf mit seinen Pfeilen die Stelle an der Wand, wo auf der anderen Seite unsere Wanduhr hing. Sie stürzte ab, tickte aber zu unserem Erstaunen brav weiter – nur ging sie jetzt in die entgegengesetzte Richtung. Aus Achtung vor der modernen Technik beschlossen wir, sie nicht wegzuwerfen. Gelegentlich schauen wir sie an und werden immer jünger.

erganterte = eroberte/kaufte

zur Strecke gebracht = zerstört
Ungeziefer = Mücken usw.

treffsicherer wurde = besser traf

Erstaunen = Überraschung

Gelegentlich = manchmal
aufgebrachte = erregte/zornige

B2 Aufgaben zum Textverstehen

a) Beantworten Sie die Fragen.

Wie gut haben Sie den Text verstanden?

- ☐ Ich habe fast alles verstanden.
- ☐ Ich habe das Wichtigste verstanden.
- ☐ Ich habe wenig verstanden.
- ☐ Ich weiß überhaupt nicht, worum es geht.

Wie wirkte der Text auf Sie?

- ☐ traurig
- ☐ ernst
- ☐ kämpferisch
- ☐ lustig
- ☐ sentimental
- ☐ schwermütig

b) Was ist richtig, was ist falsch? Kreuzen Sie an.

	richtig	falsch
1. Frau Kaminer kauft regelmäßig in der *Knüller-Kiste* ein.	☐	☐
2. Die Geräte aus der Knüller-Kiste sind sehr preiswert, funktionieren aber oft nicht.	☐	☐
3. Der Mückenvertreiber war ein wahres Wunder der Technik: Er tötete alle Mücken.	☐	☐
4. Das Gerät hat Einfluss auf das Verhalten des Nachbarn.	☐	☐
5. Frau Kaminer möchte ihrer Mutter im Kaukasus bei der Bekämpfung von Insekten helfen und schenkt ihr den Mückenvertreiber.	☐	☐
6. Der Mückenvertreiber zieht die Insekten an, statt sie zu vernichten.	☐	☐
7. Die Menschen im Kaukasus fanden das Gerät ganz toll.	☐	☐

Adjektive

B3 Berichten Sie.

▫ Haben Sie schon einmal ein Gerät oder etwas anderes gekauft, das nicht funktioniert hat?

▫ Gibt es in Ihrem Heimatland viele Geschäfte, die nur billige Ware anbieten?
Was kann man in diesen Geschäften kaufen? Wie ist die Qualität?

B4 Billigläden in Deutschland

Ergänzen Sie in dem folgenden Text die Verben in der richtigen Form.

akzeptieren ♦ machen ♦
leisten ♦ geben ♦
kosten ♦ schätzen ♦
liegen ♦ können ♦
entstehen ♦
beschränken ♦
schreiben ♦
kaufen ♦ schicken

Anfang der 1960er-Jahre *entstanden* die ersten Discountläden in den Großstädten. Ihr Angebot .... sich damals nur auf Lebensmittel. Das Ambiente in den Geschäften war trist, die Ausstattung einfach. Preise wurden mit der
Hand auf unlackierte Holzregale .... Es .... keine Dekoration
im Schaufenster, keine Bedienung oder Beratung. Die Auswahl an Produkten war
auf wenige hundert Artikel begrenzt. Die Kunden .... das neue Konzept
schnell, weil die Preise der Discounter 15 bis 20 Prozent unter den Preisen der
anderen Geschäfte .... Die Rechnung war einfach: Wer 100 Mark zum
Ausgeben hatte, ... beim Discounter Waren im Wert von 120 Mark einkaufen. Ein paar Beispiele aus dem Jahr 1961: Eine Ecke Käse .... beim
Discounter 40 Pfennig statt wie üblich 50 Pfennig, Makkaroni 57 statt 70 Pfennig
und Grapefruitsaft sogar nur 47 statt 78 Pfennig. Die Lieferanten der Discounter
.... ihre Ware zum Teil heimlich, um keinen Ärger mit anderen Händlern
zu bekommen, heißt es in einem Pressebericht von damals. Heute bestimmt
eine andere Art von Geschäft den Trend: der „Schnäppchen-Markt". Experten
................, dass es allein in Hamburg etwa 50 Billigläden gibt, in denen man
fast alle Produkte, angefangen vom Spaghettilöffel bis zum Kinderspielzeug, für
einen Euro kaufen kann. Und es werden immer mehr. „In diesen Billigläden lässt
es sich wunderbar stöbern und man muss sich keine Gedanken ...., ob
man sich die Sachen .... kann", fasst ein Hamburger Trendforscher die
Entwicklung zusammen.

B5 Geschenke für Verwandte ⟨1.19⟩

Denken Sie gerade darüber nach, was Sie Ihrer Schwiegermutter oder anderen Verwandten schenken wollen?
Dann hilft Ihnen vielleicht dieses Gedicht von Wilhelm Busch.

*Namenstag = Tag des Namens, hier der heiligen Sophie
*Sophiechen = kleine Sophie

Die erste Tante sprach ...

Die erste Tante sprach:
„Wir müssen nun auch dran denken,
Was wir zu ihrem Namenstag*
Dem guten Sophiechen* schenken."

Drauf sprach die zweite Tante kühn:
„Ich schlage vor, wir entscheiden
Uns für ein Kleid in Erbsengrün,
Das mag Sophiechen nicht leiden."

Der dritten Tante war das recht:
„Ja", sprach sie, „mit gelben Ranken!
Ich weiß, sie ärgert sich nicht schlecht
Und muss sich auch noch bedanken."

(Wilhelm Busch 1832-1908)

Adjektive

Komparation der Adjektive (Wiederholung)

Grundregel

Positiv	Komparativ	Superlativ
einfach	einfacher ⟶ er	am einfachsten/der einfachste ⟶ st

Vergleich

Deine Tasche ist schöner als meine Tasche.
Deine Tasche ist genauso schön wie meine Tasche.

Steht das Adjektiv im Komparativ ⟶ als
Steht das Adjektiv im Positiv ⟶ wie

Doppelter Komparativ

Je <u>älter</u> der Käse ist, desto/umso <u>besser</u> schmeckt er.

C1 Ergänzen Sie die Übersicht.

Positiv	Komparativ	Superlativ			
....	*billiger*	am	das	....	Produkt
....	....	am	die	*intensivste*	Creme
hässlich	....	am	das	....	Entlein
....	....	am *schnellsten*	das	....	Auto
langsam	....	am	das	....	Tier
....	....	am	der	*niedrigste*	Preis
....	*schlechter*	am	die	....	Leistung
warm	....	am	der	....	Sommer
....	....	am *kältesten*	der	....	Winter
groß	....	am	das	....	Land
....	....	am	der	*jüngste*	Bruder
....	*teurer*	am	der	....	Laden
dunkel	....	am	der	....	Wald
....	....	am *frischesten*	das	....	Obst
intelligent	....	am	der	....	Schüler
....	*besser*	am	der	....	Fahrer
viel	....	am	der	....	Ärger
....	....	am	der	*liebste*	Freund
hoch	....	am *höchsten*	der	....	Berg
....	*näher*	am	der	....	Verwandte

Adjektive

(C2) Quiz

Stellen Sie Fragen und beantworten Sie sie in ganzen Sätzen (im Komparativ).

♦ Welches Auto ist *schneller?* *(schnell)*

    a) der Porsche   b) der VW Golf

    Der Porsche ist schneller als der VW Golf.

    Der Porsche ist das <u>schnellere</u> Auto.  Komparativ *(schneller)* + Adjektivendung *(e)*

1. Welches Geschäft ist ....? *(teuer)*

    a) IKEA   b) ein Geschäft für Design-Möbel

2. Welche Firma ist ....? *(alt)*

    a) IBM   b) General Motors

3. Welches Messegelände ist ....? *(groß)*

    a) das Hamburger Messegelände   b) das Gelände der Frankfurter Buchmesse

4. Welcher Zug ist ....? *(berühmt)*

    a) der Orient-Express   b) der Glacier-Express

(C3) Vergleichen Sie die beiden Firmen.

Firma 1

45 Mitarbeiter
3 000 qm² Firmengelände
existiert seit 1985
Urlaubstage: 21 Tage im Jahr
Durchschnittsgehalt: 2 000 Euro pro Monat
Arbeitsbedingungen: sehr gut

Firma 2

60 Mitarbeiter
2 000 qm² Firmengelände
existiert seit 2000
Urlaubstage: 21 Tage im Jahr
Durchschnittsgehalt: 1 700 Euro pro Monat
Arbeitsbedingungen: gut

♦ *Firma 2 hat mehr Mitarbeiter als Firma 1.*

1. ....

2. ....

3. ....

4. ....

5. ....

(C4) Je ... desto/umso

Ergänzen Sie die Sätze frei.

♦ Je mehr ich spazieren gehe, *desto/umso gesünder fühle ich mich.*

1. Je länger ich Urlaub habe, ...

2. Je mehr du fernsiehst, ...

3. Je wärmer der Sommer ist, ...

4. Je länger sich Susanne und Alfred kennen, ...

5. Je mehr Süßigkeiten man isst, ...

6. Je billiger das Produkt ist, ...

7. Je mehr Geld du in Aktien investierst, ...

C5 Vergleichen Sie.

◆ gern trinken ◆ Cola – Wasser – Wein
Ich trinke gern Cola. Wasser trinke ich lieber als Cola. Am liebsten trinke ich Wein.

1. ein großes Haus haben ◆ Familie Müller – Familie Meier – mein Opa
   Familie Müller hat ein großes Haus. Familie Meier ....

2. ein teures Auto fahren ◆ mein Kollege – mein Nachbar – ich
   ....

3. interessant finden ◆ Theateraufführung – Spaziergang im Wald – ein Essen mit Freunden
   ....

4. viele E-Mails schreiben ◆ die Praktikantin – der Chef – die Sekretärin
   ....

5. einen guten Computer haben ◆ Susanne – Otto – Paul
   ....

6. nah sein ◆ das griechische Restaurant – das italienische Restaurant – das französische Restaurant
   ....

7. im Februar warm sein ◆ in Spanien – in Tunesien – in Australien
   ....

8. hoch sein ◆ das City-Hochhaus in Leipzig – der Messeturm in Frankfurt – das Commerzbank-Hochhaus in Frankfurt
   ....

Deklination der Adjektive

Nominativ		Singular						Plural	
Artikelart		maskulin		feminin		neutral			
der/dieser	der	große	Tisch	die	helle	Lampe	das	kalte	Zimmer	die	alten	Bücher
ein/mein	ein	großer	Tisch	eine	helle	Lampe	ein	kaltes	Zimmer	meine	alten	Bücher
--		großer	Tisch		helle	Lampe		kaltes	Zimmer		alte	Bücher

Akkusativ		Singular						Plural	
Artikelart		maskulin		feminin		neutral			
der/dieser	den	großen	Tisch	die	helle	Lampe	das	kalte	Zimmer	die	alten	Bücher
ein/mein	einen	großen	Tisch	eine	helle	Lampe	ein	kaltes	Zimmer	meine	alten	Bücher
--		großen	Tisch		helle	Lampe		kaltes	Zimmer		alte	Bücher

Dativ		Singular						Plural	
Artikelart		maskulin		feminin		neutral			
der/dieser	dem	großen	Tisch	der	hellen	Lampe	dem	kalten	Zimmer	den	alten	Büchern
ein/mein	einem	großen	Tisch	einer	hellen	Lampe	einem	kalten	Zimmer	meinen	alten	Büchern
--		großem	Tisch		heller	Lampe		kaltem	Zimmer		alten	Büchern

Genitiv		Singular						Plural	
Artikelart		maskulin		feminin		neutral			
der/dieser	des	großen	Tisches	der	hellen	Lampe	des	kalten	Zimmers	der	alten	Bücher
ein/mein	eines	großen	Tisches	einer	hellen	Lampe	eines	kalten	Zimmers	meiner	alten	Bücher
--		großen	Tisches		heller	Lampe		kalten	Zimmers		alter	Bücher

Adjektive

C6 Was ist das?

Bilden Sie Ausdrücke mit allen Nomen im Nominativ.

1. ein/eine – schnell: _Auto, Zug, Flugzeug, Fahrrad_

   Das ist ein schnelles Auto, ein ....

2. ein/eine – schwierig: _Aufgabe, Übung, Text, Arbeit_

   Das ist ....

3. die/das – best-: _Produkt, Waschmaschine, Angebot, Beleuchtung_

   ....

4. der/das – niedrig: _Preis, Energieverbrauch, Risiko_

   ....

5. der/die/das – neust-: _Katalog, Modell, Wärmesystem, Computer, Mode_

   ....

6. mein/meine – erst-: _Kühlschrank, Fahrrad, Brille, Fotoapparat_

   ....

7. ein/eine – erstklassig: _Fernseher, Ware, Technologie_

   ....

8. unser – hervorragend: _Restaurant, Service, Design_

   ....

C7 Endungen im Akkusativ

Was bietet man hier an? Ergänzen Sie die Artikel- und Adjektivendungen im Akkusativ.

1. Unser Elektrogeschäft bietet Ihnen d......... neust......... Kühlschränke an.
2. Unsere Drogerie verkauft erstklassig......... Hautcremes.
3. Unser Modegeschäft hat hochwertig......... Hemden zu niedrig......... Preisen.
4. Unsere Apotheke verkauft ein......... besonders effizient......... Beruhigungsmittel.
5. Unsere Firma stellt ein......... neu......... koffeinhaltig......... Limonade her.
6. Dies......... bequem......... Sofa gibt es nur bei uns.
7. Unsere Firma hat dies......... einzigartig......... Haarfärbemittel _(Sg.)_ speziell für Sie entwickelt.
8. Unsere Sprachschule bietet maßgeschneidert......... Kurse.

C8 Endungen im Akkusativ oder Dativ

Ergänzen Sie die Artikel- und Adjektivendungen im Akkusativ oder im Dativ.

1. Dieses Produkt wird mit d......... modernst......... Technologie hergestellt.
2. Ich möchte Ihnen unser......... jüngst......... Mitarbeiter _(Sg.)_ vorstellen.
3. Wir informieren Sie gern über d......... aktuell......... Angebote unserer Firma.
4. Unsere Monteure helfen Ihnen bei groß......... und klein......... Problemen.
5. Könnten Sie mir Ihr......... preiswertest......... Geschirrspüler _(Sg.)_ zeigen?
6. Darf ich Ihnen dies......... besonders praktisch......... Geldbörse empfehlen?
7. Haben Sie unser......... neust......... Modelle schon gesehen?
8. Unsere Abteilung sucht dynamisch........., kreativ........., Englisch sprechend......... Kaufleute.

C9 Endungen im Genitiv

Ergänzen Sie die Artikel- und Adjektivendungen im Genitiv und die Endungen der maskulinen Nomen.

Wer wohnt hier? – Weißt du das nicht? Das ist/sind …

1. die Villa d......... neu......... Bürgermeister.........

2. das Haus d......... bekanntest......... Schriftsteller......... unserer Region.

3. der Bauernhof unser......... ältest......... Tochter.

4. die Wohnung mein......... französisch......... Kollege.........

5. das Schloss d......... erst......... König.........

6. die Zimmer d......... ausländisch......... Studenten.

7. das Einfamilienhaus d......... ehemalig......... Direktor.........

8. die Villen d......... reichst......... Familien in der Stadt.

C10 Adjektivendungen

Ergänzen Sie die Adjektivendungen in den folgenden Sätzen aus dem Text A3.

1. Werbung gab es schon im alt......... Ägypten vor 6 000 Jahren.

2. Dazu zählen zum Beispiel kommerziell......... Werbetafeln aus Stein.

3. Solche Steine hat man in den alt......... Ruinen von Pompeji gefunden.

4. Die modern......... Werbung begann aber erst im 17. Jahrhundert mit der Geburt der erst......... Tageszeitung 1650 in Leipzig.

5. Endlich gab es ein passend......... Medium zur Verbreitung der Werbung.

6. Neben den Werbungen in Zeitungen entstanden schnell speziell......... Werbezeitungen.

7. Diese Werbezeitungen standen unter staatlich......... Kontrolle.

8. In der zweit......... Hälfte des neunzehnt......... Jahrhunderts veränderte sich die Werbung in Anzahl und Inhalt.

9. Die Werbung richtete sich an speziell......... sozial......... Schichten.

10. Es entstand der erst......... Boom in der Werbebranche.

C11 Ergänzen Sie die Endungen und finden Sie das Gegenteil.

Achtung: Nicht alle Adjektive passen.

> verständlich ♦ störend ♦ kostenintensiv ♦ knapp ♦ lang ♦ hektisch ♦ billig ♦ altmodisch ♦ alt ♦ streitsüchtig ♦ spannend ♦ laut ♦ einfach ♦ lustig

1. ein langweilig......... Film   ein .... Film

2. ein angenehm......... Geräusch   ein .... Geräusch

3. eine unerklärlich......... Reaktion   eine .... Reaktion

4. mein friedliebend......... Nachbar   mein .... Nachbar

5. das preiswert......... Auto   das .... Auto

6. der modern......... Anzug   der .... Anzug

7. ein kompliziert......... Lösungsweg   ein .... Lösungsweg

8. eine ausführlich......... Beschreibung eine .... Beschreibung

9. ruhig......... Bewegungen   .... Bewegungen

Partizipien als Adjektive

Partizip I	der einfahrende Zug	*einfahrend* + Adjektivendung	Der Zug fährt ein.	Die Handlung dauert an.
Partizip II	der eingefahrene Zug	*eingefahren* + Adjektivendung	*Aktiv:* Der Zug ist eingefahren.	Die Handlung ist abgeschlossen.
	der eingebaute Motor	*eingebaut* + Adjektivendung	*Passiv:* Der Motor wurde eingebaut.	

→ Kein Partizip II als Adjektiv haben: *sein, haben*
+ Verben wie: *arbeiten, antworten, danken, gefallen, nützen, schlafen, sitzen* und *stehen.*

Sätze

(C12) Bilden Sie Adjektive wie im Beispiel.
Überlegen Sie, ob Partizip I oder II richtig ist.

- Die Autos parken auf der Straße.   die auf der Straße *parkenden* Autos

  Das Tor wurde in der fünften Minute geschossen.   das in der fünften Minute *geschossene* Tor

1. Das Wasser kocht.   das ....
2. Die Zwiebeln wurden sehr klein geschnitten.   ....
3. Das Flugzeug landet.   ....
4. Das Flugzeug ist gelandet.   ....
5. Die Kinder lachen.   ....
6. Die Leute warten.   ....
7. Die Mona Lisa lächelt.   ....
8. Das Essen wurde vor einer Stunde bestellt.   ....
9. Die Hose habe ich neu gekauft.   ....
10. Die Rechnung wurde schon lange bezahlt.   ....
11. Der Nachbar tanzt Tango.   ....
12. Das Projekt wurde gestern vorgestellt.   ....
13. Das Bild wurde im 17. Jahrhundert gemalt.   ....
14. Das Wasser fließt.   ....
15. Der Motor läuft immer noch.   ....

(C13) *Keinen, keine, kein*
Ergänzen Sie das Partizip II.

Ich esse ...

- der Fisch – braten   *keinen gebratenen Fisch.*
1. der Schinken – kochen   ....
2. die Suppe – pürieren   ....
3. die Tomaten *(Pl.)* – schälen   ....
4. die Äpfel *(Pl.)* – schneiden   ....
5. die Banane – backen   ....
6. die Kartoffeln *(Pl.)* – frittieren   ....

Sätze

Relativsätze

Relativsätze sind Nebensätze. Sie beschreiben das Bezugswort im Hauptsatz näher.

Das ist **der Mann**, der mir gefällt.
Das ist **der Mann**, den ich liebe.
Das ist **der Mann**, dem ich mein Auto geliehen habe.
Das ist **der Mann**, dessen Sekretärin ich bin.

Das ist **der Mann**, in den ich verliebt bin.
Das ist **der Mann**, mit dem ich ins Kino gehe.

Das Relativpronomen richtet sich in Genus und Numerus nach dem Bezugswort, im Kasus nach der Stellung im Relativsatz.

Bei Relativsätzen mit präpositionalen Ausdrücken steht die Präposition vor dem Relativpronomen. Der Kasus richtet sich nach der Präposition.

Relativpronomen

	Singular			Plural
	maskulin	feminin	neutral	
Nominativ	der	die	das	die
Akkusativ	den	die	das	die
Dativ	dem	der	dem	denen
Genitiv	dessen	deren	dessen	deren

C14 Bilden Sie Relativsätze.

Achten Sie auf den Kasus.

Ich hätte gern ein Auto,

◆   Das Auto fährt schneller als andere Autos.   *das schneller als andere Autos fährt.*

1. Das Auto geht nie kaputt.

2. Mit dem Auto kann ich angeben.

Ich habe ein Auto,

3. Das Auto ist 15 Jahre alt.

4. Das Auto muss jeden Monat repariert werden.

5. Mein Nachbar lacht über das Auto.

Ich hätte gern einen Freund,

6. Der Freund schenkt mir jeden Tag etwas.

7. Der Freund kann kochen und bügeln.

8. Mit dem Freund streite ich mich nie.

Ich habe einen Freund,

9. Der Freund hat immer eine andere Meinung.

10. Mein Essen schmeckt dem Freund nicht.

11. Ich bekomme von dem Freund nie etwas geschenkt.

Ich hätte gern eine Wohnung,

12. In der Wohnung fühle ich mich wohl.

13. Die Wohnung hat fünf Zimmer.

14. Die Wohnung kostet fast nichts.

C15 Ergänzen Sie die Relativpronomen.

1. a) Das ist ein Produkt, *das* viel Geld kostet.
   b) Das ist ein Wagen, ... viel Geld kostet.
   c) Das ist eine Lampe, ... viel Geld kostet.
   d) Das sind elektrische Geräte, ... viel Geld kosten.

2. a) Ich habe einen Mann kennengelernt, ... ich zu mir einladen möchte.
   b) Ich habe nette Leute kennengelernt, ... ich zu mir einladen möchte.
   c) Ich habe eine Frau kennengelernt, ... ich zu mir einladen möchte.
   d) Ich habe ein Mädchen kennengelernt, ... ich zu mir einladen möchte.

3. a) Das sind die Mitarbeiter, ... wir unser neues Produkt vorgestellt haben.
   b) Er ist der erste Mensch, ... wir unser neues Produkt vorgestellt haben.
   c) Sie ist die Kundin, ... wir unser neues Produkt vorgestellt haben.
   d) Das ist das Unternehmen, ... wir unser neues Produkt vorgestellt haben.

4. a) Die Stadt, durch .... der Zug gefahren ist, fand ich wunderschön.
   b) Den Wald, durch .... der Zug gefahren ist, fand ich wunderschön.
   c) Das Dorf, durch .... der Zug gefahren ist, fand ich wunderschön.
   d) Die Landschaften, durch .... der Zug gefahren ist, fand ich wunderschön.

5. a) Heute treffe ich mich mit Peters Kollegen, von .... er schon so viel erzählt hat.
   b) Heute treffe ich mich mit Peters Freundin, von .... er schon so viel erzählt hat.
   c) Heute treffe ich mich mit Peters altem Deutschlehrer, von .... er schon so viel erzählt hat.
   d) Heute treffe ich mich mit Peters Kind, von .... er schon so viel erzählt hat.

C16 Am Arbeitsplatz

Verbinden Sie die Sätze. Achten Sie auf die Wortfolge.

♦ Gregor hat einen Beruf. Mit diesem Beruf kann man viel Geld verdienen.
   Gregor hat einen Beruf, mit dem man viel Geld verdienen kann.

1. Tanja arbeitet in einem großen Büro. Aus dem Büro kann man einen Park sehen.
   ....

2. Dieter arbeitet mit netten Kollegen. Mit den Kollegen geht er oft Kaffee trinken.
   ....

3. Roberta hat eine kompetente Chefin. Mit der Chefin kann sie über alles sprechen.
   ....

4. Theresa telefoniert oft mit Kunden. Die Kunden haben die Rechnung noch nicht bezahlt.
   ....

5. Karl arbeitet bei einer bekannten Firma. Die Firma stellt Möbel her.
   ....

6. Das Kleidungsgeschäft sucht eine Verkäuferin. Die Verkäuferin spricht fließend Englisch und ist zuverlässig.
   ....

7. Alexander ruft eine Sprachschule an. In der Sprachschule möchte er Chinesisch lernen.
   ....

C17 Carlas neue Chefin und ihr alter Chef

Ergänzen Sie die Relativpronomen und, wo nötig, die Präpositionen.

Meine neue Chefin ist eine Frau, …

1. .... man alles besprechen kann.
2. .... mich unterstützt.
3. .... ich mich nie ärgern muss.
4. .... gar nicht autoritär ist.
5. .... ich sehr viel lernen kann.
6. .... man jederzeit anrufen darf.
7. .... sich für die Mitarbeiter interessiert.
8. .... viel Berufserfahrung hat.

Mein alter Chef war ein Mann, …

1. .... man nichts besprechen konnte.
2. .... mich nicht unterstützte.
3. .... ich mich ständig ärgern musste.
4. .... sehr autoritär war.
5. .... ich leider nichts lernen konnte.
6. .... man nie anrufen durfte.
7. .... sich für die Mitarbeiter gar nicht interessiert hat.
8. .... wenig Berufserfahrung hatte.

C18 Ergänzen Sie die Relativpronomen im Genitiv.

♦ Sind das die Leute, *deren* Kinder in Bonn studieren?

1. Ist das der Direktor, ... Sekretärin gekündigt hat?
2. Ist das der berühmte Schauspieler, ... Frau 15 Jahre älter ist?
3. Ist das das Mädchen, ... Fahrrad gestohlen wurde?
4. Sind das die Nachbarn, ... Hund immer so laut bellt?
5. Ist das die Frau, ... Auto im Parkverbot steht?

C19 Lesen Sie den folgenden Brief.

Ergänzen Sie das richtige Wort. Nicht alle Wörter passen.

bestellten ♦ im ♦ Ihrem ♦ fehlt ♦ weil ♦ Rückerstattung ♦ wenn ♦ Ihrer ♦ erheblich ♦ den ♦ wenig ♦ die ♦ Lage ♦ Bezahlung ♦ am ♦ funktioniert

Sehr geehrte Damen und Herren,

.... (1) 23. August hat unsere Firma in .... (2) Geschäft fünf neue Drucker bestellt und bezahlt. Bisher haben Sie nur drei der .... (3) Drucker geliefert und von diesen drei Druckern .... (4) nur einer. Bei zwei Druckern ist der Papiereinzug kaputt. .... (5) wir jetzt nur einen funktionierenden Drucker haben, wird der Arbeitsablauf in unserer Firma .... (6) gestört. Es handelt sich übrigens um den Typ AP 2575, ... (7) Sie in Ihrer Werbung als störungsfrei beschrieben haben. Wir erwarten von Ihnen umgehend vier neue, fehlerfreie Drucker. Sollten Sie nicht in der .... (8) sein, die Geräte zu liefern, bitten wir um .... (9) des Geldes.

Mit freundlichen Grüßen
Max Gründorf

Rückblick

Verben

werden (Übersicht)

I.	*werden* als Vollverb:	Ich werde gesund. Paul wird Abteilungsleiter.

II. *werden* als Hilfsverb:

a)	*werden* + Partizip II ⟶ Passiv	Der Motor wird eingebaut.
b)	*werden* + Infinitiv ⟶ Futur I	Ich werde mich darum kümmern. ⟶ Absicht/Versprechen Morgen wird es regnen. ⟶ Erwartung Wo ist Ines? Sie wird noch im Stau stehen. ⟶ Vermutung

Achtung! Für Handlungen in der Zukunft benutzt man im Deutschen normalerweise die Präsensform:
Im Sommer fahre ich nach Italien./Die nächste Sitzung ist am Freitag.

C20 Drücken Sie eine Absicht aus.

Was haben Sie sich für das nächste Jahr alles vorgenommen? Nennen Sie acht gute Vorsätze.
Bilden Sie Sätze.

- ♦ nicht mehr rauchen *Ich werde nicht mehr rauchen.*

1. mehr lernen ....

2. ....

3. ....

4. ....

5. ....

6. ....

7. ....

8. ....

C21 Erwartungen an die Zukunft

Bilden Sie Sätze.

- ♦ Bevölkerung auf der Erde – wachsen *Die Bevölkerung auf der Erde wird wachsen.*

1. Preise für Benzin und Diesel – steigen ....

2. bestimmte Krankheiten – sich ausbreiten ....

3. ganz normale Menschen – auf den Mond – fliegen ....

4. Temperaturen – ansteigen ....

5. Eis am Nordpol und am Südpol – schmelzen ....

6. in manchen Ländern – Hunger – zunehmen ....

7. Luftverkehr – viel stärker werden ....

8. *Ihre Erwartung?* ....

Rückblick

D1 Wichtige Redemittel

Hier finden Sie die wichtigsten Redemittel des Kapitels.

Werbung

Werbeformen im Fernsehen: Werbeblock ◆ Fernsehspot ◆ Produktplacement ◆ Sponsorenwerbung

Weitere Werbung: Radiospot ◆ Zeitungsannonce ◆ Plakat ◆ Werbung per Post ◆ Internetwerbung

Geschichte der Werbung:
Werbetafeln aus Stein ◆ Marktschreier ◆ Werbezeitungen ◆ Einführung der Pressefreiheit ◆ Zielgruppenwerbung ◆ der erste Boom in der Werbebranche ◆ berühmte Markennamen ◆ Wünsche bei den Konsumenten wecken ◆ Etablierung von Scheinwelten ◆ Träume und Wünsche gehen beim Kauf in Erfüllung.

Produkteigenschaften

Wichtige Adjektive in der Werbung:
einzigartig ◆ fantastisch ◆ riesig ◆ topmodern ◆ superschnell ◆ erstklassig ◆ günstig ◆ bildschön ◆ supergünstig ◆ hochaktuell ◆ brandneu ◆ preiswert

Produktkauf

Ich hätte gern … ◆ Ich brauche … ◆ Was kostet …? ◆ Kann ich mit … bezahlen? ◆ In welchen Farben …? ◆ Aus welchem Material …? ◆ In welchen Größen …? ◆ Kann ich … umtauschen? ◆ Wie lange hat … Garantie? ◆ Wann können Sie … liefern?

Beschwerde

Sich beschweren:
Ich möchte mich über … beschweren. ◆ Es war abgesprochen/vereinbart, dass … ◆ Ich habe erwartet, dass … ◆ Wenn Sie nicht *(bis zum Wochenende liefern)*, dann *(möchte ich mein Geld zurück)*. ◆ Ich bin nicht zufrieden mit … ◆ Ich fordere mein Geld in voller Höhe zurück.

Auf eine Beschwerde reagieren:
Ich kann Ihren Ärger *(nicht)* verstehen. ◆ Ich werde mich persönlich darum kümmern. ◆ Das tut mir leid. ◆ Ich werde dafür sorgen, dass … ◆ Wir werden das prüfen/überprüfen.

D2 Kleines Wörterbuch der Verben

Unregelmäßige Verben

Infinitiv	3. Person Singular Präsens	3. Person Singular Präteritum	3. Person Singular Perfekt
eintragen *(sich in eine Liste)*	er trägt sich ein	er trug sich ein	er hat sich eingetragen
gefallen *(jemandem)*	er gefällt	er gefiel	er hat gefallen
unterbrechen *(einen Film)*	er unterbricht	er unterbrach	er hat unterbrochen
verbinden	er verbindet	er verband	er hat verbunden
verfahren *(sich)*	er verfährt sich	er verfuhr sich	er hat sich verfahren
verlaufen *(sich)*	er verläuft sich	er verlief sich	er hat sich verlaufen
verschreiben *(sich)*	er verschreibt sich	er verschrieb sich	er hat sich verschrieben

Rückblick

Einige regelmäßige Verben

Infinitiv	3. Person Singular Präsens	3. Person Singular Präteritum	3. Person Singular Perfekt
entspannen *(sich)*	er entspannt sich	er entspannte sich	er hat sich entspannt
entwickeln *(sich/etwas)*	er entwickelt	er entwickelte	er hat entwickelt
herstellen *(ein Produkt)*	er stellt her	er stellte her	er hat hergestellt
kümmern *(sich um etwas)*	er kümmert sich	er kümmerte sich	er hat sich gekümmert
liefern *(eine Ware)*	er liefert	er lieferte	er hat geliefert
(über)prüfen *(etwas)*	er (über)prüft	er (über)prüfte	er hat geprüft er hat überprüft
richten *(sich an eine Zielgruppe)*	er richtet sich	er richtete sich	er hat sich gerichtet
verändern *(sich/etwas)*	er verändert	er veränderte	er hat verändert
verhören *(sich)*	er verhört sich	er verhörte sich	er hat sich verhört
verrechnen *(sich)*	er verrechnet sich	er verrechnete sich	er hat sich verrechnet
verspäten *(sich)*	er verspätet sich	er verspätete sich	er hat sich verspätet

D3 Evaluation

Überprüfen Sie sich selbst.

Ich kann	gut	nicht so gut
Ich kann einen Text über Werbung verstehen.	☐	☐
Ich kann meine Meinung zum Thema *Werbung* äußern und über Werbung in meinem Heimatland berichten.	☐	☐
Ich kann kleine Werbetexte lesen und entwerfen.	☐	☐
Ich kann Produkte und ihre Eigenschaften beschreiben.	☐	☐
Ich kann ein längeres Verkaufsgespräch verstehen und führen.	☐	☐
Ich kann mich über falsche oder schlechte Ware und über Lieferverzögerungen mündlich und schriftlich beschweren.	☐	☐
Ich kann zwei literarische Texte zum Thema *Kaufen und schenken* verstehen. *(fakultativ)*	☐	☐

Lernen, lernen und nochmals lernen

Kommunikation

- Über Erfahrungen und Strategien beim Sprachenlernen berichten
- Tipps zum Sprachenlernen geben
- Über die physischen Vorgänge beim Sprachenlernen und Lerntypen diskutieren
- Sich über Weiterbildungsangebote in Anzeigen und schriftlich informieren
- Über lebenslanges Lernen sprechen
- Über die Schulzeit berichten
- Über Noten und Leistungsbeurteilung diskutieren

Wortschatz

- Sprachen lernen
- Lebenslanges Lernen und Weiterbildung
- Lerntipps
- Schule, Zeugnisse und Noten

Sprachen lernen

A1 Diskutieren und berichten Sie.

- □ Welche Sprachen sprechen Sie schon?
- □ Welche Sprache ist neben Ihrer Muttersprache Ihre Lieblingssprache?
- □ Welche Mittel/Medien benutzen Sie beim Sprachenlernen?
- □ Wie lernen Sie neue Wörter?
- □ Was motiviert/demotiviert Sie beim Lernen am meisten?
- □ Ist Deutsch eine schwierige Sprache für Sie?
  Was finden Sie logisch/unlogisch/leicht/schwer?
- □ Motiviert es Sie beim Sprachenlernen, wenn Sie eine Prüfung ablegen können/müssen?

A2 Tipps zum Sprachenlernen

a) Welche Ratschläge würden Sie jemandem geben, der mit dem Lernen einer neuen Sprache anfangen möchte? Erstellen Sie einen „Sprachlerner-Knigge" mit fünf Regeln.

1. ....
   ....
2. ....
   ....
3. ....
   ....
4. ....
   ....
5. ....
   ....

Italiano?

Deutsch?   English?

Español?

Français?

b) Lesen Sie den folgenden Text.
Inwieweit stimmen Ihre Vorschläge mit diesen Lerntipps überein?
Welchen Aussagen würden Sie anhand Ihrer Erfahrungen nicht zustimmen?

1. Hören Sie mit dem Lernen sofort auf, wenn Sie sich nicht mehr so gut konzentrieren können.
2. Beschäftigen Sie sich jeden Tag mindestens zehn Minuten mit der neuen Sprache.
3. Lernen Sie neue Wörter immer im Kontext.
4. Merken Sie sich viele Redemittel und komplette Sätze, die Sie in einem Gespräch einsetzen können.
5. Benutzen Sie so viele Medien wie möglich: Lehrbuch, CD, Radio, Fernseher, Zeitung, Internet.
6. Bitten Sie deutschsprachige Bekannte, Kollegen und Nachbarn, Sie zu korrigieren.
7. Lernen Sie keine fehlerhaften Strukturen.
8. Seien Sie fest davon überzeugt, dass Sie sprachbegabt sind. Glauben Sie niemandem, der das Gegenteil behauptet.

(A3) Richtig oder falsch?

Diskutieren und entscheiden Sie.

1. Deutsch kann man nur in einem deutschsprachigen Land richtig lernen.

   a) ☐ Ich bin der gleichen Meinung.
   b) ☐ Das glaube ich nicht.
   c) ☐ Ich weiß nicht.

2. Durch eine neue Sprache lernt man auch eine fremde Kultur kennen.

   a) ☐ Ich stimme zu.
   b) ☐ Das ist Quatsch!
   c) ☐ Ich bin mir da nicht so sicher.

3. Muttersprachler sind die besten Sprachlehrer.

   a) ☐ Ja, das ist richtig.
   b) ☐ Diese Meinung kann ich nicht teilen.
   c) ☐ Keine Ahnung.

4. Es gibt begabte und unbegabte Sprachlerner.

   a) ☐ Damit bin ich einverstanden.
   b) ☐ Das glaube ich nicht.
   c) ☐ Ich habe dazu keine Meinung.

5. Mathematik und Musik helfen beim Sprachenlernen.

   a) ☐ Ja, (das) kann sein.
   b) ☐ Ich sehe keinen Zusammenhang zwischen den beiden Sachen.
   c) ☐ Dazu kann ich nichts sagen.

6. Die deutsche Grammatik ist sehr logisch.

   a) ☐ Das denke ich auch.
   b) ☐ Wie bitte?
   c) ☐ Ich kann das nicht beurteilen.

7. Die zweite oder dritte Fremdsprache ist immer leichter als die erste.

   a) ☐ Das ist auch meine Meinung.
   b) ☐ Das ist falsch.
   c) ☐ Das ist möglich.

8. Man lernt eine fremde Sprache nur als Kind richtig.

   a) ☐ Ja, klar.
   b) ☐ Das stimmt nicht.
   c) ☐ Ja, vielleicht.

(A4) Wie landet das Wort im Kopf?

Suchen Sie zur Vorbereitung des Textes A5 die folgenden Wörter im Wörterbuch oder im Glossar.

Gedächtnis ....

Langzeitgedächtnis ....

Kurzzeitgedächtnis ....

Gehirn ....

Speicher/speichern ....

Sprachen lernen

A5 Was passiert beim Sprachenlernen? 2.02

Lesen und hören Sie den Text.

Wie landet das Wort im Kopf?

Jede neue Vokabel muss eine weite Reise machen, bis sie endgültig in unserem Langzeitgedächtnis landet. Beim ersten Lesen oder Vorlesen kreisen die neuen Vokabeln im Ultrakurzzeitgedächtnis. Normalerweise würden sie von dort ganz schnell wieder verschwinden. Wenn sie jedoch mit besonderer Energie in Form von Aufmerksamkeit und Konzentration verstärkt werden, gelangen sie ins Kurzzeitgedächtnis. Dort haben die neuen Wörter eine Lebenszeit von ca. 20 Minuten. Innerhalb dieser Zeit sollte man die wichtigsten Wörter wiederholen, sonst werden sie gelöscht. Der Weg vom Kurzzeitgedächtnis zum Langzeitgedächtnis dauert sechs Stunden.

Das funktioniert so, als ob das Gehirn die Speichertaste drückt und eine Datei wie beim PC auf der Festplatte speichert, erklärt der Psychologe Matthiew Walker von der Harvard Medical School in Boston. Doch auch wenn die neuen Wörter in den Langzeitspeicher aufgenommen worden sind, können sie sich dort nicht ausruhen. Sie müssen in bestimmten, individuell verschiedenen Zeitabständen wiederholt werden. Andernfalls versinken sie im passiven Speicher des Langzeitgedächtnisses, also im passiven Wortschatz. Das klingt ein bisschen kompliziert, doch der Mensch kann auf diese Weise bis zu 200 neue Wörter am Tag ins Langzeitgedächtnis aufnehmen. Die beschriebenen Stationen machen aber deutlich, warum es eine gewisse Zeit dauert, bis man eine neue Sprache perfekt beherrscht.

Wie die Speicherung der Wörter und ihre Vernetzung mit anderen Wörtern am besten funktioniert, dafür gibt es keine allgemeinen Empfehlungen. Denn jedes Gehirn ist anders, jeder muss die für ihn effektivste Lernmethode selbst herausfinden. Hilfreich ist dabei zu erkennen, zu welchem Lerntyp man gehört:

Der *visuelle* Typ kann sich neue Wörter am besten einprägen, wenn er sie erst einmal geschrieben sieht, also liest, der *haptische* Lerner muss die Wörter selbst schreiben. Der *auditive* Typ möchte sie lieber hören. Wer an die neue Sprache analytisch herangeht und nach grammatikalischen Regeln sucht, ist ein *kognitiver* Lerntyp, der unbedingt ein systematisches Lehrbuch braucht. Außerdem gibt es noch den *imitativen* Typ, der am leichtesten durch Hören und Nachsprechen lernt. Doch unabhängig davon, was für ein Lerntyp man ist – man sollte auch im Alltag jede Gelegenheit nutzen, die neue Sprache zu üben. Kleine Sprachabenteuer kann man überall finden, im Internet, im Fernsehen, im Radio oder am Geldautomaten, wenn man sich die Anweisungen auf Deutsch geben lässt.

Randglossen:
bestimmte

Verbindung
aber

kommen
erkennen

merken

die Sprache analysiert
engl. hard disk

Perioden

A6 Was ist richtig, was ist falsch?

Kreuzen Sie an.

	richtig	falsch
1. Es ist wichtig, dass man aufmerksam und konzentriert ist, wenn man neue Wörter lernt.	☐	☐
2. Wenn die Wörter 20 Minuten im Kurzzeitgedächtnis „überleben", vergessen wir sie nie mehr.	☐	☐
3. Um Wörter aktiv gebrauchen zu können, müssen sie regelmäßig wiederholt werden.	☐	☐
4. Wie man Wörter am besten lernt, hängt vom Lerntyp ab.	☐	☐

A7 Lerntypen

a) Auf welche Weise lernen die folgenden Lerntypen am besten?

Der visuelle Typ   *lernt am besten, wenn er die Wörter liest.*

Der haptische Typ   ....

Der auditive Typ   ....

Der kognitive Typ   ....

Der imitative Typ   ....

b) Welcher Lerntyp sind Sie nach den oben genannten Definitionen?

c) Was passt zusammen? Kombinieren Sie.

1. Wenn man neue Wörter mit Aufmerksamkeit und Konzentration lernt,

2. Innerhalb von 20 Minuten sollten die wichtigsten Wörter wiederholt werden,

3. Auch wenn die neuen Wörter in den Langzeitspeicher aufgenommen worden sind,

4. Wie die Speicherung der Wörter und ihre Vernetzung mit anderen Wörtern am besten funktioniert,

(a) können sie sich dort nicht ausruhen.

(b) dafür gibt es keine allgemeinen Empfehlungen.

(c) gelangen sie ins Kurzzeitgedächtnis.

(d) sonst werden sie gelöscht.

A8 Wörternetz: Sprachen lernen

Ergänzen Sie das Wörternetz.

bestehen ♦ einprägen ♦ durchfallen ♦ nachschlagen ♦ schreiben ♦ fragen ♦ bitten ♦ kontrollieren ♦ beherr-schen ♦ korrigieren ♦ ablegen ♦ sprechen ♦ merken

Wörter

- sich ein Wort
  notieren
  ....
- im Wörterbuch
  ....
- Wörter
  lernen
  wiederholen
  an die Tafel ....

Sprache

Prüfung

- bei einer Prüfung
  ....
- eine Prüfung
  ....
  machen

Lehrerin

- die Lehrerin
  etwas ....
  um Hilfe ....
- eine Aufgabe/Hausaufgaben
  ....
  ....

sprachbegabt sein

- eine Sprache fließend ....
- eine Sprache ....

Lebenslanges Lernen

A9 Ergänzen Sie die Sätze.

Verwenden Sie die Redemittel aus dem Wörternetz.

1. Wenn man ein Wort nicht versteht, dann muss man das Wort im Wörterbuch ....

2. Man sollte sich das Wort ...., sonst vergisst man es.

3. Viele Lerner motiviert es, wenn sie nach dem Kurs eine Prüfung .... müssen.

4. Leute, die sehr leicht Sprachen lernen können, sind ....

5. Die Hausaufgaben werden von der Lehrerin ..../.............................

6. Während des Unterrichts .... der Lehrer die Wörter an die Tafel.

A10 Bedingungen

a) Lesen Sie die Sätze aus dem Text auf Seite 134:

Innerhalb dieser Zeit sollte man die wichtigsten Wörter wiederholen, sonst werden sie gelöscht.

Sie müssen in bestimmten, individuell verschiedenen Zeitabständen wiederholt werden. Andernfalls versinken sie im passiven Speicher des Langzeitgedächtnisses.

Konditionalangaben	⇨ Teil C Seite 151
Bedingung	**Folge**
1) Wenn man die Wörter nicht wiederholt,	werden sie gelöscht. ⟶ *Wenn* leitet einen Nebensatz ein.
2) Man sollte die Wörter wiederholen, Man sollte die Wörter wiederholen,	sonst/andernfalls werden sie gelöscht. sie werden sonst/andernfalls gelöscht. ⟶ *Sonst* und *andernfalls* sind Adverbien. Sie stehen im Hauptsatz und haben keine feste Position. Sie können vor oder hinter dem finiten Verb stehen.

b) Bilden Sie Sätze mit *sonst* oder *andernfalls*.

1. Sie sollten Ihre Hausaufgaben machen. Sie vergessen die Wörter.

    ....

2. Ich brauche deine Hilfe. Ich werde nicht fertig.

    ....

3. Ich sehe regelmäßig Nachrichten. Ich bin schlecht informiert.

    ....

4. Ich muss einen Computerkurs besuchen. Ich kann nicht gut arbeiten.

    ....

5. Ihr müsst mich korrigieren. Ich mache immer die gleichen Fehler.

    ....

6. Ich muss mit dem Auto fahren. Ich komme zu spät.

    ....

7. Du musst Oma eine Karte schreiben. Sie ist traurig.

    ....

(A11) Sprachunterricht ohne Kurs?

Eine Universität hat beschlossen, keine Sprachkurse mit Präsenzunterricht mehr anzubieten. Studenten, die eine Fremdsprache lernen oder ihre Sprachkenntnisse verbessern möchten, können das ab sofort nur noch online. Die Onlinekurse sind auf Selbstlernbasis, nur schriftliche Arbeiten wie Aufsätze werden von einem Tutor korrigiert.

Lesen Sie die folgenden Kommentare dazu in der Universitätszeitung.
Wer ist für die Umstellung der Sprachkurse auf reine Onlinekurse? Kreuzen Sie an.

		dafür	dagegen
1.	Patricia	☐	☐
2.	Luise	☐	☐
3.	Martin	☐	☐
4.	Sebastian	☐	☐

		dafür	dagegen
5.	Richard	☐	☐
6.	Eva	☐	☐
7.	Mareike	☐	☐
8.	Dr. Klaus Bach	☐	☐

Kommentare

(1) Patricia: Bei Onlinekursen kann man die Zeit besser einteilen und nach seinem eigenen Tempo arbeiten. Mir kommt das sehr entgegen.

(2) Luise: Onlinekurse sind dann sinnvoll, wenn man seine Schreibfertigkeit oder seine Grammatikkenntnisse verbessern will. Aber wer korrigiert dann die Fehler bei der Aussprache? Meiner Meinung nach kann ein Onlinekurs nur ein zusätzliches Angebot sein und nicht einen „richtigen" Sprachkurs ersetzen.

(3) Martin: Für mich steht beim Sprachenlernen die mündliche Kommunikation im Vordergrund. Ich finde es sehr schade, dass es die Möglichkeit zum Sprechen und Lachen mit anderen Teilnehmern im Onlinekurs nicht gibt.

(4) Sebastian: Wir machen heute alles online: Rechnungen bezahlen, Zeitung lesen, Bücher kaufen, warum soll man online nicht auch eine Sprache lernen? In einem Gruppenkurs verschwendet man zu viel Zeit mit den Fehlern der anderen. Die eigenen Fehler kommen oft viel zu kurz.

(5) Richard: Ich brauche Druck durch vorgegebene Hausaufgaben, feste Termine und einen Lehrer, der mich korrigiert. Alleine kann ich mich nicht ausreichend motivieren.

(6) Eva: Ich lerne sehr langsam und ein Onlinekurs ermöglicht mir, viele Sachen zu wiederholen. Im normalen Sprachkurs geht mir das immer zu schnell. Das einzige Problem ist, dass man für einen Onlinekurs Selbstdisziplin braucht – daran muss ich noch etwas arbeiten, doch ich glaube, das Problem ist zu lösen.

(7) Mareike: Während des Studiums passiert so viel auf der Lernplattform im Netz, dass ich es als selbstverständlich empfinde, dass auch Sprachkurse auf der Lernplattform stattfinden und keine zusätzliche Zeit mehr für Sprachkurse in der Gruppe verschwendet wird.

(8) Dr. Klaus Bach: Ich denke, dass die Universität mit der Streichung der Gruppenkurse nur Geld sparen will, indem sie die Lehrergehälter einspart. Meiner Meinung nach müsste man zwischen beiden Kurstypen wählen können. Das Kursangebot nur auf Onlinekurse zu reduzieren, scheint mir nicht sinnvoll.

(A12) Was meinen Sie?

Schreiben Sie nun Ihre Meinung zu dem Thema an die Onlineredaktion der Universitätszeitung (ca. 80 Wörter). Gehen Sie dabei auf folgende Punkte ein:

☐ Kurse mit Präsenzunterricht: Ja oder Nein?
☐ Onlinelernen: Wann ist das sinnvoll?

☐ Worauf legen Sie beim Sprachenlernen besonderen Wert?
☐ Womit haben Sie besonders gute Erfahrungen gemacht?

Lebenslanges Lernen

(A13) Berichten Sie.

☐ Was möchten Sie unbedingt noch lernen?

kochen ◆ fotografieren ◆ malen ◆ Klavier spielen ◆ Mitarbeiter führen ◆ besser kommunizieren ◆ …?

☐ Wo kann man in Ihrem Heimatland Kurse besuchen, um z. B. Sprachen, ein Computerprogramm, Management-Strategien, ein Instrument … zu lernen?

Lebenslanges Lernen

(A14) **Jeder will etwas lernen**

Die folgenden Personen wollen auch noch etwas lernen. Suchen Sie aus der Zeitung die passende Anzeige für sie heraus. Es ist auch möglich, dass es keine passende Anzeige gibt. In diesem Fall schreiben Sie Ø.

a

Sprachschule „INTERKOM"

Spanisch • Englisch im Beruf • Deutsch als Fremdsprache • Französisch • Chinesisch • Japanisch • Arabisch

Einzel- oder Gruppenunterricht, neue Unterrichtskonzepte!

Rufen Sie an: (0 70) 7 46 53 92 oder senden Sie uns eine E-Mail: service@interkom.de

b

Urlaub in den Alpen

Sie wollen alles? Sport, Spaß, Sonne und Berge? Informieren Sie sich über unsere Hotels und unser Ferienprogramm unter: *www.alpentourismus.de*.

Hier finden Sie Spitzenhotels, Spitzenrestaurants und ein detailliertes Angebot über Ski- und Kletterkurse in einer wunderschönen Natur.

c

Entspannen mit Yoga, Tai-Chi oder Qigong

Neue Kurse im Sportzentrum „Aqua" ab Oktober, jetzt auch tagsüber von 11 Uhr bis 13 Uhr. Einfach anrufen unter 56 74 23 33 oder vorbeikommen.

d

Ihr Chef kommt zum Essen? Keine Panik!

Möchten Sie Ihre Gäste mit einem Drei-Sterne-Menü überraschen? Wir kochen, was Sie sich wünschen, in bester Qualität mit besten Zutaten, auch bei Ihnen zu Hause. Bestellen Sie bei uns Ihr Traummenü und Sie brauchen sich um nichts mehr zu kümmern – außer um Ihre Gäste.

Kochstudio LECKER, Bachstraße 43, Tel. 9 86 42 17

e

Erste Hilfe für schlechte Noten!

Privatlehrer bietet Nachhilfeunterricht in den naturwissenschaftlichen Fächern – auch zur Vorbereitung auf das Abitur. Tel.: 7 64 59 38 66

f

Sommerkurse an der Universität Leipzig

Im Rahmen unseres Sommerprogramms bieten wir Weiterbildungskurse für Deutschlehrer in den Bereichen Literatur, kreatives Schreiben, Didaktik für große Klassen und Phonetik.

Infos unter: www.uni-leipzig.de

g

Computerkenntnisse für Anfänger und Fortgeschrittene

Keine Angst vor dem Computer! Die Volkshochschule hat für jeden den richtigen Kurs, egal, ob Sie Ihre Excel-Kenntnisse verbessern oder nur einfach lernen wollen, wie man das Internet benutzt.

Informieren Sie sich über unser Angebot: Volkshochschule, Gerberstraße 13, Tel.: 98 72 13 13

h

Neu! Abendkurse für Manager

Die Wirtschaftshochschule Dresden bietet jetzt auch Abendkurse für zukünftige Führungskräfte. Themen sind unter anderem: Mitarbeiterführung, Kommunikationsstrategien, Körpersprache und Leistungsbewertung. Dauer: 10 Wochen, Preis: 850 Euro

Anmeldung unter: 63 54 27 85 oder info@whs.de

1. Susanne ist Sekretärin und kann gut schreiben. Sie möchte einen Kurs besuchen, in dem sie lernt, Romane zu schreiben.

2. Familie Otto sucht einen Lehrer für ihren Sohn, weil er in Chemie so schlechte Noten hat.

3. Karin braucht für ihre neue Stelle einen sicheren Umgang mit Windows-Office-Programmen.

4. Marlis möchte sich im Bergsteigen noch verbessern.

5. Udo will unbedingt lernen, italienisch zu kochen.

6. Herr Schulze hat vor, Karriere zu machen. Er sucht einen Kurs, in dem er das Leiten einer Abteilung lernt.

7. Frau Kohl hat den Wunsch, eine asiatische Entspannungstechnik zu erlernen.

8. Moritz möchte nach Japan fahren und dafür ein bisschen Japanisch lernen.

(A15) Finalangaben

> ### Finalangaben
> ⇨ Teil C Seite 153
>
> Susanne möchte einen Kurs besuchen, um später Romane schreiben zu <u>können</u>.
> → Infinitivsatz
>
> Susanne möchte Romane schreiben, damit ihr Freund beeindruckt <u>ist</u>.
> → Nebensatz

Schreiben Sie Finalsätze. Benutzen Sie *um … zu* oder *damit*.

1. um … zu: Karin besucht einen Kurs, *(den sicheren Umgang mit Windows-Office-Programmen lernen)*

   ....

2. damit: Karin besucht einen Computerkurs, *(ihr Chef mit ihrer Arbeit zufrieden sein)*

   ....

3. um … zu: Marlis fährt in die Alpen, *(sich im Bergsteigen noch verbessern)*

   ....

4. um … zu: Udo macht einen Kochkurs, *(italienische Gerichte kochen lernen)*

   ....

5. damit: Udo macht einen Kochkurs, *(seine Frau nicht mehr so oft kochen müssen)*

   ....

6. um … zu: Herr Schulze will an einem Managementkurs teilnehmen, *(Karriere machen)*

   ....

7. um … zu: Frau Kohl lernt eine asiatische Entspannungstechnik, *(sich entspannen)*

   ....

8. um … zu: Moritz möchte Japanisch lernen, *(in Japan Straßenschilder lesen können)*

   ....

9. damit: Moritz möchte Japanisch lernen, *(seine Mutter mit ihm nach Tokio fahren)*

   ....

(A16) Bei der Volkshochschule anfragen

Sie möchten im nächsten Jahr einmal in der Woche an der Volkshochschule einen Kurs besuchen. Sie interessieren sich für Sprachen, Essen und Kultur in Asien, Sie müssen aber auch Ihr Englisch für geschäftliche E-Mails und Telefonate verbessern.
Schreiben Sie eine E-Mail an eine Volkshochschule und fragen Sie nach dem Kursangebot, den Preisen, der Dauer des Kurses, der Unterrichtszeit usw.

(A17) Lebenslanges Lernen   2.03

Hören Sie ein Gespräch zum Thema: *Lebenslanges Lernen*. Sie hören dieses Gespräch zweimal.

a) Kreuzen Sie beim Hören oder danach an, welche Aussage richtig oder falsch ist.

		richtig	falsch
1.	Das Sprichwort: *Was Hänschen nicht lernt, lernt Hans nimmermehr.* trifft auf die moderne Gesellschaft nicht mehr zu.	☐	☐
2.	Das lebenslange Lernen wird in erster Linie durch den technologischen Fortschritt bestimmt.	☐	☐
3.	Im Berufsleben kann lebenslanges Lernen die Karrierechancen verbessern.	☐	☐
4.	Weiterbildung führt nur zum Erfolg, wenn man einen Kurs besucht.	☐	☐
5.	Die Allgemeinbildung ist wichtiger als die berufliche Weiterbildung.	☐	☐
6.	Arbeitslose, die sich nicht weiterbilden, haben es schwer, eine Arbeitsstelle zu finden.	☐	☐

b) Antworten Sie.

▫ Was ist der Unterschied zwischen Ausbildung und Weiterbildung?

c) Ergänzen Sie die Nomen.

> Verantwortung ◆ Studium ◆ Arbeitsmarkt ◆ Chancen ◆ Herausforderungen ◆ Sprache ◆ Kurs ◆ Strategien ◆ Kompetenzen ◆ Rolle

Lernen hört nach der Schule oder nach dem .... nicht auf. Deshalb sprechen wir heute auch von lebenslangem Lernen. Wenn man sich auf dem .... durchsetzen will, bedeutet das, dass man sich ständig weiterbilden und immer etwas Neues dazulernen muss.
Bei der Globalisierung spielen Fremdsprachen eine wichtige .... Mitarbeiter, die bereit sind, eine fremde .... zu lernen, haben die besten .... Auch eine neue Stelle kann .... mit sich bringen. Man muss zum Beispiel .... übernehmen, plötzlich Mitarbeiter führen. Das sind ...., die viele erst erlernen müssen. Das bedeutet aber nicht, dass man immer einen .... besuchen muss. Man kann zum Beispiel auch ein Buch über Management-............................ lesen.

(A18) Weiterbildungen

a) Ergänzen Sie die Sätze anhand Ihrer Erfahrungen/frei.

berufliche Weiterbildung = Fortbildung

1. Weiterbildungen finde ich …

2. Wenn ich weiß, dass ich an einer Weiterbildung teilnehmen muss, dann fühle ich mich …

3. Mich motiviert es besonders, wenn …

4. Ich möchte gern noch lernen, wie …

5. Es wäre gut, wenn Weiterbildungen …

6. Ich habe einmal an einer besonders *guten/nützlichen/ langweiligen/interessanten/schwierigen* Weiterbildung teilgenommen. Dort habe ich/bin ich …

b) Tauschen Sie sich über Ihre Erfahrungen aus.

A19 Organisieren Sie eine Weiterbildung für Ihre Deutschgruppe.

Erarbeiten Sie Ihre Vorschläge in Kleingruppen und präsentieren Sie sie anschließend.

Berichten Sie,

- □ was der Inhalt der Weiterbildung ist,
- □ wie lange die Weiterbildung dauert,
- □ wo sie stattfindet,
- □ was dort neu gelernt wird bzw. welche Fähigkeiten man dort trainieren kann,
- □ was sie kostet,
- □ wer an der Weiterbildung teilnehmen soll/darf,
- □ wer die Weiterbildung leitet.

> einen Arbeitsplatz finden ♦ mit *(dem Computer)* besser umgehen können ♦ ein bestimmtes Computerprogramm lernen ♦ Führungskompetenzen lernen ♦ eine neue Sprache/eine neue Kultur … lernen/kennenlernen ♦ mehr Erfahrung auf dem Gebiet von … sammeln ♦ Erfahrungen mit anderen austauschen ♦ keine Angst mehr haben vor …

Nomen-Verb-Verbindungen   ⇨ Teil C Seite 155

Bei der Globalisierung spielen Fremdsprachen eine wichtige Rolle.

Bei der Globalisierung sind Fremdsprachen wichtig.

Man muss plötzlich Verantwortung übernehmen.

Man ist plötzlich verantwortlich.

> → Im Geschäftsleben, in der Politik oder auf Ämtern werden oft feste Verbindungen aus einem Nomen und einem Verb verwendet (Nomen-Verb-Verbindungen), die der Sprache einen offiziellen Charakter verleihen.

A20 Sagen Sie es formeller.

Verwenden Sie dazu Nomen-Verb-Verbindungen.

♦ <u>Was macht</u> Otto <u>beruflich</u>? *(Beruf ausüben)*   *Welchen Beruf übt Otto aus?*

1. Die Verhandlungen wurden erfolgreich <u>abgeschlossen</u>. *(zum Abschluss bringen)*

   ....

2. Haben Sie das Problem <u>gelöst</u>? *(eine Lösung finden für)*

   ....

3. Wann haben Sie mit den Mitarbeitern <u>gesprochen</u>? *(Gespräche führen)*

   ....

4. Sie müssen <u>den Urlaub</u> rechtzeitig <u>beantragen</u>. *(einen Urlaubsantrag stellen)*

   ....

5. Die Ausbildungsmöglichkeiten für Jugendliche werden immer schlechter. Die Regierung muss endlich <u>etwas tun</u>. *(Maßnahmen ergreifen)*

   ....

6. Das Rote Kreuz <u>hilft</u> in Katastrophengebieten. *(Hilfe leisten)*

   ....

7. Wir <u>hoffen</u>, dass sich die Lage verbessert. *(die Hoffnung haben)*

   ....

8. Der Direktor muss <u>sich</u> jetzt <u>entscheiden</u>. *(eine Entscheidung treffen)*

Besondere Lerntipps

A21 Wie kann man besser lernen oder denken?

a) Berichten Sie.

- Haben Sie Tipps zum besseren Lernen oder Denken, die vielleicht noch keiner kennt?
- Wie lernen/denken/lesen Sie am liebsten?

im Liegen ♦ im Sitzen ♦ im Stehen ♦ mit Musik ♦ mit laufendem Fernseher ♦ ...

b) Lesen und hören Sie die folgenden Tipps und erfinden Sie Überschriften. 2.04

Musik baut Stress ab und erhöht den Intelligenzquotienten, das haben Wissenschaftler mit modernen Hightech-Verfahren jetzt bewiesen. Beim Musikhören verändern sich im Gehirn komplette Strukturen, die Speicherkapazität des Gehirns erhöht sich um 30 Prozent. Ideal für die Entspannung der Zuhörer und die Steigerung der Leistungsfähigkeit ist klassische Musik, zum Beispiel Bach, Vivaldi oder Mozart. Mozart-Klänge, so sagen die Wissenschaftler, regen das Gehirn zu Höchstleistungen an, denn die Laut- und Leisezyklen in Mozarts Musik entsprechen einem Grundmuster des Gehirns. In einem Versuch haben einige Studenten vor einer Prüfung Mozart gehört. Das Ergebnis war für alle überraschend: Sie erreichten bis zu 60 Prozent bessere Resultate als die anderen Studenten. Den positiven Einfluss auf das Gehirn konnten die Wissenschaftler auch bei Jazz oder Entspannungsmusik nachweisen. Besonders positiv wirkt Musik im Takt des Herzens mit ca. 70 Schlägen pro Minute. Doch was ist mit Rock, Rap und Techno? Auch das haben Wissenschaftler untersucht. Eine ganz neue Studie der Iowa State University zeigt: Rap macht aggressiv, Techno mobilisiert die Stresshormone. Monotone, schnelle oder aggressive Musik macht schlechte Laune und wirkt sich negativ auf die Gehirnleistung aus.

Gute Ideen kommen nicht im Schlaf – aber im Liegen! Australische Psychologen fanden in Experimenten heraus, dass das Liegen entspannend auf den Körper und anregend auf das Gehirn wirkt. Das Einnehmen einer liegenden Position erhöht die Kreativität und das Denkvermögen, komplexe Probleme lassen sich besser lösen. Als Ursache vermuten die Wissenschaftler, dass beim Liegen der Kopfbereich besser durchblutet wird und damit bestimmte Teile im Gehirn angeregt werden. So kann sich das Gehirn beim Denken vollkommen auf die Problemlösung konzentrieren. Also beim nächsten Mal: Denken Sie lieber im Liegen!

c) Fassen Sie die beiden Tipps anhand der Wortvorgaben kurz zusammen.

Musik: den Intelligenzquotienten erhöhen – die Leistungsfähigkeit steigern
Wissenschaftler haben bewiesen: klassische Musik hören – bessere Prüfungsresultate erzielen
aggressive Musik: negative Auswirkung auf Leistung haben – schlechte Laune machen
Liegen: Kreativität und Denkvermögen erhöhen
Wissenschaftler vermuten: Gehirn besser durchblutet werden – Probleme besser lösen können

d) Berichten Sie.

- Können Sie sich vorstellen, dass diese Tipps funktionieren?
- Haben Sie schon einmal bei Musik gelernt?
- Was ist Ihre Lieblingsmusik, Ihre Lieblingsband, Ihr Lieblingskomponist, Ihr Lieblingssänger usw.?

Lerntipps

A22 Wortschatzarbeit

a) Ergänzen Sie die Verben.

| machen ♦ abbauen ♦ mobilisieren ♦ erhöhen ♦ steigern |

Musik kann Stresshormone
....

Musik kann schlechte Laune
....

Musik kann Stress
....

Was kann Musik?

Musik kann den Intelligenzquotienten
....

Musik kann die Leistungsfähigkeit
....

b) Ergänzen Sie die passenden Nomen bzw. Verben aus den Texten von A21.

Nomen	Verben
der Abbau	*abbauen*
die Erhöhung	....
die Veränderung	....
....	sich entspannen
....	etwas steigern/sich steigern
....	etwas beeinflussen
die Untersuchung	....
die Auswirkung	....
....	experimentieren
die Vermutung	....
die Konzentration	....
die Lösung (von Problemen)	....

c) Ergänzen Sie die fehlenden Nomen in der richtigen Form.

| Steigerung ♦ Einfluss ♦ Entspannung ♦ Experiment ♦ Höchstleistungen ♦ Lösung |

1. Mozart-Klänge regen das Gehirn zu .... an.

2. Ideal für die .... der Zuhörer und die .... der Leistungsfähigkeit ist klassische Musik.

3. Den positiven .... auf das Gehirn konnten die Wissenschaftler auch bei Jazz oder Entspannungsmusik nachweisen.

4. Australische Psychologen fanden in einem .... heraus, dass das Liegen entspannend auf den Körper wirkt.

5. Im Liegen kann sich das Gehirn vollkommen auf die .... von Problemen konzentrieren.

Schule, Zeugnisse ...

Schule, Zeugnisse und Noten

A23 Ihre Schulzeit/Ausbildungszeit/Studienzeit

Berichten Sie.

- ▫ Waren Sie in der Schule/in der Ausbildung/im Studium eher faul oder fleißig?
- ▫ Ist Ihnen das Lernen leicht oder schwer gefallen?
- ▫ Für welche Fächer/Fachgebiete haben Sie sich interessiert?
  Was hat sich geändert? Wofür interessieren Sie sich nicht mehr?
- ▫ Haben Sie manchmal Unterrichtsstunden, Seminare oder Vorlesungen geschwänzt?
- ▫ Wie sahen Ihre Zeugnisse am Jahresende aus? Hatten Sie immer gute Noten?
- ▫ Glauben Sie, dass Noten objektiv sind?

A24 Zeugnisse in Deutschland

Lesen Sie den Text und ordnen Sie den einzelnen Abschnitten die passenden Fragen zu.

Warum ist die schlechteste Note eine Sechs und keine Sieben? ♦ Geht es auch ohne Noten? ♦ Können Schulnoten objektiv sein? ♦ Seit wann gibt es Schulzeugnisse? ♦ Warum ist eine Eins besser als eine Fünf? ♦ Welchen Nutzen hatte ein Zeugnis?

1

Schriftliche Zeugnisse gehören in Deutschland seit mindestens 500 Jahren zum Schulalltag, wahrscheinlich reicht die Tradition aber noch weiter zurück. Schon 1530 konnte man in der sächsischen Schulordnung zum ersten Mal lesen, dass die Schüler (Jungen) jedes halbe Jahr eine Note bekommen sollen.

2

Hintergrund für die Bewertung ist die Sitzordnung, die früher in den Klassenzimmern üblich war: Die besten Schüler bekamen immer die Plätze in der ersten Reihe, die schlechtesten Schüler saßen in der fünften oder sechsten Reihe. Wer sich verbesserte, konnte in die ersten Reihen aufrücken, wer sich verschlechterte, musste nach hinten.

3

Die Skala von Eins bis Sechs hat in Deutschland lange Tradition. Man findet sie schon in den Klassenbüchern des 16. Jahrhunderts. Die sechs Noten entsprechen den Bewertungen:

1 = sehr gut
2 = gut
3 = befriedigend
4 = ausreichend
5 = mangelhaft
6 = ungenügend

4

Schon früher bekamen Schüler für ein gutes Zeugnis eine Belohnung. Jungen aus armen Familien konnten mit einem guten Zeugnis zum Beispiel ein Stipendium ergattern*. Das Abiturzeugnis als allgemeine Berechtigung für ein Studium wurde aber erst vor 150 Jahren eingeführt. Vorher besuchte der Schüler das Gymnasium, so lange er wollte, und wechselte dann, oft ohne Examen, zur Universität.

5

Über die Frage der Notwendigkeit von Noten streiten sich die Fachleute bis heute. Die einen sagen, die Schule ist die Vorbereitung auf das Leben. In der Gesellschaft ist die Bewertung von Leistung ein ganz normaler Vorgang. Die anderen sagen, dass Noten in der Schule zu Leistungsdruck führen und vor allem schlechte Noten Schüler demotivieren können.

6

Peinlich, peinlich! In einer deutschlandweiten Studie wurden ein und derselbe Aufsatz und ein und dieselbe Mathematikarbeit von mehr als tausend Lehrern bewertet. Alle Lehrer bekamen die Arbeit und eine Information über den (fiktiven) sozialen Hintergrund des Schülers. Das Ergebnis war erstaunlich, die Noten lagen zwischen Eins und Fünf! Die guten Noten bekamen die Söhne und Töchter von Anwälten und Ärzten, die schlechten Noten Kinder von Immigranten. Eine andere Studie ergab, dass in der Grundschule (freche) Jungs generell schlechter benotet wurden als (brave) Mädchen. So viel also zur Objektivität.

*ergattern = bekommen

A25 Textarbeit

a) Kreuzen Sie die richtige Antwort an.

1. Früher
   a) ☐ konnte man ohne Schulexamen eine Universität besuchen.
   b) ☐ bekamen viele Schüler ein Stipendium.
   c) ☐ gab es noch keine Noten.

2. Die Bewertung an deutschen Schulen
   a) ☐ verändert sich immer wieder.
   b) ☐ lässt sich auf die frühere Sitzordnung in Klassenzimmern zurückführen.
   c) ☐ gibt es erst seit zwei Jahrhunderten.

3. Noten
   a) ☐ sind immer objektiv.
   b) ☐ demotivieren die Schüler.
   c) ☐ sind von vielen Faktoren abhängig und nicht immer objektiv.

b) Ergänzen Sie die Nomen.

> Tradition ◆ Schulordnung ◆ Zeugnisse ◆ Schulalltag ◆ Note

c) Ergänzen Sie die Verben in der richtigen Form.

> sitzen ◆ einführen ◆ können ◆ bekommen (2 x) ◆ wechseln ◆ verbessern ◆ verschlechtern ◆ besuchen

Schriftliche .... gehören in Deutschland seit mindestens 500 Jahren zum ...., aber noch weiter zurück reicht die .... Schon 1530 konnte man in der sächsischen .... zum ersten Mal lesen, dass die Schüler (Jungen) jedes halbe Jahr eine .... bekommen sollen.

Schon früher .... Schüler für ein gutes Zeugnis eine Belohnung. Jungen aus armen Familien .... mit einem guten Zeugnis zum Beispiel ein Stipendium ergattern. Das Abiturzeugnis als allgemeine Berechtigung für ein Studium wurde aber erst vor 150 Jahren .... Vorher .... der Schüler das Gymnasium, so lange er wollte, und .... dann, oft ohne Examen, zur Universität.

Die besten Schüler .... früher immer die Plätze in der ersten Reihe, die schlechtesten Schüler .... in der fünften oder sechsten Reihe. Wer sich ...., konnte in die ersten Reihen aufrücken, wer sich ...., musste nach hinten.

für *Henriette Maria Kümmel*

Entlassungs-Zeugnis

Ort, Jahr und Tag der Geburt:		
Eltern, bezw. Mutter oder Pfleger des Schülers (der Schülerin):		Hauptbuch Nr. 467
Konfession oder Religion: des Schülers (der Schülerin): der Eltern:		
Aufnahme in die Schule: Erste: Folgende:		
Austritt: Tag, Angabe des Grundes und der Schulklasse, aus welcher der Schüler (die Schülerin) entlassen wird:		
Abgangszeugnis: Fortschritte: Betragen: Zahl der versäumten Schultage:		
Besondere Bemerkungen:		

Schule zu *Heynitz*, den

Kontrasignatur des Lokalschulinspectors, bezw. Directors.

Verlag von Brück & Sohn in Meißen.

Name des Lehrers.

Schule, Zeugnisse ...

(A26) Veränderungen

Verben mit dem Präfix *ver-* drücken im Deutschen neben Fehlhandlungen *(Kapitel 4)* oft auch Veränderungen aus, zum Beispiel: *besser werden = sich/etwas verbessern, größer werden = sich/etwas vergrößern.*

a) Bilden Sie Verben mit *ver-*.

♦	besser werden	– sich/etwas *verbessern*	4.	schöner werden	– sich/etwas ....
1.	schlechter werden	– sich/etwas	5.	länger machen	– sich/etwas ....
2.	größer werden	– sich/etwas	6.	feiner machen	– sich/etwas ....
3.	kleiner werden	– sich/etwas	7.	einfacher machen	– sich/etwas ....

7. *(Achtung! Das -r fällt weg.)*

b) Ergänzen Sie.

♦ Mein Spanisch ist noch nicht so gut. Ich muss es unbedingt *verbessern*.

1. Ich lese gerne Bücher auf Deutsch. Damit kann ich meinen Wortschatz ....

2. Paul hat Probleme in der Schule. Seine Noten haben sich ....

3. Mein Urlaub war viel zu kurz. Ich möchte ihn gern ....

4. Diese Erklärung ist viel zu kompliziert. Du musst sie ....

5. Die Suppe schmeckt noch nicht wie in einem guten Restaurant.
   Kannst du sie nicht noch ein bisschen ....?

6. Mein Büro ist so hässlich. Ich werde ein paar Bilder an die Wand hängen und es ....

7. Die Buchstaben sind viel zu groß. Die müssen unbedingt .... werden.

(A27) Sind Noten gerecht?

a) Lesen Sie noch einmal den Kurztext Nr. 6 aus A24 und fassen Sie den Text zusammen.

b) Sind Schulnoten Ihrer Meinung nach sinnvoll?

Sammeln Sie in Gruppen Argumente zu den Vor- und Nachteilen von Noten und berichten Sie anschließend darüber.

Vorteile	Nachteile

c) Berichten Sie schriftlich über das Thema: *Noten in Ihrem Heimatland*.

Schreiben Sie etwas zu folgenden Punkten:

- ▢ Welche Noten gibt es?
- ▢ Wie wichtig sind Noten, zum Beispiel für einen Studienplatz oder eine Arbeitsstelle?
- ▢ Sind die Noten immer gerecht?
- ▢ Gibt es ein Beispiel, wo Sie Ihrer Meinung nach zu gut oder zu schlecht beurteilt wurden?

A28 Ein und derselbe Aufsatz

Lesen Sie den Satz aus dem Text A24.

In einer deutschlandweiten Studie wurden ein und derselbe Aufsatz *und* ein und dieselbe Mathematikarbeit *von mehr als tausend Lehrern bewertet.*

Demonstrativpronomen: *derselbe/dieselbe/dasselbe*	⇨ Teil C Seite 156

Die Demonstrativpronomen *derselbe, dieselbe, dasselbe* machen deutlich, dass Personen oder Sachen identisch sind.

A29 Lebensweisheiten 2.05

Zum Schluss noch ein paar Lebensweisheiten von klugen Leuten. Wählen Sie eine Lebensweisheit aus und sagen Sie dazu Ihre Meinung.

Gegen Angriffe kann man sich wehren, gegen Lob ist man machtlos.

(Sigmund Freud)

Ein Experte ist ein Mann, der hinterher genau sagen kann, warum seine Prognose nicht gestimmt hat.

(Winston Churchill)

Der Vorteil der Klugheit besteht darin, dass man sich dumm stellen kann. Das Gegenteil ist schon schwerer.

(Kurt Tucholsky)

Es kann nicht früh genug darauf hingewiesen werden, dass man Kinder nur dann vernünftig erziehen kann, wenn man zuvor die Lehrer vernünftig erzieht.

(Erich Kästner)

Wenn man zu viele Talente hat, endet man irgendwann als Übersetzer bei den Vereinten Nationen.

(Peter Ustinov)

Ein kluger Mann macht nicht alle Fehler selbst. Er gibt auch anderen eine Chance.

(Winston Churchill)

Jeder Mensch macht Fehler. Das Kunststück liegt darin, sie dann zu machen, wenn keiner hinschaut.

(Peter Ustinov)

Wissenswertes (fakultativ)

B1 Richtig schreiben
Berichten Sie.

- Gibt es in Ihrer Muttersprache Regeln für die Rechtschreibung?
  Wissen Sie zufällig, seit wann?
- Wo kann man nachschlagen, wie man ein Wort richtig schreibt?
- Finden Sie die Rechtschreibung in Ihrer Muttersprache schwierig?
  Finden Sie die deutsche Rechtschreibung schwierig?

B2 Die deutsche Rechtschreibung
Lesen Sie den folgenden Text.

Konrad Duden

Der „Vater der deutschen Rechtschreibung" heißt Konrad Duden. Er lebte von 1829 bis 1911 und beschäftigte sich sein ganzes Leben mit der deutschen Sprache. Konrad Duden studierte in Bonn Philosophie, klassische Philologie, Geschichte, deutsche Sprache und Literatur und arbeitete später als Hauslehrer, Gymnasiallehrer und Lexikograf. 1880 schuf er mit seinem „Or-

thographischen Wörterbuch" die Grundlage für eine einheitliche deutsche Rechtschreibung. Bis dahin schrieb jeder, wie er wollte. Einige orientierten sich an der Schreibweise des Mittelhochdeutschen, andere hatten das Motto: „Schreibe, wie du sprichst."

Dudens „Orthographisches Wörterbuch" umfasste damals 27 000 Wörter und wurde bald von vielen Menschen als Nachschlagewerk genutzt. Nach seinem Tod erschien das Buch erstmals unter dem Titel „Duden – Rechtschreibung der deutschen Sprache und der Fremdwörter".

B3 Wichtige Regeln zur deutschen Rechtschreibung
Lesen und üben Sie die Regeln.

a) Laut-Buchstaben-Zuordnung

Regel	Beispiele
1. ss oder ß? *ss* steht nach kurz gesprochenem Vokal. *ß* steht nach lang gesprochenem Vokal.	Fluss, müssen, muss, Kuss, Stress, dass Fußball, Grüße, Maß, groß, Fleiß
2. Fremdwörter können im Original oder eingedeutscht geschrieben werden.	Spaghetti oder Spagetti, Joghurt oder Jogurt, Delphin oder Delfin
3. Bei Wortzusammensetzungen bleiben alle Buchstaben erhalten. Man kann sie zusammen oder mit Bindestrich schreiben.	Schifffahrt oder Schiff-Fahrt Bestellliste oder Bestell-Liste Geschirrreiniger oder Geschirr-Reiniger

ss oder *ß* – Was ist richtig? Markieren Sie die korrekte Schreibweise.

1. Oh, mein Fuß/Fuss tut so weh!
2. Wußtest/Wusstest du, daß/dass Fritz auch zur Party kommt? – Nein, woher weißt/weisst du das?
3. Viele Grüße/Grüsse aus München sendet Dir Otto.
4. Mein neuer Freund ist groß/gross und schön. Du mußt/musst ihn kennenlernen.
5. Wißen/Wissen Sie vielleicht, welche Schuhgröße/Schuhgrösse Franz Beckenbauer hat?
6. Ich haße/hasse diesen Streß/Stress auf Arbeit!

b) Groß- und Kleinschreibung

Regel	Beispiele
1. Nomen schreibt man groß.	das Haus, die Sonne, der Baum
2. Als Nomen gebrauchte Wörter schreibt man groß.	das Essen, der Dicke und der Dünne, das Grün der Wiese
3. Nomen in Verbindung mit Verben schreibt man groß.	Ich habe Angst. Ich fahre gerne Auto. Franz spielt Fußball.
Nomen in Verbindung mit *sein*, *bleiben* und *werden* schreibt man klein.	Die Firma ist pleite. Ich bin schuld.
4. Adjektive wie *deutsch, englisch usw.* schreibt man klein.	Ich esse gern italienisch. Paul arbeitet in einer deutschen Firma.
Wenn sie im Sinne von *deutsche* bzw. *englische Sprache* gebraucht werden, schreibt man sie groß.	Ich spreche Deutsch. Der Vortrag ist auf Englisch.
5. Als Nomen gebrauchte Ordnungszahlen und Tageszeiten nach *gestern, heute, morgen* schreibt man groß.	Wir treffen uns am vierten Zweiten (= Februar). Wer ist der Erste? morgen Abend, übermorgen Nachmittag
6. Die Höflichkeitsanrede mit *Sie* schreibt man groß. Die informelle Anrede mit *du, ihr, dein usw.* schreibt man klein, nur in Briefen kann man sie groß schreiben.	Soll ich Sie abholen? Wie geht es Ihnen? Soll ich dich abholen? Wie geht es dir? Im Brief: Soll ich Dich abholen? Wie geht es Dir? Wie geht es Deinem Mann?

Was ist richtig? Markieren Sie die korrekte Schreibweise.

Liebe Frau Fischer,
herzliche Grüße aus Berlin sendet ihnen/Ihnen ihre/Ihre Sarah. Wir sind gestern Vormittag/Gestern Vormittag/gestern vormittag hier angekommen und haben uns schon das Brandenburger Tor angesehen. Gestern abend/Abend waren wir in einer Vorstellung der Volksbühne. Es wurde das Stück „Warten auf Godot" gespielt, auf deutsch/Deutsch! Das gute/Gute ist ja, dass wir das Stück mit ihnen/Ihnen im Unterricht schon behandelt haben. Deshalb haben wir auch fast alles verstanden. Morgen gehen wir in ein typisch deutsches Restaurant. Darauf freue ich/Ich mich, denn ich/Ich liebe das deutsche essen/Essen.

c) Getrennt- und Zusammenschreibung

Regel	Beispiele
1. Verbindungen aus Nomen und Verb schreibt man getrennt.	Auto fahren, Klavier spielen, Schlange stehen, Ski laufen
Ausnahmen:	eislaufen, leidtun, teilnehmen, schlussfolgern
2. Verbindungen aus Verb (Infinitiv oder Partizip) und Verb schreibt man getrennt.	spazieren gehen, ein Wort getrennt schreiben, etwas geschenkt bekommen
Einige Verbindungen können getrennt oder zusammen geschrieben werden.	kennen lernen/kennenlernen, sitzen bleiben/sitzenbleiben *(in der Schule eine Klasse wiederholen)*
3. Verbindungen aus Adjektiv und Verb schreibt man getrennt.	etwas ernst nehmen, gut gehen, etwas klein schneiden
4. Verbindungen mit *sein* schreibt man getrennt.	zusammen sein, dabei sein
5. Verbindungen mit *irgend-* schreibt man zusammen.	irgendjemand, irgendetwas

Was ist richtig? Markieren Sie die korrekte Schreibweise.
1. Weiß hier irgendjemand/irgend jemand, wo der Schlüssel/Schlüßel ist?
2. Hast du am Sonntag Zeit/zeit? Dann können wir spazieren gehen/spazierengehen oder Fahrrad fahren/fahrradfahren?
3. Beim Endspiel der Fußballmeisterschaft/Fussballmeisterschaft will ich unbedingt dabei sein/dabeisein.
4. Beim Kartenverkauf musste/mußte man ewig Schlange stehen/schlangestehen.
5. Kannst du bitte die Zwiebeln klein schneiden/kleinschneiden?

d) Zeichensetzung

Regel	Beispiele
1. Hauptsatz und Nebensatz werden durch Komma getrennt.	Ich komme nicht, weil ich krank bin. Ich weiß, dass du keine Zeit hast. Peter fragte, wie sie heißt. Ist das der Mann, den du magst?
2. Hauptsatz und Hauptsatz werden durch Komma getrennt.	Er spielte Tennis, sie lernte Deutsch. Ich fahre im September nach Italien, denn dort ist es noch warm. Ich möchte eine Prüfung machen, deshalb lerne ich fleißig.
Wenn zwei Hauptsätze mit *und* oder *oder* verbunden sind, wird in der Regel kein Komma gesetzt.	Er spielte Tennis und sie lernte Deutsch. Kommst du mit oder bleibst du hier?
3. Infinitivgruppen können durch Komma abgetrennt werden.	Ich habe heute keine Lust(,) noch zu lernen. Sie nahm sich vor(,) ihre Hausaufgaben zu machen.
Man muss ein Komma setzen, wenn die Infinitivgruppe mit *als, statt/anstatt, außer, ohne* oder *um* eingeleitet wird.	Er ging, <u>ohne</u> zu grüßen. Sie sah fern, <u>statt</u> zu lernen. Er fuhr nach Spanien, <u>um</u> sich zu erholen.
Man muss auch ein Komma setzen, wenn die Infinitivgruppe mit einem hinweisenden Wort angekündigt wird.	Ich bitte Sie <u>darum</u>, die Rechnung sofort zu bezahlen.

Wo muss ein Komma stehen und wo kann ein Komma stehen?

1. Viele Lerner motiviert es wenn sie nach dem Kurs eine Prüfung machen.

2. Bis 1880 schrieb jeder wie er wollte.

3. Wie die Speicherung der Wörter am besten funktioniert dafür gibt es keine allgemeinen Empfehlungen.

4. Man sollte die wichtigsten Wörter wiederholen sonst werden sie gelöscht.

5. Es ist wichtig dass man aufmerksam und konzentriert ist wenn man neue Wörter lernt.

6. Es ist wichtig beim Wörterlernen aufmerksam zu sein.

7. Konrad Duden lebte von 1829 bis 1911 und er beschäftigte sich sein ganzes Leben mit der deutschen Sprache.

8. Nichtleser können gut leben ohne regelmäßig zu lesen.

9. Ich lese um mich zu entspannen.

10. Abends habe ich keine Lust noch zu lesen.

11. Eine Kollegin von mir die die französischen Kunden betreut hat ist seit zwei Wochen krank.

12. Ich habe meinen Fotoapparat vergessen deshalb kann ich jetzt den Regenbogen nicht fotografieren.

13. Trinken wir einen Kaffee aus dem Automaten oder wollen wir in die Kantine gehen?

14. Ich habe mir vorgenommen jeden Abend dreißig Wörter zu lernen.

15. Er lernt Spanisch und sie besucht einen Computerkurs.

16. Ist das nicht der Schauspieler der in der neuen Fernsehserie die Hauptrolle spielt?

17. Spielst du schon wieder Computer statt Hausaufgaben zu machen?

18. Darf ich Sie darum bitten mich morgen zurückzurufen?

Sätze

Konditionalangaben

Angabe der Bedingung

Wenn man Wörter wiederholt, vergisst man sie nicht.

Wenn man Wörter nicht wiederholt, vergisst man sie.

wenn → leitet einen Nebensatz ein, der eine Bedingung nennt

→ kann im ersten oder im zweiten Satz stehen

→ steht immer an erster Stelle

Angabe der Folge

Man muss Wörter wiederholen, sonst/andernfalls vergisst man sie.

Man muss Wörter wiederholen, man vergisst sie sonst/andernfalls.

sonst/andernfalls → leitet einen Hauptsatz ein, der eine Folge nennt

→ steht immer im zweiten Satz

→ kann vor oder hinter dem finiten Verb stehen

C1 Formen Sie die Sätze um wie im Beispiel.

♦ Man muss die Wörter wiederholen, sonst vergisst man sie.

Wenn man die Wörter nicht wiederholt, vergisst man sie.

1. Ich muss mich beeilen, sonst komme ich zu spät.

....

2. Wir müssen die Öffnungszeiten ändern, sonst sind wir nicht kundenfreundlich.

....

3. Wir müssen noch einen Mitarbeiter einstellen, sonst schaffen wir die Arbeit nicht.

....

4. Du musst deinen Regenschirm mitnehmen, sonst wirst du nass.

....

5. Klara muss sich wärmer anziehen, sonst erkältet sie sich.

....

6. Du musst viel mehr lernen, sonst fällst du durch die Prüfung.

....

C2 Was tun Sie, wenn Sie …

Antworten Sie frei.

1. … sich entspannen möchten?
2. … nicht schlafen können?
3. … einen neuen Job haben möchten?
4. … Ski fahren wollen?
5. … mit niemandem sprechen möchten?
6. … keine Lust zum Kochen haben?
7. … sich beruflich weiterbilden möchten?

C3 Was passiert, wenn Sie das nicht tun?

Ergänzen Sie frei.

- ♦ Ich muss einmal in der Woche Yoga machen, sonst *fühle ich mich nicht gut.*

1. Ich muss mich beruflich weiterbilden, sonst ....

2. Ich darf im Büro nicht mehr rauchen, sonst ....

3. Ich muss mich bei Anita entschuldigen, sonst ....

4. Ich muss sparsamer mit dem Geld umgehen, sonst ....

5. Ich muss Deutsch lernen, sonst ....

6. Ich muss abends zeitig ins Bett gehen, sonst ....

C4 Taten und ihre Folgen

Ergänzen Sie die Sätze wie im Beispiel.

- ♦ **Wenn** man nicht genug schläft, *(sich nicht gut konzentrieren können)*

  a) *Wenn man nicht genug schläft, kann man sich nicht gut konzentrieren.*

  b) *Man muss genug schlafen, sonst kann man sich nicht gut konzentrieren.*

1. Wenn man zu viel arbeitet, *(Fehler machen)*

   a) *Wenn man zu viel arbeitet,* ....

   b) *Man darf nicht so viel arbeiten,* ....

2. Wenn man eine Sprache lange nicht gesprochen hat, *(viele Wörter vergessen)*

   a) ....

   b) ....

3. Wenn man zu viel Alkohol trinkt, *(betrunken werden)*

   a) ....

   b) ....

4. Wenn man im Winter nicht warm genug gekleidet ist, *(frieren)*

   a) ....

   b) ....

5. Wenn man im Sommer nicht rechtzeitig eine Reise bucht, *(mehr bezahlen müssen)*

   a) ....

   b) ....

6. Wenn man nicht genug Gemüse und Obst isst, *(Vitaminmangel bekommen)*

   a) ....

   b) ....

7. Wenn man sich nicht genug bewegt, *(zunehmen)*

   a) ....

   b) ....

Sätze

Finalangaben

Finalsätze geben eine Absicht/ein Ziel an.

A   Susanne möchte einen Kurs besuchen, um später Romane schreiben zu können.
→ Infinitivsatz

Den Infinitivsatz kann man nur verwenden, wenn das Subjekt in beiden Sätzen identisch ist.

[Susanne möchte einen Kurs besuchen, damit <u>sie</u> später Romane schreiben kann.]
→ Nebensatz

B   Susanne möchte kochen lernen, damit <u>ihre Gerichte</u> ihrem Mann besser schmecken.
→ Nebensatz

Sätze mit *damit* verwendet man, wenn es zwei verschiedene Subjekte gibt.

C5 Formulieren Sie Sätze mit *damit* oder *um … zu.*

♦   Paolo lernt Deutsch, *(in Deutschland – studieren)*
Paolo lernt Deutsch, um in Deutschland zu studieren.

1.   Ich bringe mein Auto in die Werkstatt, *(es – dort – repariert werden)*
....

2.   Christina lernt täglich 20 neue Wörter, *(ihren Wortschatz – erweitern)*
....

3.   Ich mache meine Wohnung sauber, *(die Gäste – sich wohlfühlen)*
....

4.   Martina nimmt ein Schlafmittel, *(besser – einschlafen können)*
....

5.   Ich brauche eine Stunde Zeit, *(auf die Sitzung – sich gut vorbereiten können)*
....

6.   Andreas macht den Fernseher aus, *(Katja – ihre Hausaufgaben – machen können)*
....

7.   Die Schauspielerin trägt einen großen Hut, *(nicht erkannt werden)*
....

8.   Schenkst du mir ein Auto, *(ich – nie mehr – mit der Straßenbahn – fahren müssen)*?
....

9.   Ich habe sofort angerufen, *(ihn – informieren)*
....

10. Der Sportler trainiert täglich sechs Stunden, *(an den Olympischen Spielen – teilnehmen können)*
....

11. Bringst du mir ein paar frische Tomaten mit, *(ich – eine leckere Tomatensuppe – kochen können)*?
....

Sätze

C6   Der ideale Mann: Dieter

Was tut er alles für seine Familie? Bilden Sie Sätze.

Was tut er?

♦   Er kocht jeden Morgen den Kaffee.

1.   Abends spült er das Geschirr ab.

2.   Er passt auf die Kinder auf.

3.   Er spricht leise.

4.   Er geht nicht ins Wohnzimmer.

5.   Er gibt seiner Frau viel Geld.

6.   Er geht am Wochenende mit seinen Freunden aus.

Warum?

Seine Frau freut sich.

Seine Familie kann ruhig fernsehen.

Seine Frau kann zum Friseur gehen.

Seine Kinder wachen nicht auf.

Er stört seine Frau und ihre Freundinnen nicht beim Kaffeeklatsch.

Sie kann sich neue Kleider kaufen.

Er kann sich endlich mal entspannen.

♦   *Dieter kocht jeden Morgen den Kaffee, damit seine Frau sich freut.*

1. ....

2. ....

3. ....

4. ....

5. ....

6. ....

C7   *Damit* oder *um … zu?*

Warum lernen diese Menschen Deutsch? Bilden Sie Finalsätze.

1.   Miriam: Ich möchte eine indogermanische Sprache kennenlernen.

 ....

2.   Jan: Meine Frau kann sich mit mir in ihrer Muttersprache unterhalten.

 ....

3.   Robert: Mein Chef lässt mich dann endlich in Ruhe.

 ....

4.   John: Ich kann mit meinen österreichischen Geschäftspartnern besser verhandeln.

 ....

5.   Karol: Meine Schwiegereltern freuen sich.

 ....

6.   Luigi: Ich kann meinen Lieblingsautor, Max Frisch, auf Deutsch lesen.

 ....

7.   Igor: Ich kann einfacher mit deutschen Mädchen flirten.

 ....

8.   Sarah: Ich möchte in Österreich Medizin studieren.

 ....

Nomen-Verb-Verbindungen

Verb	Nomen-Verb-Verbindung
abschließen	etwas zum Abschluss bringen
beantragen	einen Antrag stellen
beenden	etwas zu Ende bringen/führen
sich entscheiden	eine Entscheidung treffen/zu einer Entscheidung kommen
helfen	Hilfe leisten
hoffen	Hoffnung haben
sich interessieren für	Interesse zeigen an
kritisieren	Kritik üben an
lösen	eine Lösung finden
(etwas) beruflich machen	einen Beruf ausüben
meinen	eine Meinung vertreten
(etwas) tun	Maßnahmen treffen/ergreifen
sprechen	ein Gespräch führen
sich verabschieden	Abschied nehmen
wichtig sein	eine Rolle spielen
verantwortlich sein	Verantwortung übernehmen

(C8) Sagen Sie es einfacher.

Achtung! Manchmal müssen Sie den Satz umformulieren.

♦ Habt ihr noch keine Lösung für das Computerproblem gefunden?

Habt ihr das Computerproblem immer noch nicht gelöst?

1. Wann wurden die Gespräche zum Abschluss gebracht?

   ....

2. Hat der Politiker immer noch keine Entscheidung getroffen?

   ....

3. Wann hast du den Antrag für deinen neuen Pass gestellt?

   ....

4. Wofür zeigen die Jugendlichen heute Interesse?

   ....

5. Der Vorstand vertritt die Meinung, dass der Betrieb eine Million Euro einsparen muss.

   ....

6. Heute nahmen die Soldaten von ihren Familien Abschied.

   ....

7. Weiterbildung spielt im Arbeitsleben eine große Rolle.

   ....

8. Der Direktor übte Kritik am Verhalten der Mitarbeiter.

   ....

C9 Ergänzen Sie die richtigen Verbformen.

| ausüben ◆ leisten ◆ üben ◆ treffen (2 x) ◆ vertreten ◆ stellen ◆ zeigen ◆ führen |

◆ Die Opposition *übte* an der Politik der Regierung Kritik.

1. Gegen die Arbeitslosigkeit müssen schnelle Maßnahmen .... werden.

2. Die Öffentlichkeit .... am Schicksal des kleinen Jungen großes Interesse.

3. Viele Jugendliche haben ihre Berufsausbildung abgeschlossen, können aber ihren Beruf nicht ...., weil es keine Stellen gibt.

4. Im Katastrophengebiet .... viele Länder sofort Hilfe.

5. Der Außenminister .... ein Gespräch mit seinem italienischen Amtskollegen.

6. Der Minister .... die Meinung, dass die Beziehungen der beiden Staaten sehr gut sind.

7. Wer ein Stipendium erhalten möchte, muss einen Antrag ....

8. Die Bundesregierung .... heute eine Entscheidung über die Steuererhöhungen.

Demonstrativpronomen: *derselbe/dieselbe/dasselbe*

	Singular						Plural
	maskulin		feminin		neutral		
Nominativ	derselbe	Aufsatz	dieselbe	Arbeit	dasselbe	Zeugnis	dieselben Bücher
Akkusativ	denselben	Aufsatz	dieselbe	Arbeit	dasselbe	Zeugnis	dieselben Bücher
Dativ	demselben	Aufsatz	derselben	Arbeit	demselben	Zeugnis	denselben Büchern
Genitiv	desselben	Aufsatzes	derselben	Arbeit	desselben	Zeugnisses	derselben Bücher

Die Pronomen werden im ersten Wortteil *(der-, die-, das-)* wie ein bestimmter Artikel dekliniert, die Endung von *selb-* entspricht der Adjektivdeklination.

Die Ergänzung *ein und derselbe/dieselbe …* verstärkt die Aussage, dass Personen oder Sachen identisch sind.

C10 Bilden Sie Fragen wie im Beispiel.

◆ Kleid: Trägst du *dasselbe* Kleid wie bei der letzten Party?

1. Schuhe: ....?

2. Anzug: ....?

3. Bluse: ....?

4. T-Shirt: ....?

5. Hemd: ....?

6. Krawatte: ....?

C11 Ergänzen Sie *derselbe, dieselbe …*

1. Die Diebstähle in den beiden Juweliergeschäften waren sehr ähnlich. Es handelt sich wahrscheinlich um ein und .... Täter.

2. Außerdem wurden .... Fingerabdrücke am Tatort gefunden.

3. Ein und .... Mathearbeit wurde von 1 000 Lehrern benotet.

4. Das Resultat war aber nicht ein und .... Note.

5. Alle Hauptrollen wurden von ein und .... Schauspieler gespielt.

Rückblick

D1 Wichtige Redemittel

Hier finden Sie die wichtigsten Redemittel des Kapitels.

Sprachen lernen

Fremdsprachen sprechen/lernen/können/beherrschen ◆ einen Kurs machen/besuchen ◆ ein Wort im Wörterbuch nachschlagen ◆ sich ein Wort merken/einprägen/notieren ◆ ein Wort mit Konzentration und Aufmerksamkeit lernen ◆ Ein Wort verschwindet aus dem Gedächtnis. ◆ eine Aufgabe machen/überprüfen/kontrollieren ◆ einen Aufsatz schreiben/abgeben/korrigieren ◆ etwas wiederholen ◆ die Wörter an die Tafel schreiben/anschreiben ◆ eine Sprachprüfung ablegen/bestehen/machen ◆ bei einer Prüfung durchfallen ◆ einen Muttersprachler um Hilfe bitten ◆ sprachbegabt sein ◆ ein bestimmter Lerntyp sein

Lebenslanges Lernen

die Allgemeinbildung ◆ die Ausbildung ◆ die Weiterbildung ◆ die Fortbildung ◆ einen Kurs besuchen/machen ◆ an einem Kurs teilnehmen ◆ etwas Neues lernen ◆ besser mit etwas umgehen können ◆ sich auf dem Arbeitsmarkt durchsetzen ◆ Fremdsprachen spielen eine wichtige Rolle. ◆ Herausforderungen annehmen ◆ Verantwortung übernehmen ◆ Kompetenzen (er)lernen ◆ Erfahrungen sammeln und austauschen

Lerntipps

im Liegen/im Sitzen/im Stehen/mit Musik lernen ◆ Etwas erhöht den Intelligenzquotienten/das Denkvermögen/die Kreativität. ◆ Etwas steigert die Leistungsfähigkeit. ◆ Etwas hat negative/positive Auswirkungen auf die Leistung. ◆ Etwas macht schlechte/gute Laune.

Schule, Zeugnisse und Noten

Das Lernen fällt jemandem schwer/leicht. ◆ sich für bestimmte Fächer interessieren ◆ Unterrichtsstunden/Seminare/Vorlesungen schwänzen ◆ eine Leistung beurteilen ◆ gute/schlechte Noten/Zeugnisse bekommen ◆ ein Stipendium ergattern/erhalten ◆ sich verbessern/verschlechtern

D2 Kleines Wörterbuch der Verben

Unregelmäßige Verben

Infinitiv	3. Person Singular Präsens	3. Person Singular Präteritum	3. Person Singular Perfekt
durchfallen (bei einer Prüfung)	er fällt durch	er fiel durch	er ist durchgefallen
entscheiden (sich)	er entscheidet sich	er entschied sich	er hat sich entschieden
ergreifen (Maßnahmen)	er ergreift	er ergriff	er hat ergriffen
nachschlagen (ein Wort)	er schlägt nach	er schlug nach	er hat nachgeschlagen
nachweisen (etwas)	er weist nach	er wies nach	er hat nachgewiesen
vergessen (Wörter)	er vergisst	er vergaß	er hat vergessen
verschwinden (aus dem Gedächtnis)	er verschwindet	er verschwand	er ist verschwunden
versinken (im Langzeitspeicher)	er versinkt	er versank	er ist versunken

Rückblick

Einige regelmäßige Verben

Infinitiv	3. Person Singular Präsens	3. Person Singular Präteritum	3. Person Singular Perfekt
ablegen (eine Prüfung)	er legt ab	er legte ab	er hat abgelegt
ausüben (einen Beruf)	er übt aus	er übte aus	er hat ausgeübt
beantragen (ein Visum)	er beantragt	er beantragte	er hat beantragt
beeinflussen (etwas)	er beeinflusst	er beeinflusste	er hat beeinflusst
beherrschen (eine Sprache)	er beherrscht	er beherrschte	er hat beherrscht
einprägen (sich etwas)	er prägt sich ein	er prägte sich ein	er hat sich eingeprägt
erzielen (ein gutes Resultat)	er erzielt	er erzielte	er hat erzielt
konzentrieren (sich)	er konzentriert sich	er konzentrierte sich	er hat sich konzentriert
merken (sich etwas)	er merkt sich	er merkte sich	er hat sich gemerkt
speichern (etwas)	er speichert	er speicherte	er hat gespeichert
steigern (die Leistungsfähigkeit)	er steigert	er steigerte	er hat gesteigert
wiederholen (Wörter)	er wiederholt	er wiederholte	er hat wiederholt
weiterbilden (sich)	er bildet sich weiter	er bildete sich weiter	er hat sich weitergebildet
verbessern (sich)	er verbessert sich	er verbesserte sich	er hat sich verbessert
verschlechtern (sich)	er verschlechtert sich	er verschlechterte sich	er hat sich verschlechtert

(D3) ## Evaluation
Überprüfen Sie sich selbst.

Ich kann	gut	nicht so gut
Ich kann über meine Erfahrungen und Strategien beim Sprachenlernen berichten.	☐	☐
Ich kann Tipps zum Sprachenlernen geben.	☐	☐
Ich kann populärwissenschaftliche Texte über das Sprachenlernen und über Lerntipps verstehen.	☐	☐
Ich kann mich über Weiterbildungsangebote informieren und meine Meinung zum Thema Weiterbildung äußern.	☐	☐
Ich kann über meine Schulzeit berichten und mich an einer Diskussion über Noten und Leistungsbeurteilung beteiligen.	☐	☐
Ich kenne die wichtigsten Regeln der deutschen Rechtschreibung. (fakultativ)	☐	☐

Verkehr und Mobilität

Kommunikation

- Über Verkehrsmittel, den täglichen Verkehr und Verkehrsprobleme berichten
- Sich über Autos und Autofahren unterhalten
- Verkehrsdurchsagen verstehen
- Sich über verschiedene Verkehrs- und Reisesituationen verständigen
- Über den Urlaub berichten
- Eine Diskussion über Wünsche und Probleme im Urlaub führen
- Einen Beschwerdebrief über den Urlaub schreiben

Wortschatz

- Probleme im Straßenverkehr
- Verkehrsmittel
- Die Berliner U-Bahn und das Auto
- Urlaub

Verkehrsprobleme

Verkehrsprobleme

A1 Hören Sie eine Radiosendung zum Thema: *Ärger im Straßenverkehr.*

Was ist richtig, was ist falsch? Kreuzen Sie an.

		richtig	falsch
1.	Sprecher 1 ärgert sich über Autofahrer, die keine Rücksicht auf Fahrradfahrer nehmen.	☐	☐
2.	Das Wetter stört Sprecher 1 auch jeden Tag.	☐	☐
3.	Die erste Sprecherin wohnt außerhalb der Stadt und fährt jeden Morgen eine Stunde mit dem Auto.	☐	☐
4.	Sie ist auch der Meinung, dass Politiker zu wenig für den Straßenverkehr tun.	☐	☐
5.	Sprecherin 2 ärgert sich über die Fahrpreise, die Unpünktlichkeit und die Überfüllung der öffentlichen Verkehrsmittel.	☐	☐
6.	Sprecherin 2 ärgert sich vor allem über ihr Gehalt.	☐	☐
7.	Der zweite Sprecher ist ein rücksichtsvoller Autofahrer. Er ärgert sich darüber, wenn andere Autofahrer die Straßenverkehrsordnung missachten.	☐	☐
8.	Sprecher 3 macht es nichts aus, wenn er im Stau steht.	☐	☐

A2 Berichten Sie.

☐ Welche Verkehrsmittel benutzen Sie im täglichen Leben?

> das Fahrrad ♦ den Zug ♦ die Straßenbahn ♦ die U-Bahn ♦ den Bus ♦
> die S-Bahn ♦ Ihr eigenes Auto ♦ den Firmenwagen ♦ das Motorboot ♦
> das Motorrad ♦ das Moped ♦ einen Lkw (Lastkraftwagen) ♦ das Taxi ♦
> das Flugzeug ♦ einen Hubschrauber ♦ die Fähre ♦ das Segelboot ♦ …?

☐ Was nervt Sie im täglichen Straßenverkehr, was bringt Sie nicht aus der Ruhe?

♦ Stau

♦ Ampeln, die immer auf Rot stehen

♦ Sonntagsfahrer (Fahrer, die besonders langsam fahren)

♦ Raser (Fahrer, die besonders schnell fahren)

♦ rücksichtslose Verkehrsteilnehmer

♦ Baustellen und Umleitungen

♦ Verspätungen von öffentlichen Verkehrsmitteln

♦ volle Busse/Züge/U-Bahnen …

♦ unfreundliche Mitmenschen in öffentlichen Verkehrsmitteln

♦ Schlangen an den Fahrkartenschaltern/Fahrkartenautomaten

♦ beschmutzte Haltestellen

♦ Fahrkartenkontrolleure

♦ ....

(A3) Verkehr

Bauen Sie in Gruppen ein Wörternetz.

Fahrradwege ◆ rücksichtslose Autofahrer ◆ Fahrkarte ◆ unfreundliche Mitmenschen ◆ Kontrolleure ◆ Blitzkasten ◆ Raser ◆ Verspätung ◆ Fahrpreise ◆ wetterfeste Kleidung ◆ Fahrkartenschalter ◆ Autobahnpolizei ◆ Verkehrsfunk ◆ Staumeldungen ◆ Stau ◆ Baustellen ◆ Umleitungen ◆ Tankstelle ◆ Haltestelle ◆ Bahnhof ◆ Gleise ◆ erste Klasse ◆ Sitzplatz

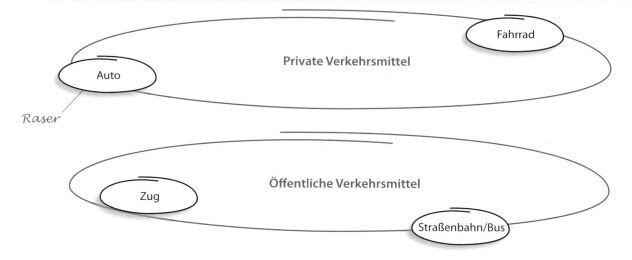

Private Verkehrsmittel

Fahrrad

Auto

Raser

Öffentliche Verkehrsmittel

Zug

Straßenbahn/Bus

Verkehrsmittel

(A4) Lesen und hören Sie den folgenden Text. 2.07

Spiegel der Stadt – die Berliner U-Bahn

Die Berliner U-Bahn ist mehr als nur ein Verkehrsmittel – sie ist ein Spiegel der Stadt. <u>Doch in erster Linie</u> dient sie den meisten Menschen dazu, schnell und ohne Stau zur Arbeit zu kommen. Morgens sitzen Männer im Anzug neben Bauarbeitern, Damen im Kostüm neben Frauen in Jogginghosen. In den Zügen und Bahnhöfen trifft man aber auch Menschen vom Rand der Gesellschaft: Obdachlose, Akkordeon spielende Osteuropäer oder Zigarettenverkäufer aus Vietnam. Das gehört <u>ebenfalls</u> zum Berliner Stadtbild.

Mehr als 1,4 Millionen Fahrgäste steigen jeden Tag auf einem der 170 Bahnhöfe in die Waggons ein. Auf den insgesamt fast 145 Kilometern Strecke wird dann Zeitung gelesen, morgens noch ein bisschen Schlaf nachgeholt oder nach oben zum sogenannten *Berliner Fenster* <u>gestarrt</u>, wo eine Art Fernseher die Berliner über den neuesten Klatsch informiert. Am Wochenende beeindruckt die Berliner U-Bahn sogar Partygänger aus London oder Paris, denn acht der neun Linien fahren im 15-Minuten-Takt <u>rund um die Uhr</u>, auch nachts.

Etwas ruhiger als heute <u>ging es</u> am Anfang der Berliner U-Bahn <u>zu</u>. Ende des 19. Jahrhunderts begann man, nach Lösungen für die Verkehrsprobleme in Berlin zu suchen. Nachdem viele Ingenieure Vorschläge eingereicht hatten, wurde am 15. Februar 1902 die erste Strecke zwischen *Warschauer Straße* und *Zoologischem Garten* mit einem Abzweig zum *Potsdamer Platz* eingeweiht. Sie war gerade einmal sechs Kilometer lang und gar keine Untergrund-, ⇨

Verkehrsmittel

sondern eine Hochbahn. Kurze Zeit später fuhr die Bahn tatsächlich auf dem Weg zum *Zoologischen Garten* in den Untergrund. Die Idee zu diesem straßenunabhängigen, elektrisch betriebenen Verkehrsmittel stammte übrigens von Werner von Siemens.

Die Berliner <u>genossen</u> das neue Transportmittel zunächst <u>mit Vorsicht</u>: In den ersten Tagen waren die Wagen fast leer. Das lag aber wohl daran, dass die Fahrpreise besonders hoch waren, weil man eine Überfüllung der Wagen <u>befürchtete</u>. Im Jahr 1903 wurden mit der U-Bahn bereits rund 30 Millionen Fahrgäste befördert, die für einen Fahrschein zwischen 10 und 30 Pfennig zahlen mussten.

Wie Berlin selbst war auch die U-Bahn immer Schauplatz der Politik: Die Weltwirtschaftskrise verhinderte in den Dreißigerjahren den weiteren Ausbau des 70 Kilometer langen Stre-

ckennetzes. Während des Zweiten Weltkrieges wurden große Teile des U-Bahn-Netzes beschädigt oder zerstört. Die letzten Schäden konnten erst 1951 beseitigt werden.

Die nächste Krise folgte mit dem Bau der Berliner Mauer 1961, die den West- vom Ostteil der Stadt trennte. Die U-Bahn-Linie 2 wurde dadurch ebenfalls in einen West- und einen Ostteil getrennt. Die Nord-Süd-Linien fuhren ohne Halt durch die sogenannten <u>Geisterbahnhöfe</u> des Ostteils. Diese Bahnhöfe waren dunkel und leer, nur DDR-Soldaten waren manchmal zu sehen. Nach dem Fall der Mauer wurde das getrennte U-Bahn-Netz wieder zusammengeschlossen, die Geisterbahnhöfe im Ostteil der Stadt wurden wiedereröffnet. Aus dem Bahnhof *Bernauer Straße* treten die Touristen heute auf der Suche nach echten Resten der Mauer direkt auf den ehemaligen Grenzstreifen.

(A5) ## Welche Aussage ist richtig?

Kreuzen Sie an.

1. Die Berliner U-Bahn benutzen

   a) ☐ Menschen aus allen Gesellschaftsschichten.

   b) ☐ hauptsächlich Obdachlose.

   c) ☐ hauptsächlich Menschen, die zur Arbeit fahren.

2. Die Berliner U-Bahn fährt

   a) ☐ auch am Wochenende die ganze Nacht durch.

   b) ☐ wochentags im 15-Minuten-Takt.

   c) ☐ nachts für Partygänger aus London und Paris.

3. Am 15. Februar 1902

   a) ☐ wurde die erste U-Bahn-Strecke gebaut.

   b) ☐ wurde die erste U-Bahn konstruiert.

   c) ☐ fuhr die erste U-Bahn.

4. Der erste Fahrschein kostete zwischen 10 und 30 Pfennig,

   a) ☐ weil man Angst hatte, es würden zu viele Menschen U-Bahn fahren.

   b) ☐ weil man einen Gewinn erzielen musste.

   c) ☐ weil das damals wenig Geld war und jeder U-Bahn fahren konnte.

5. Die deutsche Politik

   a) ☐ hatte auch Auswirkungen auf die U-Bahn.

   b) ☐ hatte keine Auswirkungen auf die U-Bahn.

   c) ☐ trug zur kompletten Zerstörung des U-Bahn-Netzes bei.

A6 Was hat ähnliche Bedeutung?

Ordnen Sie die unterstrichenen Wendungen den passenden Synonymen zu.

1. die U-Bahn dient <u>in erster Linie</u>
2. das gehört <u>ebenfalls</u>
3. es wird nach oben <u>gestarrt</u>
4. <u>rund um die Uhr</u>
5. am Anfang <u>ging</u> es ruhiger <u>zu</u>
6. die Berliner <u>genossen</u> die Verkehrsmittel <u>mit Vorsicht</u>
7. sie <u>befürchteten</u> die Überfüllung der Wagen
8. <u>Geister</u>bahnhöfe

(a) 24 Stunden am Tag
(b) war
(c) hatten Angst vor
(d) menschenleere
(e) hauptsächlich
(f) unbeweglich geschaut
(g) nutzten … nicht
(h) auch

A7 Was kann man miteinander verbinden?

1. Die Berliner U-Bahn dient den meisten Menschen dazu,
2. Zum Berliner Stadtbild gehören auch
3. Am Wochenende beeindruckt die Berliner U-Bahn
4. Ende des 19. Jahrhunderts suchte man
5. Die Idee zu diesem Verkehrsmittel stammte
6. Im Jahr 1903 wurden mit der U-Bahn
7. Die Weltwirtschaftskrise verhinderte
8. Während des Zweiten Weltkrieges wurden

(a) sogar Partygänger aus London und Paris.
(b) nach Lösungen für die Verkehrsprobleme.
(c) schnell und ohne Stau zur Arbeit zu kommen.
(d) bereits rund 30 Millionen Fahrgäste befördert.
(e) Obdachlose oder vietnamesische Zigarettenverkäufer.
(f) große Teile des U-Bahn-Netzes beschädigt oder zerstört.
(g) von Werner von Siemens.
(h) den weiteren Ausbau des Streckennetzes.

A8 Die Betonung des Vorgangs

Formen Sie die Aktivsätze in Passivsätze um wie im Beispiel.
Achten Sie auf die Zeitform. Die unterstrichenen Ausdrücke entfallen im Passivsatz.

♦ In den Waggons lesen <u>die Menschen</u> Zeitung.

  In den Waggons wird Zeitung gelesen.

1. Am Ende des 19. Jahrhunderts suchte <u>man</u> nach Lösungen für die Verkehrsprobleme.

   ....

2. <u>Viele Ingenieure</u> reichten Vorschläge ein.

   ....

3. Am 15. Februar 1902 weihte <u>man</u> die erste U-Bahn-Strecke ein.

   ....

4. Im Jahre 1903 beförderte <u>die U-Bahn</u> bereits 30 Millionen Fahrgäste.

   ....

5. Der Zweite Weltkrieg beschädigte und zerstörte große Teile des U-Bahn-Netzes.

   Während des Zweiten Weltkrieges ....

6. Die letzten Schäden konnte <u>man</u> erst 1951 beseitigen.

   ....

7. Der Bau der Berliner Mauer trennte den West- und den Ostteil der Stadt.

   Durch den Bau der Berliner Mauer ....

8. Nach 1989 schloss <u>man</u> das U-Bahn-Netz wieder zusammen.

   ....

Verkehrsmittel

A9 Was passt?

Ordnen Sie die Verben zu.

> lesen ◆ beseitigen ◆ nachholen ◆ einreichen ◆ befördern ◆ einweihen

1. Vorschläge kann man ....

2. Eine Fahrstrecke kann man ....

3. Schäden kann man ....

4. Fahrgäste kann man ....

5. Eine Zeitung kann man ....

6. Schlaf kann man ....

A10 Städtenamen

Bilden Sie die richtigen Verbindungen.

> Städtenamen bekommen in Verbindung mit anderen Nomen die Endung *-er*. Sie werden nicht dekliniert.

◆ die Mauer in Berlin	*die Berliner Mauer*
1. die U-Bahn in London	....
2. der Viktualienmarkt in München	....
3. der Dom in Köln	....
4. die Paulskirche in Frankfurt	....
5. die Messe in Leipzig	....
6. die Würstchen aus Nürnberg	....
7. der Fußballverein aus Cottbus	....
8. die Straße, die nach Moskau benannt wurde	....
9. die Kunstmuseen in New York	....
10. der Hafen in Rotterdam	....
11. der Eiffelturm in Paris	....
12. der Prater in Wien	....
13. der Flughafen in Amsterdam	....

A11 Nicht-Gleichzeitigkeit: Das Plusquamperfekt

Lesen Sie den Satz aus dem Text A4:

Nachdem viele Ingenieure Vorschläge eingereicht hatten, wurde am 15. Februar 1902 die erste U-Bahn-Strecke eingeweiht.

Der Satz berichtet über zwei Vorgänge in der Vergangenheit, die nicht gleichzeitig erfolgten. Erst hatten die Ingenieure die Vorschläge eingereicht – danach wurde die U-Bahn-Strecke eingeweiht. Für den ersten Vorgang benutzt man normalerweise das Plusquamperfekt.

Plusquamperfekt	⇨ Teil C Seite 176
Ingenieure hatten den Vorschlag eingereicht.	→ *hatten* + Partizip II
Wir waren schon abgefahren.	→ *waren* + Partizip II

(A12) Was war vorher passiert?

Ergänzen Sie die Sätze im Plusquamperfekt frei.

◆	Ich war am Wochenende sehr müde.	*Ich hatte die ganze Woche hart gearbeitet.*
1.	Peter war traurig.	....
2.	Otto war glücklich.	....
3.	Martin kam zu spät zur Besprechung.	....
4.	Eva verpasste ihr Flugzeug.	....
5.	Bernd suchte den ganzen Vormittag sein Portemonnaie.	....
6.	Kathrin bekam endlich eine neue Stelle.	....
7.	Anita bestand die Prüfung.	....
8.	Sebastian ärgerte sich über sich selbst.	....

(A13) Nicht-Gleichzeitigkeit: Sätze mit *bevor* und *nachdem*

> **Temporalsätze** ⇨ Teil C Seite 177
>
> Bevor er die Fahrertür <u>öffnete</u>, <u>schloss</u> er das Auto auf.
>
> → Nebensätze, die mit *bevor* eingeleitet werden, geben die nachfolgende Handlung an.
>   Haupt- und Nebensatz stehen in der gleichen Zeitform.
>
> Nachdem er das Auto <u>aufgeschlossen hatte</u>, <u>öffnete</u> er die Fahrertür.
>   Plusquamperfekt   Präteritum
>
> Nachdem er das Auto <u>aufgeschlossen hat</u>, <u>öffnet</u> er die Fahrertür.
>   Perfekt   Präsens
>
> → Nebensätze, die mit *nachdem* eingeleitet werden, geben die vorausgehende Handlung an.
>   **Achtung!** Haupt- und Nebensatz stehen in unterschiedlichen Zeitformen.

Paul hatte gestern seine erste Fahrstunde. Berichten Sie darüber.
Bilden Sie Sätze mit *bevor* (Präteritum – Präteritum) und *nachdem* (Plusquamperfekt – Präteritum).

1. ins Auto einsteigen – den Schlüssel ins Zündschloss stecken

   Bevor *Paul den Schlüssel ins Zündschloss steckte, stieg er ins Auto ein.*

   Nachdem *Paul ins Auto eingestiegen war,* ....

2. den Sicherheitsgurt anlegen – das Auto starten

   Bevor *Paul das Auto* ....

   Nachdem *er* ....

3. die Kupplung treten – den Gang einlegen

   Bevor ....

   Nachdem ....

4. den Blinker setzen – Gas geben

   Bevor ....

   Nachdem ....

5. in den Rückspiegel sehen – losfahren

   Bevor ....

   Nachdem ....

Unterwegs

A14 Alles rund ums Auto

a) Ordnen Sie die Begriffe den Zeichnungen zu.

> die Hupe ◆ die Bremse ◆ das Gaspedal ◆
> die Gangschaltung ◆ die Tür ◆ der Reifen ◆
> der Kofferraum ◆ der Sicherheitsgurt ◆
> die Motorhaube ◆ der Motor ◆ der Türgriff ◆
> die Frontschutzscheibe ◆ die Rückscheibe ◆
> der Rückspiegel ◆ der Seitenspiegel ◆
> das Seitenfenster ◆ der Blinker ◆ die Kupplung ◆
> der Scheinwerfer ◆ das Lenkrad ◆ das Rücklicht ◆
> das Autoradio ◆ das Nummernschild ◆ das Tachometer

— die Motorhaube

b) Welche Verben passen zu den Nomen?

> wechseln ◆ bremsen ◆ geben ◆ lenken ◆ verstauen ◆ anlegen ◆ warten ◆ putzen ◆ hupen ◆ einlegen ◆ öffnen ◆
> schließen ◆ einparken ◆ blinken ◆ kuppeln ◆ treten ◆ setzen ◆ anschalten

◆	die Hupe	*hupen*	
1.	die Bremse	....	
2.	der Blinker	....	den Blinker ....
3.	die Kupplung	....	die Kupplung ....
4.	das Gaspedal	Gas	
5.	die Gangschaltung	einen Gang	
6.	die Tür	die Tür	
7.	der Reifen	den Reifen	
8.	der Kofferraum	etwas im Kofferraum	
9.	der Sicherheitsgurt	den Sicherheitsgurt	
10.	die Motorhaube	die Motorhaube	
11.	der Motor	den Motor	
12.	die Frontschutzscheibe	die Scheibe	
13.	der Seitenspiegel	mit dem Seitenspiegel	
14.	die Scheinwerfer	Licht	
15.	das Lenkrad	....	

A15 Fragen Sie Ihre Nachbarin/Ihren Nachbarn und berichten Sie.

- ▫ Haben Sie einen Führerschein?
- ▫ Ist es schwer/leicht, in Ihrem Heimatland einen Führerschein zu bekommen? Was muss man dafür tun?
- ▫ Fahren Sie gern Auto?
- ▫ Was ist Ihr Lieblingsauto? Welches Auto würden Sie fahren, wenn Sie reich wären?
- ▫ Wie schnell darf man in Ihrem Heimatland auf der Autobahn/auf der Landstraße/in der Stadt fahren?
- ▫ Fahren Ihrer Meinung nach Männer anders als Frauen?

Unterwegs

A16 Fundbüro Autobahn 2.08

Lesen und hören Sie den Text.

Kuh auf der Autobahn

„Und hier noch ein wichtiger Hinweis für Autofahrer ...", so oder ähnlich beginnt der Verkehrsfunk seine Durchsagen. Doch er warnt die Autofahrer nicht immer nur vor Staus. Letzten Dienstag zum Beispiel wanderte eine Schildkröte auf der Autobahn A 3 Richtung Köln. Und das nette Tier ist nicht das einzige, was sich verlaufen hat. Von Hund und Katze bis zu Waschbär und Känguru marschiert, in zeitlichen Abständen natürlich, ein ganzer Zoo über Deutschlands Schnellstraßen.

Im Bundesland Hessen warnt der Verkehrsfunk im Durchschnitt 18,2-mal am Tag die Auto-fahrer vor Gefahren, Tiere und Gegenstände auf der Fahrbahn gehören dazu. Nach den Erfahrungen der Radiosprecher ist Donnerstag der Tag, an dem die meisten Dinge verloren gehen. Nicht selten ist die Ursache dafür schlecht gesicherte Ladung. Die Hitliste der gefundenen Güter führen Holz- und Stahlplatten, Reifenteile und Verpackungsmaterial an. Aber auch Kühlschränke, Fernseher und Campingstühle wurden schon gefunden.

Jedes Jahr im Dezember fliegen zahlreiche Weihnachtsbäume von den Autodächern, im Sommer rollen leere Kinderwagen über den Asphalt. Die Autobahnpolizei muss sich aber auch oft als Tierfänger betätigen und Schweine, Enten, Pferde oder Kühe wieder einfangen. 450 Unfälle mit Tieren zählte die Statistik im letzten Jahr. Doch nicht immer gibt es dabei ein Happy End wie bei der Entenfamilie, die gestern die Autobahn überqueren wollte: Alle Küken konnten von der Polizei gerettet werden.

Unterwegs

A17 Textarbeit

a) Beantworten Sie die Fragen zum Text in ganzen Sätzen.

1. Warum war die Schildkröte auf der Autobahn?

   ....

2. Ist das ein Einzelfall?

   ....

3. Was kann man sonst noch auf der Autobahn finden?

   ....

4. Wie oft warnt der Verkehrsfunk täglich vor Gefahren auf der Autobahn?

   ....

5. An welchem Tag gehen die meisten Dinge auf der Autobahn verloren?

   ....

6. Warum verlieren die Autofahrer so viel?

   ....

7. Was sind typische Gegenstände, die im Sommer und im Dezember auf der Autobahn verloren werden?

   ....

8. Wie viele Unfälle gab es im letzten Jahr mit Tieren?

   ....

b) Wie heißt die passende Präposition? Wählen Sie aus.

1. Letzten Dienstag wanderte eine Schildkröte .... Autobahn A 3.   *auf der/auf die/auf dem*

2. In Hessen warnt der Verkehrsfunk 18,2-mal .... Tag   *über/am/im*
   die Autofahrer .... Gefahren.   *für/gegen/vor*

3. .... den Erfahrungen der Radiosprecher gehen   *Nach/Mit/Bei*
   .... Donnerstag die meisten Dinge verloren.   *um/im/am*

4. .... Dezember fliegen zahlreiche Weihnachtsbäume   *Im/Am/Über*
   .... den Autodächern.   *aus/von/hinter*

c) Was passt zusammen? Ordnen Sie die Genitivattribute zu.

die Durchsagen	vieler Unfälle
die Hitliste	des Verkehrsfunks
der Einsatz	der Geschichte
die Ursache	der Polizei
das Happy End	der verlorenen Gegenstände

A18 Berichten Sie.

Haben Sie schon mal (auf einer Reise) irgendetwas verloren? Was? Wo? Wann? Wohin sind Sie gereist?

A19 Sie hören vier kurze Texte. *2.09*

Markieren Sie beim Hören oder danach, ob die Aussage richtig oder falsch ist.

		richtig	falsch
1.	Sie befinden sich im Auto auf der A 2. Bei Braunschweig müssen Sie langsamer fahren.	☐	☐
2.	Sie wollen nach Athen fliegen und können jetzt in die Maschine einsteigen.	☐	☐
3.	Sie müssen bis zur Hackerbrücke fahren und dann noch ca. 40 Minuten zur Theresienwiese laufen.	☐	☐
4.	Sie können heute nicht nach Dresden fahren.	☐	☐

A20 Rollenspiele

Wählen Sie eine Situation aus und spielen Sie Dialoge.

Verspätung

Sie haben um 12.00 Uhr einen Termin mit Frau Brand in Berlin. Ihr Flugzeug hatte Verspätung. Sie sind jetzt erst in Berlin gelandet, es ist 11.50 Uhr. Rufen Sie Frau Brand an und entschuldigen Sie sich.

Koffer nicht angekommen

Sie sind mit der Lufthansa von New York nach Berlin geflogen, in Amsterdam hatten Sie eine Zwischenlandung. Ihr Koffer ist nicht in Berlin angekommen. Erkundigen Sie sich bei der Lufthansa nach Ihrem Koffer.

Passkontrolle

Sie haben einen mexikanischen Reisepass und werden an der Passkontrolle in Berlin nach verschiedenen Angaben gefragt: Grund der Einreise, Dauer des Aufenthalts, Hotel …

A21 Präsentation: Wie komme ich zur Uni oder ins Büro?

Präsentieren Sie das Thema. Dazu stehen Ihnen fünf Folien zur Verfügung. Orientieren Sie sich bei Ihrer Präsentation an den Anweisungen auf der linken Seite. Beantworten Sie nach Ihrer Präsentation die Fragen Ihrer Zuhörer.

Stellen Sie Ihr Thema vor. Erklären Sie den Inhalt und die Struktur Ihrer Präsentation.

Berichten Sie von Ihrer Situation oder einem Erlebnis im Zusammenhang mit dem Thema.

Berichten Sie von der Situation in Ihrem Heimatland und nennen Sie Beispiele.

Nennen Sie Vor- und Nachteile und Ihre Meinung zu dem Thema.

Beenden Sie Ihre Präsentation und bedanken Sie sich bei den Zuhörern.

Folie 1: Wie komme ich zur Uni oder ins Büro?
• zu Fuß
• mit dem Fahrrad
• mit dem Auto
• mit öffentlichen Verkehrsmitteln
• …

Folie 2: Wie komme ich zur Uni oder ins Büro?
Meine persönlichen Erfahrungen

Folie 3: Wie komme ich zur Uni oder ins Büro?
Die Verkehrssituation in meinem Heimatland

Folie 4: Wie komme ich zur Uni oder ins Büro?
Welche Vorteile und Nachteile hat die Benutzung bestimmter Verkehrsmittel?

Folie 5: Wie komme ich zur Uni oder ins Büro?
Abschluss und Dank

A22 Wer fährt/reist wann womit wohin?
Bilden Sie Sätze.

	Wer?	Wann?	Womit?	Wohin?
1.	ich	Freitag	Zug	München
2.	Frau Schiller	Wochenende	Auto	Italien
3.	wir	heute Abend	Taxi	nach Hause
4.	Matthias	jeden Tag	U-Bahn	Arbeit
5.	Fahrer	Montag	Lkw	Schweiz
6.	Ingrid	nächste Woche	Fähre	Fraueninsel
7.	mein Kollege	Sommer	Fahrrad	Prag
8.	Herr Schmidt	Juni	Motorrad	Fußballendspiel
9.	Karlchen	Sonntag	U-Bahn	Oma
10.	Ute und Michael	jeden Tag	Straßenbahn	Schule
11.	Chef	heute	Firmenwagen	Flughafen
12.	Annemarie	morgen	Bus	Stadt/Einkaufen

Richtungsangaben (Wiederholung) ⇨ Teil C Seite 180

1. *Ich fahre am Freitag mit dem Zug nach München.*
2. ....
3. ....
4. ....
5. ....
6. ....
7. ....
8. ....
9. ....
10. ....
11. ....
12. ....

Urlaub: Wenn einer eine Reise macht …

A23 In welche Länder fahren Sie im Urlaub am liebsten?
Berichten Sie.

Urlaub

A24 Was gehört zu Ihrem Traumurlaub? Was stört Sie im Urlaub?

Erarbeiten Sie alleine oder mit Ihrer Nachbarin/Ihrem Nachbarn Antworten.

> **Denken Sie dabei an:** Verkehrsmittel ◆ Hotel ◆ Wetter ◆ Essen ◆ Preis ◆ Sauberkeit ◆ Bademöglichkeiten ◆ Landschaft ◆ Personal (z. B. im Hotel) ◆ Möglichkeiten zum Ausgehen ◆ …

Was gehört zu Ihrem Traumurlaub?

Was stört Sie im Urlaub?

A25 Berichten Sie über den schrecklichsten Urlaub Ihres Lebens.

Was hat Ihnen nicht gefallen, was ging alles schief?

A26 Ein Reiseprospekt lesen

In einem Reiseprospekt lesen Sie die folgenden Beschreibungen. Wirken die Beschreibungen auf Sie positiv oder negativ? Kreuzen Sie an. Was erwarten Sie, wenn Sie die Beschreibung lesen?

	positiv	negativ
1. Idylle in ruhiger Lage	☐	☐
2. direkt am Meer	☐	☐
3. Zimmer an der Meerseite	☐	☐
4. naturbelassener Strand	☐	☐
5. verkehrsgünstige Lage	☐	☐
6. direkt an der Strandpromenade	☐	☐
7. mitten in der Altstadt	☐	☐
8. internationale Atmosphäre	☐	☐
9. familiäre Atmosphäre	☐	☐
10. kinderfreundliches Haus	☐	☐
11. zweckmäßig eingerichtete Zimmer	☐	☐
12. unaufdringlicher Service	☐	☐
13. kontinentales Frühstück	☐	☐
14. beheizbarer Swimmingpool	☐	☐

☐ Idylle in ruhiger Lage: Da erwarte ich ein Haus im Wald/ein Hotel auf einer einsamen Insel …

Urlaub

 Lesen und hören Sie den Text. 2.10

Idylle in ruhiger Lage

Naturbelassener Strand, familiäre Atmosphäre, beheizbarer Swimmingpool – was im Urlaubskatalog unter dem sonnigen Bildchen des Hotels steht, verspricht auf den ersten Blick einen Traumurlaub. Doch wenn der Urlauber am Ziel seiner Träume ankommt, werden die Erwartungen oft nicht erfüllt. Um eine Enttäuschung zu vermeiden, sollte man die Beschreibungen im Reisekatalog ganz genau lesen. Dort findet man versteckte Hinweise auf Dinge, die in Wirklichkeit gar nicht so schön sind. Das schützt die Reiseveranstalter für den Fall, dass sich Urlauber nach den schönsten Wochen des Jahres beschweren wollen. Denn für die Gerichte ist entscheidend, was im Katalog steht. Jetzt gibt es eine Übersetzung der „Reisekatalogsprache", in der normale Menschen die wahre Bedeutung der Beschreibungen nachlesen können:

- Idylle in ruhiger Lage: Die Unterkunft liegt weit weg von Geschäften, Bushaltestellen und der gesamten touristischen Infrastruktur.

- Direkt am Meer: Das Hotel liegt an einer Steilküste oder am Hafen, nicht an einem Badestrand.

- Zimmer an der Meerseite: <u>Das bedeutet</u> keinen Blick aufs Meer, sondern dass der Blick aufs Meer vermutlich durch andere Häuser versperrt ist.

- Naturbelassener Strand: <u>Dahinter verbirgt sich</u> ein schmutziger, ungepflegter Strand mit Steinen, manchmal sogar Müll.

- Verkehrsgünstige Lage: Das Hotel liegt wahrscheinlich an einer Hauptverkehrsstraße. Sie können mit Straßenlärm rund um die Uhr rechnen.

- Direkt an der Strandpromenade: Das klingt nach viel befahrener Küstenstraße.

- Mitten in der Altstadt: Die Gäste sollten tagsüber schlafen, denn nachts ist es zu laut.

- Internationale Atmosphäre: Hier kann man befürchten, dass sich junge Leute aus aller Welt mit Alkohol lautstark amüsieren.

- Familiäre Atmosphäre: Es ist damit zu rechnen, dass Ihre Tischnachbarn das Abendessen in Bikini oder Jogginghosen einnehmen.

- Kinderfreundliches Haus: Menschen, die Ruhe suchen, sollten hier nicht übernachten, denn Kinder sind nun mal etwas lauter.

- Zweckmäßig eingerichtete Zimmer: Das ist ein Hinweis auf eine Minimalausstattung ohne Komfort.

- Unaufdringlicher Service: Das Abendessen kann etwas länger dauern.

- Kontinentales Frühstück: Brot, Marmelade, Butter, Kaffee und Tee – das ist alles.

- Beheizbarer Swimmingpool: Das garantiert nicht, dass das Wasser auch tatsächlich erwärmt wird.

 Textarbeit

a) Beantworten Sie die Fragen.

☐ Stimmt der Text mit Ihrer eigenen Bewertung überein?

☐ Welche Bedeutung hat Sie überrascht?

b) Unterstreichen Sie im Text alle Redemittel zur Begriffsinterpretation und schreiben Sie sie auf. Welche Redemittel drücken Sicherheit aus, welche Vermutung?

☐ Das bedeutet …/Dahinter verbirgt sich …

A29 Ergänzen Sie die Verben in der richtigen Form.

> amüsieren • klingen • befürchten • suchen • dauern • garantieren • rechnen • liegen • versperren • verbergen

1. Die Unterkunft .... weit weg von Geschäften.
2. Der Blick aufs Meer ist vermutlich durch andere Häuser ....
3. Dahinter .... sich ein schmutziger, ungepflegter Strand.
4. Das .... nach viel befahrener Küstenstraße.
5. Hier kann man ...., dass sich junge Leute aus aller Welt mit Alkohol lautstark ....
6. Es ist damit zu ...., dass Ihre Tischnachbarn das Abendessen in Jogginghosen einnehmen.
7. Menschen, die Ruhe ...., sollten hier nicht übernachten.
8. Das Abendessen kann etwas länger ....
9. Das .... nicht, dass das Wasser auch tatsächlich erwärmt wird.

A30 Was ist richtig?

Wählen Sie aus.

♦	a) beschweren	1.	a) bestellt	2.	a) Deinem	3.	a) ruhigen	4.	a) über
	b) ärgern		b) gefragt		b) Ihrem		b) ruhige		b) mit
	c) informieren		c) gebucht		c) Ihren		c) ruhiger		c) von

5.	a) mit	6.	a) an dem	7.	a) die	8.	a) worauf	9.	a) weil
	b) zu		b) an die		b) der		b) worüber		b) denn
	c) über		c) an der		c) den		c) wovon		c) obwohl

Sehr geehrte Damen und Herren,

gestern bin ich aus dem Urlaub zurückgekommen und ich möchte mich sofort bei Ihnen über das Hotel „Grüner Wald" in Eichendorf *beschweren*. Ich habe die Reise vor einem halben Jahr bei Ihnen .... (1), nachdem ich mir im Reiseprospekt alle Hotels in der Gegend des Altmühltals genau angesehen hatte. In .... (2) Prospekt steht, dass sich das Hotel „Grüner Wald" in .... (3) Umgebung befindet, ... (4) einen Wellnessbereich verfügt und vier Sterne hat. Im Prospekt steht außerdem, dass das Restaurant für seine kulinarischen Spezialitäten berühmt ist. Ich verstehe absolut nicht, wie Sie solche Angaben .... (5) diesem Hotel machen können. Das Hotel liegt direkt .... (6) Autobahn. Der Lärm ist so stark, dass man nachts nicht schlafen kann. Der Wellnessbereich, ... (7) Sie in Ihrem Prospekt ausführlich beschreiben, besteht nur aus einem Whirlpool und einer Dusche. Die Zimmer waren sehr einfach eingerichtet, es gab keinen Fernseher und keine Minibar. Das Essen im Restaurant war schlecht, ... (8) ich mich besonders geärgert habe. Ich erwarte von Ihnen, dass Sie mir die Hälfte des bezahlten Preises zurückzahlen, ... (9) mehr war das Hotel und der Service wirklich nicht wert.

Mit freundlichen Grüßen
Otto Friedrich Munkel

A31 Schreiben Sie selbst einen Beschwerdebrief.

Das hat Ihnen nicht gefallen:

☐ die Lage des Hotels   ☐ die Zimmerausstattung
☐ das Essen im Hotel   ☐ der schmutzige Strand

Wissenswertes

Wissenswertes *(fakultativ)*

B1 Die Erfindung des Dieselmotors

Lesen Sie die traurige Geschichte eines berühmten Erfinders, der die Entwicklung der Verkehrsmittel entscheidend beeinflusst hat. Ergänzen Sie gleichzeitig die Verben im Präteritum.

Rudolf Diesel

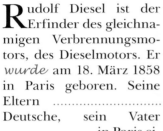

Rudolf Diesel ist der Erfinder des gleichnamigen Verbrennungsmotors, des Dieselmotors. Er *wurde* am 18. März 1858 in Paris geboren. Seine Eltern .... Deutsche, sein Vater .... in Paris eine kleine Lederwarenfabrik. Seine Kindheit .... er in Paris und Umgebung. Mit neun Jahren .... er bei der Weltausstellung in Paris erste Bekanntschaft mit den neuen Maschinen und Motoren. Unter den Kriegseinwirkungen 1870/71 .... die Familie von Paris nach London. Rudolf Diesel .... im berühmten Science Museum Originale und Modelle der Dampfmaschinen von Watt, Savery, Newcomen und Trevithik bewundern. Auf Grund der wirtschaftlich schwierigen Situation wurde Rudolf Diesel kurz darauf nach Augsburg zu seinem Onkel Christoph Barnickel gegeben, der an der örtlichen Gewerbeschule Mathematik ....

1872 .... Rudolf Diesel, „Mechaniker" (Ingenieur) zu werden. Nach der Gewerbeschule .... er die Ingenieurschule in Augsburg. 1875 .... er sein Studium am Polytechnikum München. Seinen Abschluss machte er im Januar 1880 an der Technischen Hochschule München mit der besten Leistung seit Bestehen der Hochschule.

Einen großen Einfluss auf die Industrialisierung hatte die Dampfmaschine, mit der er sich schon während seines Studiums intensiv .... Aber die Dampf-

maschine .... zu viel Energie. 1892 .... Rudolf Diesel die Idee einer neuen „Wärmekraftmaschine", die effektiver mit Energie ....

1893 wurde der Dieselmotor in der Maschinenfabrik Augsburg mit finanzieller Beteiligung der Firma Friedrich Krupp bis 1897 entwickelt. Rudolf Diesel .... im Jahre 1897 schließlich das erste funktionstüchtige Modell seines Motors. Dieser Motor .... sehr viel weniger Kraftstoff und .... 20 PS. Heute steht er im Deutschen Museum in München.

Danach war der Siegeszug des Dieselmotors nicht mehr aufzuhalten. Am 1. Januar 1898 wurde die Dieselmotorenfabrik Augsburg gegründet, anderthalb Jahre danach kam es zur Gründung der Allgemeinen Gesellschaft für Dieselmotoren. Die ersten Motorschiffe mit Dieselmotor .... 1903. 1908 wurden der erste Klein-Dieselmotor, der erste Lastwagen und die erste Diesellokomotive gebaut.

Doch der Erfolg .... Rudolf Diesel nicht treu. 1911 wurde die Dieselmotorenfabrik Augsburg wieder aufgelöst. Der geniale Ingenieur .... sich nicht zum Geschäftsmann. Er .... eine Menge Geld, weil er es falsch angelegt hatte. Außerdem .... sich jahrelange Patentprozesse negativ auf seine Gesundheit .... Obwohl Rudolf Diesel seine Erfindung als Patent angemeldet hatte, ... andere Ingenieure immer wieder, sie hätten ⇨

(Verben-Liste:)

verbrauchen

kommen

werden

sein/umgehen

haben

verbringen

machen/bauen

verbrauchen
flüchten
leisten
können

entstehen
unterrichten
beschließen

bleiben
besuchen
beginnen

eignen
verlieren

auswirken

behaupten
beschäftigen

einen ähnlichen Motor erfunden. Als 1912 der erste mit einem Dieselmotor angetriebene Ozeandampfer das Meer ...., war Rudolf Diesel zwar ein berühmter Mann, aber er war finanziell und gesundheitlich ruiniert.

Am 29. September 1913 .... Rudolf Diesel mit einem Postschiff von Antwerpen nach England. Er .... in London an der Einweihung einer neuen Fabrik für Dieselmotoren teilnehmen. Er .... gute Laune zu haben. Nachdem er

abends in seine Kabine gegangen war, wurde er nie wieder gesehen. Fischer .... viele Tage später im Wasser eine Leiche, von der sie einige Gegenstände, unter anderem zwei Ringe, ... Die Ringe .... Rudolf Diesel. Die genaue Todesursache ist bis heute nicht geklärt. Manche .... an Selbstmord, die Familienangehörigen .... einen Mord.

1936 ging der Pkw-Dieselmotor erstmals in Serie. Er wurde in den Mercedes-Benz Typ 260-D eingebaut.

finden
überqueren

mitnehmen
gehören
fahren
denken

wollen/vermuten

scheinen

(B2) Berichten Sie.

- □ Interessieren Sie sich für Verkehrsmittel und Technik?

- □ Welches Verkehrsmittel interessiert/fasziniert Sie am meisten?
  Gibt es in Ihrem Heimatland berühmte Hersteller von Verkehrsmitteln (Autofirmen, Flugzeugbauer usw.)?

- □ Gibt es in Ihrem Heimatland Verkehrsprobleme? Wenn ja, beschreiben Sie die Probleme.

(B3) Verkehrsprobleme: Gruppenarbeit

Stellen Sie sich vor: Sie werden Verkehrminister in Ihrem Heimatland/Bürgermeister in Ihrer Heimatstadt. Was würden Sie ändern? Wählen Sie ein Problem aus und schlagen Sie Lösungen vor. Halten Sie eine kurze Präsentation.

Mögliche Lösungen:

- ◆ mehr/weniger Fußgängerzonen

- ◆ mehr/weniger Autobahnen

- ◆ mehr/weniger öffentliche Verkehrsmittel

- ◆ mehr/weniger Polizeikontrollen

- ◆ höhere/niedrigere Benzinpreise

- ◆ höhere/niedrigere Fahrpreise für öffentliche Verkehrsmittel

- ◆ höhere/niedrigere Autosteuern

- ◆ mehr/weniger Geschwindigkeitskontrollen

- ◆ das Tempolimit senken/erhöhen auf (… km/h)

- ◆ autofreier Sonntag

- ◆ eine Mautgebühr für das Autofahren in der Stadt einführen … usw.

Diskutieren Sie anschließend darüber.

Verben

Vergangenheitsformen

	Präteritum	Perfekt		Plusquamperfekt	
ich	fuhr	bin	gefahren	war	gefahren
du	fuhrst	bist	gefahren	warst	gefahren
er/sie/es	fuhr	ist	gefahren	war	gefahren
wir	fuhren	sind	gefahren	waren	gefahren
ihr	fuhrt	seid	gefahren	wart	gefahren
sie/Sie	fuhren	sind	gefahren	waren	gefahren

	Präteritum		Perfekt		Plusquamperfekt	
ich	kaufte	ein	habe	eingekauft	hatte	eingekauft
du	kauftest	ein	hast	eingekauft	hattest	eingekauft
er/sie/es	kaufte	ein	hat	eingekauft	hatte	eingekauft
wir	kauften	ein	haben	eingekauft	hatten	eingekauft
ihr	kauftet	ein	habt	eingekauft	hattet	eingekauft
sie/Sie	kauften	ein	haben	eingekauft	hatten	eingekauft

C1 Ergänzen Sie.

Präsens	Präteritum	Perfekt	Plusquamperfekt
ich laufe	*ich lief*	....	....
ihr fotografiert	....	....	....
er bewirbt sich	....	....	....
wir unterhalten uns	....	....	....
sie liest	....	....	....
er steht auf	....	....	....
das Konzert beginnt	....	....	....
die Firma verbietet	....	....	....
er verliert	....	....	....
wir empfehlen	....	....	....
ich bitte	....	....	....

C2 Was war vorher passiert?

Ergänzen Sie die Sätze im Plusquamperfekt.

♦ Gottfried konnte nicht mitsingen. *(sich erkälten)*   *Er hatte sich erkältet.*

1. Ich konnte nicht ins Haus. *(meine Schlüssel – im Büro – vergessen)* ....

2. Edwin konnte nicht schreiben. *(die Hand – sich brechen)* ....

3. Martha konnte nicht an der Prüfung teilnehmen. *(sich nicht anmelden)* ....

4. Gerlinde konnte nicht mit dem Auto kommen. *(das Auto – ihrem Bruder – leihen)* ....

5. Frank konnte kein Geschenk kaufen. *(sein Geld – vorher – ausgeben)* ....

Sätze

Temporalsätze			
Gleichzeitigkeit	wenn	Wenn du nach München kommst, besuch mich doch mal! *(Zukunft und Gegenwart)*	
		Immer wenn er sich bewegte, schmerzte sein Bein. *(Vergangenheit: mehrmaliges Geschehen)*	
	als	Als sie ihn wiedersah, freute sie sich sehr. *(Vergangenheit: einmaliges Geschehen)*	
		Als ich sieben Jahre alt war, lernte ich schwimmen. *(Vergangenheit: Zustand)*	
	während	Während sie mit Klaus sprach, beobachtete sie Karin. *(Gegenwart oder Vergangenheit)*	
Nicht-Gleichzeitigkeit	bevor	Bevor du deine Fahrprüfung machst, solltest du die Verkehrsregeln lernen. *(Sätze haben die gleiche Zeitform)*	
	nachdem	Nachdem er seine Fahrprüfung <u>bestanden hatte</u>, <u>feierte</u> er mit seinen Freunden die ganze Nacht.	
		Nachdem ich meinen Kaffee <u>getrunken habe</u>, <u>fange</u> ich an. *(Sätze haben unterschiedliche Zeitformen)*	
Dauer	bis	Ich warte, bis du zurückkommst. *(Endpunkt)*	
	seit/seitdem	Seit er nach Frankfurt gezogen ist, hat er sie nicht mehr gesehen. *(Anfangspunkt)*	

C3 Gleichzeitigkeit I

Verbinden Sie die Sätze mit *wenn* oder *als*.

◆ Ich fahre im Sommer nach Paris. Ich besuche meine Schwester.

  Wenn ich im Sommer nach Paris fahre, besuche ich meine Schwester.

1. Ludwig wurde befördert. Wir machten eine große Party.

   ....

2. Tante Annelies war krank. Ich besuchte sie dreimal im Krankenhaus.

   ....

3. Ich war im Mai in Rom. Ich habe die leckersten Spaghetti meines Lebens gegessen.

   ....

4. Früher fuhr ich mit der Straßenbahn zur Arbeit. Ich kam jeden zweiten Tag zu spät.

   ....

5. Heute fahre ich mit dem Auto zur Arbeit. Ich komme immer zu spät.

   ....

6. Er war 14 Jahre alt. Er bekam seinen ersten Kuss.

   ....

7. Der erste Schnee fällt. Es gibt auf den Straßen ein Verkehrschaos.

   ....

8. In unserer Bibliothek wird eine Stelle frei. Du musst dich bewerben.

C4 Gleichzeitigkeit II

Was ist passiert? Antworten Sie frei.

- ◆ Als ich heute früh ins Krankenhaus fahren wollte, *ging mein Auto kaputt.*
1. Als ich dir eine Karte aus Paris schreiben wollte, ...
2. Gerade als ich mit dem Chef reden wollte, ...
3. Gerade als ich dich anrufen wollte, ...
4. Als ich heute früh in die U-Bahn steigen wollte, ...
5. Als ich mit Rolf tanzen gehen wollte, ...
6. Als ich dir zum Geburtstag gratulieren wollte, ...
7. Gerade als ich aus dem Haus gehen wollte, ...
8. Als ich gestern Abend ins Bett gehen wollte, ...
9. Als ich gerade in die Kantine gehen wollte, ...

C5 Gleichzeitigkeit III

Verbinden Sie die Sätze mit *während*.

1. Sie putzte die Wohnung. Er schlief.

   ....

2. Er telefonierte mit seiner Mutter. Sie bereitete das Essen vor.

   ....

3. Er studierte Jura. Sie ging arbeiten und verdiente das Geld.

   ....

4. Sie kümmerte sich um die Kinder. Er kümmerte sich um seine Karriere.

   ....

5. Er machte Wahlkampf. Sie schrieb ein Buch über ihn.

   ....

6. Sie feierte große Erfolge. Er zog wieder zu seiner Mutter.

   ....

C6 Nicht-Gleichzeitigkeit I

Setzen Sie die Verben in die richtige Zeitform.

1. Nachdem er auf dem Bahnhof .... (ankommen), fuhr er mit dem Taxi nach Hause.
2. Er bemerkte den Einbruch sofort, nachdem er die Wohnung .... (betreten).
3. Nachdem er die Polizei .... (informieren), kamen zwei Beamte an den Tatort.
4. Die Polizisten verließen die Wohnung erst wieder, nachdem sie alle Spuren .... (sichern).
5. Nachdem es noch drei weitere Einbrüche in der Gegend .... (geben), konnten die Diebe gefasst werden.
6. Die Diebe gestanden die Tat, nachdem sie der Hauptkommissar .... (verhören).

Sätze

C7 Nicht-Gleichzeitigkeit II

Verbinden Sie die Sätze mit *nachdem*.

♦ Die Gäste aßen. Edwin hielt seine Rede.

  Nachdem die Gäste gegessen hatten, hielt Edwin seine Rede.

1. Martina schloss das Studium ab. Sie bewarb sich bei der Deutschen Bank.

  ....

2. Axel bekam sein erstes Gehalt. Er kaufte sich ein Auto.

  ....

3. Monika suchte zehn Jahre den richtigen Mann fürs Leben. Sie traf Ludwig.

  ....

4. Kathrin fuhr fünf Jahre lang nicht weg. Im Winter reiste sie nach Argentinien.

  ....

5. Michael gab sein ganzes Geld aus. Er konnte sich nichts zu essen kaufen.

  ....

6. Andrea fiel zweimal durch die Prüfung. Am Dienstag bestand sie die Prüfung mit „gut".

  ....

C8 Satzketten mit *nachdem* (Perfekt – Präsens)

Bilden Sie Satzketten wie im Beispiel.

a) Wie kauft man sich eine Fahrkarte?

> einen Fahrkartenautomaten finden → die Sprache auswählen → Hinweise lesen → die passende Fahrkarte aus-
> suchen → Geld einwerfen → warten, bis die Fahrkarte herauskommt

Zuerst findet man einen Fahrkartenautomaten. Nachdem man einen Fahrkartenauto-
maten gefunden hat, wählt man die Sprache aus. Nachdem man die Sprache…

....

....

....

b) Wie bekommt man den Führerschein?

> sich bei einer Fahrschule anmelden → Regeln im Straßenverkehr lernen → Fahrstunden nehmen → die Fahr-
> prüfung machen und bestehen → den Führerschein bekommen

....

....

....

c) Wie bereitet man eine Reise vor?

> ins Reisebüro gehen und sich nach Angeboten erkundigen → eine Reise auswählen → eine Reise bezahlen →
> den Koffer packen → zum Flughafen fahren → ins Flugzeug einsteigen → sich entspannen

....

....

....

Präpositionen

C9 Bevor ich anfange …

Bilden Sie Sätze.

- ◆ Kaffee: Bevor ich anfange, *trinke ich noch einen Kaffee.*
1. Mittagsschlaf: ....
2. Schreibtisch: ....
3. Krimi: ....
4. Hände: ....
5. CD: ....

C10 Dauer

Ergänzen Sie *bis* oder *seit/seitdem*.

1. Ich warte, ... du kommst.
2. .... er sein Studium abschließen kann, muss er noch viel lernen.
3. .... er nach London umgezogen ist, habe ich nichts mehr von ihm gehört.
4. .... der Sänger sein erstes Benefiz-Konzert organisiert hat, konnte er 35 Millionen Euro sammeln.
5. Ich weiß nicht, ... wann ich die Arbeit abgeben soll.
6. Er leidet unter diesen Kopfschmerzen, ... er 17 Jahre alt ist.

Präpositionen

Orts- und Richtungsangaben (*Wiederholung*)

Wohin gehen/fahren/fliegen Sie?	Wo waren Sie?	
nach + Dativ *(bei Richtungsangaben ohne Artikel)* nach Deutschland, nach München, nach Europa nach Norden nach Hause	*in* + Dativ in Deutschland, in München, in Europa im Norden zu (!) Hause	*Länder ohne Artikel, Städte und Kontinente Himmelsrichtungen*
in + Akkusativ **im Sinne von *hinein*:** in die Kirche, in die Schule, in das Restaurant, in den Park in die Schweiz, in den Sudan, in die Niederlande, in die USA	*in* + Dativ in der Kirche, in der Schule, im Restaurant, im Park in der Schweiz, im Sudan, in den Niederlanden, in den USA	*Länder mit Artikel*
an + Akkusativ **im Sinne von *heran*:** an das Fenster an die Nordsee, an den Strand	*an* + Dativ am Fenster an der Nordsee, am Strand	*Wasser*
auf + Akkusativ **im Sinne von *hinauf*:** auf den Berg auf eine einsame Insel auf den Potsdamer Platz	*auf* + Dativ auf dem Berg auf einer einsamen Insel auf dem Potsdamer Platz	*Inseln Plätze*
zu + Dativ *(meistgebrauchte Richtungsangabe)* zu meinen Eltern, zum Arzt, zum Friseur zur Polizei, zum Unterricht, zu Mercedes	*bei* + Dativ bei meinen Eltern, beim Arzt, beim Friseur bei der Polizei, beim Unterricht, bei Mercedes	*Personen einige Behörden, Veran- staltungen o. ä.*

C11   Ergänzen Sie die Präpositionen und die Artikel.

Manchmal gibt es mehrere Lösungen.

Wohin fahrt/geht/fliegt ihr?		**Wo wart ihr?**	
Wir fahren/gehen/fliegen…		*Wir waren…*	
1.	Vereinigten Staaten	....	Vereinigten Staaten
2.	Arzt	....	Arzt
3.	Brandenburger Tor	....	Brandenburger Tor
4.	Siemens	....	Siemens
5.	Museum für moderne Kunst	....	Museum für …
6.	Frankfurt	....	Frankfurt
7.	Supermarkt	....	Supermarkt
8.	Kanarischen Inseln	....	Kanarischen Inseln
9.	Goethe-Institut	....	Goethe-Institut
10.	Paul und Claudia	....	Paul und Claudia
11.	Spanien	....	Spanien
12.	Hause	....	Hause
13.	Türkei	....	Türkei
14.	Büro	....	Büro
15.	Kunden *(Pl.)*	....	Kunden *(Pl.)*
16.	Kino	....	Kino

C12   Wohin gehen Sie, …

Beantworten Sie die Fragen.

♦ wenn Ihre Haare zu lang sind? *(Friseur)*
Wenn meine Haare zu lang sind, gehe ich zum Friseur.

1. wenn Sie sich neue Kleidung kaufen möchten? *(ein großes Kaufhaus)*

....

2. wenn Sie eine Fremdsprache lernen möchten? *(Volkshochschule)*

....

3. wenn Sie einen Film sehen möchten? *(Kino)*

....

4. wenn Sie einen schönen Blick über Ihre Stadt haben möchten? *(Kirchturm)*

....

5. wenn Sie frisches Brot brauchen? *(Bäcker)*

....

6. wenn Sie Zahnschmerzen haben? *(Zahnarzt)*

....

7. wenn Sie sich mit Freunden treffen möchten? *(Kneipe)*

....

8. wenn Ihnen Ihr Portemonnaie gestohlen wurde? *(Polizei)*

....

Präpositionen

C13 Wohin gehen diese Leute am Wochenende?

1. Wohin geht Elsa in Wien?
   (Kunsthistorisches Museum, Burgtheater, Party)

2. Wohin geht Dietrich in Berlin?
   (Zoo, Wannsee, Brandenburger Tor, Potsdamer Platz)

3. Wohin geht Jana in München?
   (Alte Pinakothek, Olympiastadion, Englischer Garten, ihre Freundinnen)

4. Wohin geht Erik in Basel?
   (Kunstmuseum, Botanischer Garten, Grillabend)

5. Wohin geht Roland in Hamburg?
   (Hotel „Vier Jahreszeiten", Gewürzmuseum, Planetarium)

Wechselpräpositionen *(Wiederholung)*

Präpositionen	Kasus	Beispielsätze
an – auf – hinter – in – neben – über – unter – vor – zwischen	Dativ: wo? Akkusativ: wohin?	Das Bild hängt an der Wand. Ich hänge den Mantel an die Garderobe.

C14 Wo oder wohin?

Ergänzen Sie den Artikel.

♦ Stellst du bitte die Stehlampe neben *den* Sessel?

1. Hast du den Topf auf .... Kochplatte gestellt?

2. In der 30. Spielminute schoss der Fußballspieler den Ball in .... Tor.

3. Petra und Peter gehen auf .... Berg.

4. Dein Führerschein liegt immer noch auf .... Schreibtisch.

5. Wollen wir diese Lampe über .... Esstisch hängen?

6. Unter .... Stadt gab es früher Katakomben.

7. Ich warte vor .... Eingang auf dich.

8. In .... Restaurant kann man sehr gut essen.

9. Ich habe die Dokumente in .... Schrank gelegt.

10. Du kannst dein Auto direkt vor .... Haustür parken.

C15 Mein Handy ist weg!

Bilden Sie die Fragen im Perfekt wie im Beispiel.

♦ es – Auto – lassen – ?   *Hast du es im Auto gelassen?*

1. schon – dein, Handtasche – nachsehen – ?   ....

2. es – vielleicht – Büro – vergessen – ?   ....

3. schon – Küche – suchen – ?   ....

4. schon – Schrank – nachgucken – ?   ....

5. es – Straßenbahn – verlieren – ?   ....

6. es – ausschalten – ?   ....

C16 Fragen und Antworten

Stellen Sie Fragen und beantworten Sie sie mit einer Orts- und einer Richtungsangabe.

♦   Terrasse

Hast du meine Schuhe gesehen?

a) *Ja, sie sind/stehen auf der Terrasse.*

b) *Ja, ich habe sie auf die Terrasse gestellt.*

1.   Tasche

Hast du meinen Apfel ....

a) ....

b) ....

2.   Schrank

....

a) ....

b) ....

3.   Bücherregal

....

a) ....

b) ....

4.   Garage

....

a) ....

b) ....

5.   Schublade

....

a) ....

b) ....

6.   Buch

....

a) ....

b) ....

7.   Auto

....

a) ....

b) ....

8.   Nachttisch

....

a) ....

b) ....

9.   Koffer

....

a) ....

b) ....

10.   Peters Büro

....

a) ....

b) ....

11.   Jackett

....

a) ....

b) ....

Rückblick

Adverbien

Lokale Adverbien: *heraus, hinaus, raus …*

Wo war Otto und wohin geht Otto?

Otto war unten.
Jetzt geht er rauf.
(herauf/hinauf)

Otto war oben.
Jetzt geht er runter.
(herunter/hinunter)

Otto war draußen.
Jetzt geht er rein.
(herein/hinein)

Otto war drinnen.
Jetzt geht er raus.
(heraus/hinaus)

Otto war drüben. Jetzt geht er rüber.
(herüber/hinüber)

> *her* oder *hin?*
> *her* bedeutet auf den Sprecher zu: *Otto kommt herein.*
> *hin* bedeutet vom Sprecher weg: *Otto geht hinein.*
>
> Umgangssprachlich werden die verkürzten Formen *rein*
> und *raus* verwendet: *Otto kommt rein. Otto geht raus.*

C17 Otto hat es nicht leicht.

Formulieren Sie Fragen wie im Beispiel.

a) Otto ist immer am falschen Ort.

♦ Otto ist draußen.   *Otto, kannst du mal bitte hereinkommen/reinkommen?*

1. Otto ist drinnen.   ....

2. Otto ist oben.   ....

3. Otto ist unten.   ....

4. Otto ist drüben.   ....

b) Die Gegenstände sind auch am falschen Ort.

♦ Der Blumentopf steht noch draußen im Garten. *(bringen)*
   Otto, kannst du bitte den Blumentopf hereinbringen/reinbringen?

1. Der Fotoapparat liegt oben auf dem Schrank. *(holen)*

   ....

2. Der Zucker steht drüben am anderen Ende des Tisches. *(geben)*

   ....

3. Das Paket steht draußen vor der Tür. *(holen)*

   ....

4. Die Weinflaschen stehen unten im Keller. *(holen)*

   ....

5. Mein Wintermantel hängt oben auf dem Dachboden. *(bringen)*

   ....

6. Die Handtücher sind im Kleiderschrank. *(geben)*

   ....

Rückblick

D1 Wichtige Redemittel

Hier finden Sie die wichtigsten Redemittel des Kapitels.

Verkehrsmittel

das Fahrrad ◆ der Zug ◆ die Straßenbahn ◆ die U-Bahn ◆ die S-Bahn ◆ der Bus ◆ das Auto ◆ der *(Firmen-)*Wagen ◆ das Taxi ◆ das Motorrad ◆ das Moped ◆ der Lkw (Lastkraftwagen) ◆ das Flugzeug ◆ der Hubschrauber ◆ die Fähre ◆ das Motorboot ◆ das Segelboot ◆ das Schiff ◆ die öffentlichen Verkehrsmittel

Der tägliche Straßenverkehr

der Stau ◆ die Ampel/Ampeln, die immer auf Rot steht/stehen ◆ hupende Autofahrer ◆ Sonntagsfahrer ◆ Raser ◆ die Baustelle ◆ die Umleitung ◆ die Verspätung ◆ volle Busse/Züge/U-Bahnen ◆ unfreundliche Mitmenschen ◆ Schlangen an den Fahrkartenschaltern/Fahrkartenautomaten ◆ Fahrkartenkontrolleure

Die Berliner U-Bahn …

befördert mehr als 1,4 Millionen Fahrgäste am Tag. ◆ beeindruckt sogar Partygänger aus London. ◆ fährt im 15-Minuten-Takt rund um die Uhr. ◆ wurde am 15. Februar 1902 eingeweiht. ◆ hatte am Anfang hohe Fahrpreise. ◆ war immer Schauplatz der Politik. ◆ wurde während des Zweiten Weltkrieges beschädigt. ◆ wurde in einen West- und einen Ostteil getrennt. ◆ fuhr durch Geisterbahnhöfe. ◆ wurde nach dem Fall der Mauer wieder zusammengeschlossen.

Rund ums Auto

die Hupe – hupen ◆ die Bremse – bremsen ◆ das Gaspedal – Gas geben ◆ die Gangschaltung – einen Gang einlegen ◆ die Tür öffnen/schließen ◆ der Reifen – den Reifen wechseln ◆ der Kofferraum – etwas im Kofferraum verstauen ◆ der Sicherheitsgurt – den Sicherheitsgurt anlegen ◆ die Motorhaube öffnen/schließen ◆ der Motor – den Motor warten ◆ die Frontschutzscheibe/die Rückscheibe putzen ◆ der Rückspiegel – in den Rückspiegel sehen ◆ der Seitenspiegel – in den Seitenspiegel sehen ◆ das Seitenfenster ◆ der Blinker – blinken – den Blinker setzen ◆ die Kupplung treten/kuppeln ◆ die Scheinwerfer anschalten ◆ das Lenkrad – lenken ◆ einen Führerschein machen/haben/besitzen ◆ die Fahrprüfung ablegen ◆ die Verkehrsregeln kennen/lernen

Urlaub

eine Enttäuschung erleben/vermeiden ◆ am Ziel seiner Träume sein ◆ einen Traumurlaub erleben ◆ Zu meinem Traumurlaub gehört/gehören … ◆ Der Reiseveranstalter schützt sich vor Beschwerden.

Beschreibungen im Reisekatalog:
Das Hotel befindet sich in ruhiger Lage/in verkehrsgünstiger Lage/direkt am Meer/direkt an der Strandpromenade/mitten in der Altstadt.

Das Hotel liegt an einer Steilküste/am Hafen/an einem Badestrand/an einer Hauptverkehrsstraße. ◆ einen/keinen Blick aufs Meer haben ◆ Das Hotel bietet zweckmäßig eingerichtete Zimmer, eine internationale/familiäre Atmosphäre, unaufdringlichen Service, einen beheizbaren Swimmingpool, kontinentales Frühstück.

D2 Kleines Wörterbuch der Verben

Unregelmäßige Verben

Infinitiv	3. Person Singular Präsens	3. Person Singular Präteritum	3. Person Singular Perfekt
genießen	er genießt	er genoss	er hat genossen
(auf)schließen	er schließt (auf)	er schloss (auf)	er hat (auf)geschlossen

Einige regelmäßige Verben

Infinitiv	3. Person Singular Präsens	3. Person Singular Präteritum	3. Person Singular Perfekt
amüsieren *(sich)*	er amüsiert sich	er amüsierte sich	er hat sich amüsiert
anlegen *(den Sicherheitsgurt)*	er legt an	er legte an	er hat angelegt
befördern *(Fahrgäste)*	er befördert	er beförderte	er hat befördert
befürchten *(etwas)*	er befürchtet	er befürchtete	er hat befürchtet
beschädigen *(etwas)*	er beschädigt	er beschädigte	er hat beschädigt
betätigen *(sich, als Tierfänger)*	er betätigt sich	er betätigte sich	er hat sich betätigt
blinken	er blinkt	er blinkte	er hat geblinkt
bremsen	er bremst	er bremste	er hat gebremst
einreichen *(Vorschläge)*	er reicht ein	er reichte ein	er hat eingereicht
hupen	er hupt	er hupte	er hat gehupt
kuppeln	er kuppelt	er kuppelte	er hat gekuppelt
lenken	er lenkt	er lenkte	er hat gelenkt
nachholen *(Schlaf)*	er holt nach	er holte nach	er hat nachgeholt
(ein)parken	er parkt (ein)	er parkte (ein)	er hat (ein)geparkt
starren *(auf einen Bildschirm)*	er starrt	er starrte	er hat gestarrt
überqueren *(die Straße)*	er überquert	er überquerte	er hat überquert
verstauen *(etwas im Kofferraum)*	er verstaut	er verstaute	er hat verstaut
verstecken *(sich, hinter etwas)*	er versteckt sich	er versteckte sich	er hat sich versteckt
zerstören	er zerstört	er zerstörte	er hat zerstört

(D3) Evaluation

Überprüfen Sie sich selbst.

Ich kann	gut	nicht so gut
Ich kann über Verkehrsmittel, den täglichen Verkehr und Verkehrsprobleme berichten.	❑	❑
Ich kann beschreiben, wie man Auto fährt.	❑	❑
Ich kann verschiedene Texte über Verkehrsmittel und Verkehrsprobleme sowie Verkehrsdurchsagen verstehen.	❑	❑
Ich kann mich problemlos in allen Verkehrs- und Reisesituationen verständigen.	❑	❑
Ich kann über meinen Urlaub berichten und mich an einer Diskussion über Wünsche und Probleme im Urlaub beteiligen.	❑	❑
Ich kann einen Beschwerdebrief über Mängel im Hotel oder im Urlaub verfassen.	❑	❑
Ich kann eine ausführliche Biografie verstehen und über interessante Menschen biografisch berichten. *(fakultativ)*	❑	❑

Rückblick

Gefühle und Eigenschaften

Kommunikation

- Über Gefühle sprechen
- Über Glückssymbole berichten
- Ratschläge und Tipps zu den Themen Glück und Stress geben
- Vermutungen ausdrücken
- Über Horoskope diskutieren
- Personen und ihre Charaktere beschreiben
- Über Stress, Ärger und Freude sprechen
- Gründe und Folgen nennen

Wortschatz

- Gefühle
- Vermutungen
- Eigenschaften
- Stress, Ärger und Freude

Glücksgefühle

Glücksgefühle

A1 Welche Gefühle wecken bei Ihnen die folgenden Situationen?

> sich ärgern ◆ sich freuen ◆ glücklich sein ◆ traurig sein ◆
> stolz sein ◆ neidisch sein ◆ gestresst sein ◆ aufgeregt sein ◆
> sich entspannt fühlen ◆ Angst haben ◆ …

- ▢ Sie sind im Urlaub. Die Sonne scheint.
  Sie liegen am Strand.
- ▢ Sie stehen auf dem Bahnhof und wollen mit dem Zug
  zum Flughafen fahren. Sie fliegen heute in den Urlaub.
  Ihr Zug hat eine Stunde Verspätung.
- ▢ Ihr Nachbar hat ein neues Auto. Es ist Ihr Traumauto!
- ▢ Sie bekommen eine Gehaltserhöhung.
- ▢ Jemand hat Ihnen einen wunderschönen Blumenstrauß geschickt. Es gibt keinen Absender.
- ▢ Sie haben sich verliebt.
- ▢ Jemand hat Ihre E-Mails gelesen, ohne Sie zu fragen.
- ▢ Sie haben morgen eine Prüfung.
- ▢ In zwei Tagen ist Weihnachten.
- ▢ Ihr Nachbar (der mit dem neuen Auto) feiert jede Nacht eine Party. Sie können nicht schlafen.

A2 Fragen Sie Ihre Nachbarin/Ihren Nachbarn und berichten Sie.

- ▢ Worüber haben Sie sich in letzter Zeit richtig geärgert?
- ▢ Waren Sie schon einmal neidisch? Wenn ja, worauf?
- ▢ Worauf sind Sie besonders stolz?
- ▢ Womit kann man Ihnen eine Freude machen?
- ▢ Wann waren Sie das letzte Mal richtig glücklich?
  Was hat Sie glücklich gemacht?

> **Adjektive mit Präpositionen** ⇨ Teil C Seite 205
>
> neidisch sein auf
> stolz sein auf

A3 Was ist Glück?

a) Lesen Sie die Thesen aus: *Hectors Reise oder die Suche nach dem Glück* von Francois Lelord.

Welcher These stimmen Sie zu? Welche These bezweifeln Sie?

- ▢ „Glück ist, mit Menschen zusammen zu sein, die man liebt."
- ▢ „Glück ist, wenn man eine Beschäftigung hat, die man liebt."
- ▢ „Glück ist, wenn man ein Haus und einen Garten hat."
- ▢ „Glück ist schwieriger in einem Land, das von schlechten Menschen regiert wird."
- ▢ „Glück ist, wenn man spürt, dass man den anderen nützlich ist."
- ▢ „Glück ist, wenn man richtig feiert."
- ▢ Frage: Ist Glück vielleicht eine chemische Reaktion?

b) Schreiben Sie Ihre eigene These und vergleichen Sie sie anschließend mit
   den Thesen der anderen Kursteilnehmer.

- ▢ Glück ist: …

A4 Lesen und hören Sie den folgenden Text.

Wo ist der richtige Weg zum Glück?

Sehnt sich der Mensch nach einem angenehmen Leben, nach möglichst viel Glück? Die Antwort lautet: Ja! Jeder will so viel Glück wie möglich. Beweis dafür sind unter anderem die vielen Ratgeber, die man zum Thema „Glück" kaufen kann: „365 Ideen für das kleine Glück" oder „Der Weg zum Glück", um nur einige zu nennen. Doch die Tatsache, dass es so viele Bücher über das Glück gibt, ist auch ein Signal dafür, dass unsere Suche nach dem Glück nicht besonders erfolgreich ist. Wären wir glücklich, würden wir keine Ratgeber kaufen.

Doch wie findet man den richtigen Weg zum Glück? Mit Geld vielleicht? „Glück kann man kaufen", behauptet die Lottogesellschaft, „Glück kann man nicht kaufen", beweist die Realität. Untersuchungen zufolge sind viele Lottogewinner nach einigen Jahren wieder genauso arm wie vor ihrem Glückstreffer.

Oder nehmen wir die Geschichte von Marianne aus Hannover, die als 48-Jährige sechs Richtige im Lotto ankreuzte. Sofort erfüllte sie sich ihre Herzenswünsche: Sie kündigte ihren Job als Sekretärin, ließ Freunde und Verwandte am neuen Reichtum teilhaben*, kaufte sich eine Eigentumswohnung, reiste nach Afrika, in die Karibik, nach Marokko – und wurde doch nicht glücklich. „Ich langweile mich entsetzlich*", erklärte sie nach drei Jahren. „Deshalb würde ich gern wieder arbeiten." Als Glücksbringer scheint das Geld wenig Glück zu haben. „Wir kaufen uns Sachen, die wir nicht brauchen, um Leuten zu imponieren, die wir nicht leiden können", sagt der Psychologe Gerhard Susen.

Doch wenn es nicht am Geld liegt – wenn Geld allein weder glücklich noch unglücklich macht –, woher kommt dann die unerfüllte Suche nach dem Glück? Die Antwort ist sehr einfach: Häufig aus uns selbst! Viele Menschen verfolgen Strategien, mit denen sie sich selbst unglücklich machen. Sie haben alles: Geld, ein gesichertes Leben, beruflichen Erfolg – aber keine Zufriedenheit! Sie wollen noch erfolgreicher sein, sich noch weiter qualifizieren und glauben, je mehr sie sich anstrengen, desto glücklicher werden sie. Doch wer so denkt, hat sein Unglück fest gebucht, denn die Anstrengungen reichen natürlich niemals aus.

*jemanden teilhaben lassen am Reichtum = den Reichtum teilen/abgeben
*entsetzlich = schrecklich/sehr

A5 Beantworten Sie die Fragen in ganzen Sätzen.

1. Wonach sehnen sich die Menschen?

2. Warum gibt es so viele Bücher zum Thema *Glück*?

3. Macht Geld glücklich?

4. Was machte Marianne aus Hannover nach ihrem Lottogewinn?

5. Wie fühlt sich Marianne heute?

6. Woher kommt die unerfüllte Suche nach dem Glück?

A6 Welches Verb passt?

Ordnen Sie zu.

> kaufen ◆ führen ◆ sehnen ◆ suchen ◆ erfüllen ◆ verfolgen

1. Man kann sich nach einem angenehmen Leben ....
2. Man kann das Glück ....
3. Man kann hoffen, dass sich die Wünsche ....
4. Das Glück kann man nicht ....
5. Menschen können Strategien ....
6. Man kann ein erfolgreiches Leben ....

A7 Ihre Wünsche

Wenn es eine gute Fee gäbe, die Ihnen drei Wünsche erfüllen könnte, welche Wünsche hätten Sie?

Wunsch 1	....
Wunsch 2	....
Wunsch 3	....

A8 Angaben einer Informationsquelle

> ☐ *Untersuchungen* zufolge *sind viele Lottogewinner nach einigen Jahren wieder genauso arm wie vor ihrem Glückstreffer.*
> ☐ *Laut Untersuchungen sind viele Lottogewinner nach einigen Jahren wieder genauso arm wie vor ihrem Glückstreffer.*

Die Präpositionen *zufolge* und *laut* geben eine Informationsquelle an.
Zufolge ist in der Regel nachgestellt und fordert in nachgestellter Position den Dativ. *Laut* fordert den Genitiv. Manchmal wird *laut* ohne Artikel und Genitivendung verwendet (z. B. *laut Paragraf 4*).

Bilden Sie Sätze mit *zufolge* und *laut*.

◆ ein Pressebericht – Ölpreise steigen nächstes Jahr

Einem Pressebericht zufolge steigen die Ölpreise im nächsten Jahr.

Laut eines Presseberichtes steigen die Ölpreise im nächsten Jahr.

1. eine Studie – verbringen die Deutschen ihren Urlaub am liebsten im eigenen Land

....

....

2. wissenschaftliche Untersuchungen – können Mäuse singen

....

....

3. ein *Spiegel*-Bericht – wurde der ehemalige Spion vergiftet

....

....

A9 Tipps zum Glücklichsein

a) Sie arbeiten für eine Zeitschrift und sollen fünf Tipps zum Glücklichsein erarbeiten, die in der nächsten Ausgabe erscheinen. Erarbeiten Sie die Tipps in Gruppen.

1. ....
2. ....
3. ....
4. ....
5. ....

b) Schreiben Sie einen kurzen Text zu diesen Tipps. Begründen Sie darin Ihre Meinung und nennen Sie Beispiele.

A10 Glückssymbole

a) Kennen Sie diese Glückssymbole? Ordnen Sie zu.

Marienkäfer ◆ Hufeisen ◆ vierblättriges Kleeblatt ◆ Schornsteinfeger ◆ Schwein ◆ Fliegenpilz

b) Welche Beschreibung passt zu welchem Symbol? Ordnen Sie zu.

1. Es ist in der Natur nur sehr selten und man braucht Glück, um es zu finden. Die biblische Gestalt Eva nahm es als Erinnerung aus dem Paradies mit. Heute sagt man, dass jemand, der es hat, ein Stück vom Paradies besitzt. ....

2. Seine Bedeutung als Glücksbringer basiert auf der hohen Wertschätzung des Pferdes, das schon immer Kraft und Stärke verkörpert. ....

3. Bereits für die germanischen Völker war es ein heiliges Tier. Es ist ein Zeichen für Wohlstand und Reichtum, Fruchtbarkeit und Stärke. ....

4. Eigentlich ist er giftig und kann zu Krankheit oder Tod führen. Die genaue Herkunft dieses Symbols als Glücksbringer ist nicht bekannt. Eine mögliche Ursache könnte sein, dass durch die Einnahme in geringen Mengen eine Rauschwirkung entsteht. ....

5. Früher war es eine Katastrophe für den Haushalt, wenn der Kamin verstopft war, denn dann konnte das Essen nicht mehr zubereitet werden und es wurde kalt im Haus. In einer solchen Situation brachte er die Rettung. Er säuberte den Kamin und es war wieder möglich, zu kochen und zu heizen. So brachte er das „Glück" zurück. ....

6. Der Grund für seine Beliebtheit liegt darin, dass er im Gartenbau und in der Landwirtschaft sehr nützlich ist, weil er kleine Pflanzenschädlinge frisst. Deshalb gilt er als Glückssymbol. ....

c) Berichten Sie über Glückssymbole in Ihrem Heimatland.

Glücksgefühle

(A11) **Ein glücklicher Tag in Ihrem Leben**
Berichten Sie mündlich oder schriftlich über einen glücklichen Tag.

(A12) **Glück und Zufriedenheit** (2.12)

a) Sie hören jetzt ein Gespräch zum Thema: *Glück und Zufriedenheit.*
Hören Sie das Gespräch zweimal. Kreuzen Sie beim ersten oder beim zweiten Hören an, welche Aussagen im Gespräch enthalten sind *(richtig)* und welche nicht *(falsch)*.

		richtig	falsch
1.	Eine Arbeit zu haben, die man mag, ist eine wichtige Voraussetzung für ein glückliches Leben.	☐	☐
2.	Materieller Wohlstand spielt beim Glücklichsein genauso eine große Rolle wie die Beziehungen zu anderen Menschen.	☐	☐
3.	Menschen, die in einer demokratischen Gesellschaftsordnung leben, sind im Durchschnitt glücklicher als Menschen, die in einer autoritären Gesellschaftsordnung leben.	☐	☐
4.	In den letzten 50 Jahren sind die Menschen immer reicher und glücklicher geworden.	☐	☐
5.	Das Glücksgefühl ist unabhängig von Geschlecht und Alter.	☐	☐
6.	Zufälliges Glück und zufälliger Erfolg haben immer Depressionen zur Folge.	☐	☐

b) Ergänzen Sie die Nomen.

> Depressionen ♦ Freude ♦ Gefühl ♦ Bedingungen ♦ Vergleich ♦ Karriere ♦ Druck ♦ Nachteil ♦ Zufriedenheit ♦ Durchschnitt ♦ Umfragen ♦ Anteil ♦ Unterschiede ♦ Beziehungen

♦ Arbeit gibt den Menschen das *Gefühl*, dass sie etwas Nützliches tun.

1. Wichtig für das Glück sind auch die .... zu anderen Menschen.

2. Man kann sagen, dass im .... reiche Menschen glücklicher sind als arme.

3. In den USA gaben bei verschiedenen .... 40 Prozent der reichen Leute an, dass sie glücklich sind.

4. Der .... der Glücklichen hat sich aber in den letzten 50 Jahren nicht verändert.

5. Beim Glücklichsein gibt es keine großen .... zwischen Männern und Frauen.

6. Dass wir zwischen 25 und 45 weniger glücklich sind, liegt an den äußeren ...., die uns dann belasten: Kinder, Kredite, ...

7. In diesem Alter ist der ...., etwas zu erreichen, besonders groß.

8. Das Streben nach immer mehr Erfolg, der .... mit den anderen ist auch ein Teil des Drucks.

9. Wenn man Glück hat, ist das kein .... fürs Leben.

10. Filmstars, die Erfolg und Anerkennung haben, können trotzdem in .... versinken.

11. Das zufällige Glück führt nicht automatisch zu mehr ....

12. Glück ist für mich die .... am eigenen Leben.

c) Ergänzen Sie die Verben in der richtigen Form.

> mögen ◆ geben ◆ arbeiten ◆ empfinden ◆ ausüben ◆ veröffentlichen

1. Frau Mitschke .... als Psychologin und hat schon einige Bücher zum Thema *Glück* ....

2. Sie .... Menschen Tipps für die Suche nach dem Glück.

3. Die meisten Menschen, die einen Beruf gerne ...., sind glücklich.

4. Viele Behinderte .... in ihrem Leben genauso Freude und Glück wie nicht behinderte Menschen.

5. .... Sie das, was Sie tun – das ist die wichtigste Voraussetzung für ein glückliches Leben.

A13 Beschreiben Sie die folgende Grafik.

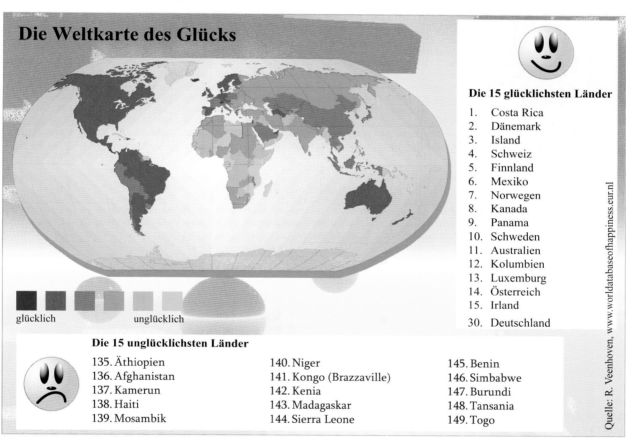

Die Weltkarte des Glücks

glücklich — unglücklich

Die 15 glücklichsten Länder

1. Costa Rica
2. Dänemark
3. Island
4. Schweiz
5. Finnland
6. Mexiko
7. Norwegen
8. Kanada
9. Panama
10. Schweden
11. Australien
12. Kolumbien
13. Luxemburg
14. Österreich
15. Irland
30. Deutschland

Die 15 unglücklichsten Länder

135. Äthiopien
136. Afghanistan
137. Kamerun
138. Haiti
139. Mosambik
140. Niger
141. Kongo (Brazzaville)
142. Kenia
143. Madagaskar
144. Sierra Leone
145. Benin
146. Simbabwe
147. Burundi
148. Tansania
149. Togo

Quelle: R. Veenhoven, www.worlddatabaseofhappiness.eur.nl

In welchen Ländern sind die Menschen glücklich, in welchen unglücklich?
Welche Ursachen könnte das haben? Vermuten Sie.

Vermutungen:

□ Vielleicht/Wahrscheinlich …

□ Ich vermute, dass …

□ Ich glaube, dass …

□ Es könnte sein, dass …

□ Die ökonomische Lage ist gut/schlecht.
□ Die Menschen sind reich/arm.
□ Das Klima ist gut/schlecht.
□ Die soziale Versorgung ist gut/schlecht.
□ Die politische Lage ist stabil/nicht stabil.
□ Reichtum ist nicht wichtig.
□ Man hat eine positive Einstellung zum Leben …

Vermutungen ⇨ Teil C Seite 206

Horoskope

Horoskope und Eigenschaften

A14 Berichten Sie.

Lesen Sie Horoskope? Wenn ja, wie oft? Glauben Sie an Horoskope? Wenn nein, warum nicht?

□ Horoskope …
sind die Erfindungen von Zeitschriftenredakteuren ◆ sind totaler Quatsch ◆ sind unzuverlässig ◆ erfüllen sich nie … ◆ sind amüsant ◆ sind unterhaltsam ◆ sind zuverlässig ◆ erfüllen sich oft ◆ haben eine alte Tradition …

A15 Ihr Glücks-Horoskop

Was sagen Ihnen die Sterne für den nächsten Monat?

Ihr Glücks-Horoskop für den nächsten Monat

Widder (21.3.–20.4.)
Widder sind mutige und risikofreudige Menschen. Deshalb gehören Aufgaben, die Sie herausfordern, zu Ihren Lieblingsbeschäftigungen. Sie sind dynamisch, aber wenn das Abenteuer vorbei ist, verlieren Sie schnell das Interesse an einer Sache. Im Moment stehen die Sterne für Sie günstig! Das Glück kommt von alleine: Eine neue Herausforderung, neue Menschen – Ihr Leben verändert sich im nächsten Monat.

Stier (21.4.–21.5.)
Stiere sind nicht nur charmante, sondern auch friedliche Menschen. Der Stier ist aber auch ein Erdzeichen: Auf einen Stier kann man sich verlassen, in der Liebe, im Beruf und im Freundeskreis. Gerät die wirtschaftliche Stabilität in Gefahr, wird der ruhige Stier sehr schnell nervös. Zurzeit müssen Sie doppelt so viel arbeiten wie andere, aber Sie schaffen das. Venus verleiht Ihnen Kräfte, Sie entwickeln viele Ideen. Im nächsten Monat ernten Sie den Erfolg für Ihren Fleiß.

Zwillinge (22.5.–21.6.)
Zwillinge sind flexibel und schnell. Sie besitzen viele Talente: Sie sind praktisch und intelligent. Sie können schnell Vor- und Nachteile erkennen und clevere Argumente finden. Vertreter dieses Zeichens sind in der Lage, mehrere Dinge gleichzeitig zu tun. Aber Achtung! Im nächsten Monat droht Gefahr! Einige Kollegen sind neidisch auf Sie. Sie sollten sich nächsten Monat etwas zurückhalten, in Ihrem eigenen Interesse.

Krebs (22.6.–22.7.)
Vorsicht und Zurückhaltung können als typische Krebseigenschaften bezeichnet werden. Ein typischer Krebs verlässt sich in der Regel auf sein Gefühl und hat damit meistens recht. Krebse sind auch treue Partner bzw. Freunde. Selbst am Arbeitsplatz möchte der Krebs eine familiäre Atmosphäre. Zurzeit warten Sie auf etwas: eine neue Aufgabe, einen neuen Job, eine neue Liebe? Warten Sie nicht zu lange! Im nächsten Monat stehen Ihre Sterne günstig.

Löwe (23.7.–23.8.)
Die Sonne ist der „Stern" der Löwen. Deshalb steht Ihr Sternzeichen für Vitalität und Dynamik. Alle Löwen werden mit Führungsqualitäten geboren, aber auch mit Güte und Großzügigkeit. Sie sind bereit, Verantwortung für sich und für andere zu übernehmen. Ihr Terminkalender ist immer voll. Sie arbeiten viel und konzentriert. Vielleicht arbeiten Sie im Moment etwas zu viel. Sie sollten aufpassen, dass Sie im nächsten Monat eine große Chance nicht übersehen!

Jungfrau (24.8.–23.9.)
Die Jungfrau verfügt über sehr gute intellektuelle Fähigkeiten, die auf Vernunft und Analyse basieren. Sie sind ordentlich und systematisch. Präzision und Zuverlässigkeit sind für Sie genauso wichtig wie Allgemeinbildung und detailliertes Fachwissen. Jeder Chef kann glücklich sein, Sie im Team zu haben. Zeigen Sie im nächsten Monat mehr Mut zum Risiko. Sie werden sehen, dass Sie auch damit erfolgreich sind.

Waage (24.9.–23.10.)
Spontane Entscheidungen sind in diesem Zeichen eher selten. Bevor eine Waage eine Entscheidung trifft, muss sie sich alle Seiten gründlich ansehen. Dieses Zeichen arbeitet gern und effektiv im Team und kann als sehr kontaktfreudig beschrieben werden. Dass Sie sich nicht so schnell entscheiden, kann im nächsten Monat ein großer Vorteil für Sie sein. Sie vermeiden damit Streit und Ihre diplomatischen Fähigkeiten werden von anderen gelobt.

Skorpion (24.10.–22.11.)
Der Skorpion ist mutig und kämpft für sich selbst und für andere. Weil Sie als Kämpfer nicht aufgeben, besteht manchmal die Gefahr, dass Sie sich überarbeiten. Sie sind im Moment an einem Punkt, an dem Sie nicht mehr weiterkommen. Sammeln Sie Ihre Kräfte und denken Sie gut darüber nach, was wirklich wichtig ist. Im nächsten Monat haben Sie eine sehr gute Möglichkeit, sich neu zu orientieren. Nutzen Sie Ihre Chance.

Schütze (23.11.–21.12.)
Schützen interessieren sich für Themen wie Religion, Philosophie, Psychologie usw. Soziales Engagement und ein starkes Gerechtigkeitsgefühl sind auch typisch für dieses Zeichen. Sie sind ein offener Mensch und sagen die Wahrheit. Im Moment fühlen Sie sich gestresst, Sie haben im Büro vielleicht einen Streit mit einigen Kollegen. Aber keine Panik! Wenn Sie die Ruhe bewahren, finden Sie eine gute Lösung und können den Streit beenden.

Steinbock (22.12.–20.1.)
Die Stärken des Steinbocks sind Eigenschaften wie Konzentration, Geduld, Ausdauer, Realitätsbewusstsein und Gründlichkeit. Die berufliche Karriere ist das zentrale Thema in Ihrem Leben. Vom Tellerwäscher bis zum Millionär – der Steinbock kann es schaffen. Zurzeit ist Ihr Leben ein bisschen langweilig. Tun Sie etwas! Der ideale Zeitpunkt für neue Perspektiven ist gekommen. Merkur wird Ihnen im nächsten Monat bei Ihren Aktivitäten helfen.

Wassermann (21.1.–19.2.)
Uranus, der Planet der Erfinder und Reformer, steht für das Zeichen Wassermann. Kein Wunder, dass Wassermänner für modernes Denken bekannt sind. Sie sind auch tolerante und verständnisvolle Diskussionspartner. Beruflich haben Wassermänner oft idealistische Vorstellungen. Sie könnten Erfinder und Programmierer sein, aber auch einen sozialen Beruf ausüben. In den nächsten Wochen sollten Sie sich aber an der Realität orientieren, das bringt Sie weiter.

Fische (20.2.–20.3.)
Fische sind hilfsbereite Menschen. Sie sind sowohl bescheiden als auch kreativ. Im Beruf hört der typische Fisch auf sein Gefühl und ist damit ebenso erfolgreich wie die „harte" Konkurrenz. Fische sind nicht besonders ehrgeizig. Die Kombination zwischen Hilfsbereitschaft und Kreativität macht sie zu beliebten Kollegen. Im nächsten Monat haben Sie die Möglichkeit, beruflich in die erste Reihe zu rücken. Nutzen Sie sie.

 Textarbeit

a) Lesen Sie jetzt alle Horoskope und suchen Sie für die Sternzeichen je zwei typische Eigenschaften.

> ausdauernd ◆ bescheiden ◆ charmant ◆ diplomatisch ◆ dynamisch ◆ ehrgeizig ◆ ehrlich ◆ erfinderisch ◆ flexibel ◆ friedlich ◆ geduldig ◆ gefühlsbetont ◆ gerecht ◆ großzügig ◆ gründlich ◆ gutmütig ◆ hilfsbereit ◆ idealistisch ◆ intelligent ◆ kämpferisch ◆ kontaktfreudig ◆ kreativ ◆ mutig ◆ offen ◆ ordentlich ◆ praktisch ◆ realitätsbewusst ◆ risikofreudig ◆ ruhig ◆ systematisch ◆ tolerant ◆ treu ◆ verantwortungsvoll ◆ vernünftig ◆ verständnisvoll ◆ vorsichtig ◆ zurückhaltend ◆ zuverlässig

Widder sind:
mutig und risikofreudig

Stiere sind:
....

Zwillinge sind:
....

Krebse sind:
....

Löwen sind:
....

Jungfrauen sind:
....

Waagen sind:
....

Skorpione sind:
....

Schützen sind:
....

Steinböcke sind:
....

Wassermänner sind:
....

Fische sind:
....

b) Berichten Sie.

▫ Entspricht die Beschreibung in Ihrem Sternzeichen Ihrer Selbsteinschätzung?
▫ Welche Eigenschaften würden Sie sich selbst zuordnen?

c) Wie heißen die Nomen? Ergänzen Sie.

ordentlich	*die Ordnung*	charmant	....	gründlich	....
zurückhaltend	....	ehrgeizig	....	ehrlich	....
erfinderisch	....	kämpferisch	....	großzügig	....
vorsichtig	*die Vorsicht*	risikofreudig	*das Risiko*	gutmütig	....
vernünftig	....	verständnisvoll	....	systematisch	*das System*
ausdauernd	*die Ausdauer*	gefühlsbetont	....	idealistisch	....
geduldig	....	flexibel	*die Flexibilität*	realitätsbewusst	*die Realität*
ruhig	*die Ruhe*	kreativ	....	verantwortungsvoll	....
treu	....	vital	....		....
offen	*die Offenheit*	zuverlässig	*die Zuverlässigkeit*	hilfsbereit	....
bescheiden	....			intelligent	*die Intelligenz*
mutig	*der Mut*	gerecht	....	tolerant	

Stress

A17 Textarbeit

Schreiben Sie für Ihre Nachbarin/Ihren Nachbarn ein Horoskop für die nächste Woche.

- Sie als *(Fische-Frau)* sind …
  Zu Ihren Stärken gehören …

- Die Sterne stehen günstig.
  (Jupiter) wird Ihnen helfen.
  Das Glück kommt von ganz alleine.

- Sie sollten …
  Achten Sie auf …

- Bewahren Sie die Ruhe!
  Nutzen Sie Ihre Chancen!
  Orientieren Sie sich neu!
  Vermeiden Sie Streit!
  Haben Sie Mut zum Risiko!
  Warten Sie nicht zu lange!
  Sammeln Sie Ihre Kräfte!
  Denken Sie gut nach!

A18 Aufzählungen

Aufzählungen	⇨ Teil C Seite 207

Stiere sind nicht nur charmante, sondern auch friedfertige Menschen.
→ *Stiere haben beide Eigenschaften: positive Aufzählung*

Fische sind sowohl bescheiden als auch kreativ.
→ *Fische haben beide Eigenschaften: positive Aufzählung*

Geld allein macht weder glücklich noch unglücklich.
→ *Geld macht beides nicht: negative Aufzählung*

Finden Sie die passenden Antonyme. Formulieren Sie positive und negative Aufzählungen.

> geizig ♦ chaotisch ♦ feige ♦ aggressiv ♦ risikofreudig ♦ arrogant ♦ friedfertig ♦ unehrlich ♦ oberflächlich ♦ streitsüchtig ♦ langsam ♦ rational

♦ der Widder	mutig	+	risikofreudig	*feige*	+	vorsichtig
1. der Stier	friedlich	+	ruhig	....	+	nervös
2. der Zwilling	flexibel	+	schnell	unflexibel	+	....
3. der Krebs	treu	+	gefühlsbetont	untreu	+	....
4. der Löwe	großzügig	+	dynamisch	....	+	ruhig
5. die Jungfrau	vernünftig	+	ordentlich	unvernünftig	+	....
6. die Waage	vorsichtig	+	kontaktfreudig	....	+	scheu
7. der Skorpion	kämpferisch	+	mutig	....	+	feige
8. der Schütze	ehrlich	+	offen	....	+	zurückhaltend
9. der Steinbock	gründlich	+	realitätsbewusst	....	+	idealistisch
10. der Wassermann	tolerant	+	verständnisvoll	intolerant	+	....
11. der Fisch	bescheiden	+	hilfsbereit	....	+	egoistisch

- *Menschen mit dem Sternzeichen Widder sind <u>sowohl</u> mutig <u>als auch</u> risikofreudig. Sie sind <u>weder</u> feige <u>noch</u> vorsichtig.*

A19 Antworten Sie.

Welche Eigenschaften wünschen Sie sich:

- bei Ihrer Partnerin/Ihrem Partner?
- bei Ihrer Chefin/Ihrem Chef?
- bei Ihren Kollegen?

Stress, Ärger und Freude

A20 Umfrage: Was erzeugt bei diesen Menschen Stress? 2.13
Passt der Satz zu Sprecher 1, Sprecher 2 oder Sprecher 3? Hören Sie die Situationen.

		Sprecher
1.	Sie/Er ist angespannt, wenn sie/er eine Fremdsprache sprechen muss.	....
2.	Sie/Er traut sich nicht, dem Chef Nein zu sagen.	....
3.	Letzte Woche war sie/er zu einer Party mit ausländischen Freunden eingeladen.	....
4.	Sie/Er kann mit dem Stress überhaupt nicht umgehen.	....
5.	Sie/Ihn stresst einfach alles.	....
6.	Wegen der Arbeit hat sie/er nicht genug Zeit für die Familie.	....

A21 Stress

a) Berichten Sie. Welche Situation empfinden Sie als stressig? Welche Situation erzeugt keinen Stress bei Ihnen?

- □ am Arbeitsplatz
- □ auf der Straße, im Straßenverkehr
- □ im Deutschkurs
- □ im täglichen Leben
  (z. B. beim Einkaufen, vor dem Bankautomaten)

b) Wählen Sie eine Situation aus und erstellen Sie eine Liste in Kleingruppen.

Ich bin gestresst, wenn …
Ich mag es nicht, wenn …
Es ist mir unangenehm, wenn …
Ich fühle mich unter Druck gesetzt, wenn …

A22 Wortschatz rund um den Stress
Schreiben Sie das Gegenteil.

Mit dem Stress umgehen können	Mit dem Stress nicht umgehen können
Ich kann mit dem Stress gut umgehen.	Ich kann mit dem Stress (gar/überhaupt) nicht umgehen.
Ich kann stressige Situationen gut bewältigen.	....
....	Ich leide oft unter Stress.
Bei mir erzeugt fast nichts Stress.	....
Ich bin nie gestresst.	
....	Ich kann den Stress nicht immer abbauen.
Die meisten Probleme verursachen keinen Stress.	....
....	Ich kann mich schwer entspannen.
Nur wenige Sachen lösen bei mir Stress aus.	....
Ich lasse mich nicht von anderen Menschen unter Druck setzen.	....

Stress

A23 Ursachen von Stress

a) Lesen Sie den folgenden kurzen Text über die möglichen Ursachen von Stress.

Das Gefühl, gestresst zu sein, entsteht immer dann, wenn wir den Eindruck haben, eine Situation nicht kontrollieren zu können. Typische Denkgewohnheiten von Menschen, die sich inneren Stress erzeugen:

1. Sie haben Angst vor Ablehnung. Deshalb sagen sie nicht, was sie möchten.
2. Sie äußern ihre Meinung nicht und sie wehren sich nicht, weil sie Konflikte vermeiden möchten.
3. Sie haben Angst, anderen Menschen weh zu tun. Als Folge davon sagen sie nie Nein, sondern sie tun, was andere von ihnen erwarten.
4. Sie wollen alles einwandfrei (perfekt) machen und überfordern sich.
5. Sie haben Angst vor Fehlern. Als Folge davon trauen sie sich nicht an neue Aufgaben.

b) Gibt es Ihrer Meinung nach andere Faktoren, die Stress erzeugen können? Wenn ja, welche?

c) Suchen Sie einen Satz oder einen Ausdruck mit ähnlicher Bedeutung aus dem Text.

♦	Sie möchten nicht abgelehnt werden.	=	*Sie haben Angst vor Ablehnung.*
1.	Sie wollen keine Konflikte haben.	=	....
2.	Sie sagen nicht, was sie meinen.	=	....
3.	Sie tun mehr, als gesund ist.	=	....
4.	Sie möchten andere Menschen nicht verletzen.	=	....
5.	Sie wollen die Wünsche anderer Menschen erfüllen.	=	....

A24 Stress und seine Folgen

a) Ergänzen Sie in dem folgenden Zeitungsartikel die fehlenden Nomen.

> Rolle ♦ Arbeitsplatz ♦ Männer ♦ Kosten ♦ Folgen ♦ Stress ♦ Lösungen ♦ Untersuchungen

Stress und seine Folgen

Eigentlich versteht man unter *Stress* die Auswirkungen von stressauslösenden Faktoren auf den Menschen. Das können äußere Faktoren (Kälte, Hitze, Lärm oder Zigarettenrauch) oder innere Faktoren (bestimmte Erwartungshaltungen oder Befürchtungen) sein. Stress ist die Anpassung des Körpers an diese Faktoren. .... haben ergeben, dass Stress individuell ist und dass Frauen intensiver und länger auf Stresssituationen reagieren. Sie gelten als stressempfindlicher als .... In jüngster Zeit spielen psychosoziale Stressfaktoren eine immer größere .... Dazu gehören Konflikte am ...., Angst vor dem Versagen, soziale Isolation oder Reizüberflutung. In vielen Betrieben werden inzwischen professionelle .... zur Vermeidung von Stress gesucht. Hierzu gehören unter anderem realistische Projektplanungen. Auch die Krankenkassen unterstützen lösungsorientierte Initiativen zur Bekämpfung von Stress, da ihnen durch Stress ausgelöste psychische Erkrankungen hohe .... bereiten. In Deutschland sterben laut Statistischem Bundesamt jährlich mehr als 200 000 Menschen an den .... von Stress (z. B. durch Herzinfarkt).

b) Textzusammenfassung

Schreiben Sie in Gruppen oder einzeln aus den vorgegebenen Wörtern einen Text im Präsens.
Ordnen Sie den Sätzen die passenden Verben zu.

---

in Deutschland ◆ jährlich mehr als 200 000 Menschen ◆ an den Folgen von Stress ◆ Stress ◆ die Reaktion des Körpers ◆ auf bestimmte Faktoren ◆ das ◆ äußere Faktoren wie Lärm ◆ oder ◆ innere Faktoren wie bestimmte Ängste ◆ dabei ◆ psychosoziale Stressfaktoren ◆ immer mehr ◆ viele Menschen ◆ Angst vor Einsamkeit oder vor dem Versagen ◆ einige Betriebe ◆ den Stress für die Mitarbeiter ◆ ein guter Weg ◆ zur Vermeidung von Stress ◆ z. B. realistische Projektplanungen

---

sein (2 x) ◆ sterben ◆ haben ◆ sein können ◆ verringern wollen ◆ zunehmen

---

(A25) Sinnvolle Strategien der Stressbewältigung

a) Formulieren Sie Vorschläge. Benutzen Sie dabei folgende Ausdrücke:

- ◻ Sie könnten/sollten …
- ◻ Ich schlage Ihnen vor, dass …
- ◻ Ich würde Ihnen vorschlagen, … zu …

1. die Faktoren, die die Stressreaktion auslösen, vermindern: z. B. einen anderen Bürostuhl kaufen, den lärmenden Kopierer aus dem Büro entfernen

   ....

2. lieber einen Konflikt oder eine Ablehnung riskieren, als sich selbst unter Druck zu setzen

   ....

3. die Anspannung durch körperliche Bewegung abbauen: Sport treiben oder einen Spaziergang machen

   ....

4. sich beruhigen: eine Atem- oder Entspannungsübung machen

   ....

5. sich durch Lachen entspannen: Comichefte lesen oder mit netten Menschen sprechen

   ....

b) Welche Strategien würden Sie zur Stressbewältigung empfehlen? Was tun Sie zum Stressabbau? Diskutieren Sie in Kleingruppen und notieren Sie Vorschläge.

   ....

   ....

(A26) Wie reagieren Sie in den folgenden Situationen? Was sagen Sie?

Diskutieren Sie in Kleingruppen.

1. Ihr Chef hat Sie gebeten, heute länger zu arbeiten. Das passiert diese Woche schon zum zweiten Mal.
2. Sie stehen in der Schlange vor einem Geldautomaten. Ein junger Mann kommt und stellt sich vor Sie.
3. Sie haben einen Termin bei einem wichtigen Kunden. Sie wissen, dass Sie es nicht schaffen, pünktlich bei ihm zu sein.
4. Sie haben unabsichtlich eine Freundin beleidigt. Sie will nicht mehr mit Ihnen sprechen.
5. Morgen haben Sie eine Prüfung. Ein Freund fragt Sie, ob Sie mit ihm etwas trinken gehen.
6. Auf einer Party diskutieren Sie mit einer kleinen Gruppe von Menschen. Eine Person unterbricht Sie ständig.

Stress

 Dialog

Spielen Sie eine Situation aus A26 nach.

- □ Entschuldigen Sie, aber …
- □ Es tut mir sehr/schrecklich/furchtbar leid, aber …
- □ Ich wollte Sie nicht … *(beleidigen)*./Ich meinte es nicht so.
- □ Darf ich bitte mal ausreden?
- □ Natürlich, ich verstehe es./Kein Problem.
- □ Danke für dein/Ihr Verständnis.

(A28) Positiver Stress

Stress kann auch positive Auswirkungen haben: Er kann unsere Leistungen verbessern und uns helfen, Probleme zu lösen. Haben Sie „positiven Stress" schon einmal erlebt?

Berichten Sie darüber.

- □ Es passierte vor … Jahren/Wochen/Monaten/Tagen.
- □ Damals habe ich *(an einem wichtigen Projekt gearbeitet)*/bin ich … *(bei …).*
- □ *(Mein Chef)* hat zu mir gesagt …/hat mich gebeten …
- □ Ich musste/sollte/wollte … *(ein Projekt fertigstellen).*
- □ Ich hatte … *(nur zwei Wochen, um das Projekt zu beenden).*
- □ Ich war …

 Sich ärgern, sich freuen

Worüber ärgern Sie sich? Worüber freuen Sie sich? Was ist Ihnen gleichgültig? Erstellen Sie eine Liste und berichten Sie. Benutzen Sie unterschiedliche Redemittel.

> Staus und Verkehrschaos ♦ schlechtes Wetter ♦ unfreundliche Kollegen oder Nachbarn ♦ neugierige Kollegen oder Nachbarn ♦ Karrieristen ♦ politische Entscheidungen ♦ Dreck und Hundehaufen auf der Straße ♦ rücksichtslose Autofahrer ♦ Leute, die sich vordrängeln ♦ laute Touristen ♦ geschlossene Kassen in Supermärkten ♦ Ware mit schlechter Qualität ♦ Preise ♦ nicht funktionierende Geräte ♦ das Fernsehprogramm ♦ die Leistungen Ihrer Fußball-Nationalmannschaft ♦ fließender Verkehr ♦ pünktliche Verkehrsmittel ♦ schönes Wetter ♦ nette Mitmenschen ♦ hilfsbereite Kollegen/Mitstudenten ♦ saubere Straßen ♦ eigene Erfolge ♦ nette Überraschungen ♦ Lösung eines Konflikts ♦ Beendigung eines Projekts ♦ pünktliche Lieferung ♦ …

Das ärgert mich. – Das nervt mich. – Das stört mich. – Das finde ich schlimm. – Das macht mich fertig. – Das regt mich auf. – Das bringt mich auf die Palme. – Das geht mir auf die Nerven.

Das freut mich. – Das finde ich toll. – Das macht mich froh. – Davor habe ich Respekt.

Das ist mir gleichgültig. – Das ist mir egal. – Das interessiert mich überhaupt nicht.

(A30) Bedingungen, Gründe und Folgen

Gründe und Folgen ⇨ Teil C Seite 208

Wann sind Sie gestresst?
→ Frage nach einer Bedingung

Angabe einer (allgemeinen) Bedingung:
Ich bin gestresst, wenn ich im Stau <u>stehe</u>.

→ *Wenn* leitet einen Nebensatz ein, das finite Verb steht an letzter Stelle.

Warum bist du jetzt so gestresst?
→ Frage nach einem (konkreten) Grund

Angabe eines (konkreten) Grundes:
Ich bin gestresst, weil ich im Stau <u>stehe</u>.

→ *Weil* leitet einen Nebensatz ein, das finite Verb steht an letzter Stelle.

Ich bin gestresst, denn ich <u>stehe</u> im Stau.

→ Nach *denn* folgt ein Hauptsatz, das finite Verb steht an zweiter Stelle nach *denn*.

Ich bin wegen <u>dieses Staus</u> so gestresst.

→ *Wegen* leitet keinen Satz ein. Es ist eine Präposition mit dem Genitiv und steht direkt vor einem Nomen bzw. einer Nomengruppe. *Wegen* wird hauptsächlich in der Schriftsprache verwendet.

Angabe einer (konkreten) Folge:

Ich stehe im Stau, deshalb/darum <u>bin</u> ich gestresst.
Ich stehe im Stau, ich <u>bin</u> deshalb/darum gestresst.

→ Nach *deshalb/darum* folgt ein Hauptsatz. *Deshalb* und *darum* sind Adverbien, sie können vor oder hinter dem finiten Verb stehen.

Warum bist du so gestresst?
Antworten Sie. Bilden Sie Sätze wie im Beispiel.

♦ Ärger mit den Kollegen

a) *Ich bin <u>wegen des Ärgers mit den Kollegen</u> so gestresst.*

b) *Ich bin gestresst, <u>weil ich mit den Kollegen Ärger habe/weil ich mich über meine Kollegen ärgere.</u>*

1. der unzuverlässige Briefträger

a) ....

b) ....

2. der Lärm im Nachbarhaus

a) ....

b) ....

3. die Schlange am Fahrkartenschalter

a) ....

b) ....

4. das tägliche Verkehrschaos

a) ....

b) ....

5. der frühe Abgabetermin für die Arbeit

a) ....

b) ....

6. der Fehler im Computerprogramm

a) ....

b) ....

Wissenswertes (fakultativ)

B1 Böse Nachbarn

Lesen Sie den folgenden Text von Heinrich Hannover.

Herr Böse und Herr Streit

Es war einmal ein großer Apfelbaum. Der stand genau auf der Grenze zwischen zwei Gärten. Der eine Garten gehörte Herrn Böse und der andere Herrn Streit.

Als im Oktober die Äpfel reif wurden, holte Herr Böse mitten in der Nacht seine Leiter aus dem Keller und stieg heimlich und leise auf den Baum und pflückte alle Äpfel ab. Als Herr Streit am nächsten Tag ernten wollte, war kein einziger Apfel mehr auf dem Baum. „Warte!", sagte Herr Streit. „Dir werd ich's heimzahlen."

Und im nächsten Jahr pflückte Herr Streit die Äpfel schon im September, obwohl sie noch gar nicht reif waren. „Warte!", sagte Herr Böse. „Dir werd ich's heimzahlen."

Und im nächsten Jahr pflückte Herr Böse die Äpfel schon im August, obwohl sie noch grün waren. „Warte!", sagte Herr Streit. „Dir werd ich's heimzahlen."

Und im nächsten Jahr pflückte Herr Streit die Äpfel schon im Juli, obwohl sie noch ganz grün und hart und so klein waren. „Warte!", sagte Herr Böse. „Dir werd ich's heimzahlen."

Und im nächsten Jahr pflückte er die Äpfel schon im Juni, obwohl sie noch so klein wie Rosinen waren. „Warte!", sagte Herr Streit. „Dir werd ich's heimzahlen."

Und im nächsten Jahr schlug Herr Streit im Mai alle Blüten ab, so dass der Baum überhaupt keine Früchte mehr trug. „Warte!", sagte Herr Böse. „Dir werd ich's heimzahlen."

Und im nächsten Jahr im April schlug Herr Böse den Baum mit einer Axt um. „So", sagte Herr Böse, „jetzt hat Herr Streit seine Strafe."

Von da ab trafen sie sich häufiger im Laden beim Äpfelkauf.

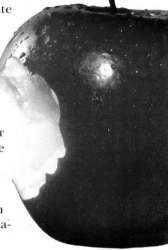

B2 Was bedeutet *jemandem etwas heimzahlen*?

☐ jemand rächt sich (Rache)   ☐ jemand freut sich (Freude)   ☐ jemand ist traurig (Trauer)

B3 Könnte die Geschichte auch in Ihrem Heimatland spielen?

Begründen Sie Ihre Meinung.

B4 Ärger mit den Nachbarn

a) Was ärgert Sie am meisten, was stört Sie gar nicht?

- ☐ laute Musik/Partys
- ☐ Handwerkerlärm
- ☐ neugierige Nachbarn
- ☐ Unsauberkeit
- ☐ Gerüche (z. B. beim Kochen)

- ☐ Kinderlärm
- ☐ unfreundliche Nachbarn
- ☐ falsch geparkte Autos
- ☐ rassistische/politische Äußerungen
- ☐ Haustiere

b) Ist gute Nachbarschaft für Sie persönlich wichtig?

c) Aus welchen Gründen gibt es in Ihrem Heimatland oft Ärger mit den Nachbarn?

B5 Lesen und hören Sie den Text. 2.14

Der Feind hinterm Gartenzaun

Der Feind wohnt hinter dem Gartenzaun: Streit zwischen Nachbarn gab es schon immer, doch seit einiger Zeit nimmt er immer absurdere Formen an. So erschoss ein Lehrer aus Unna mit einem Luftgewehr den Papagei seines Nachbarn – angeblich hatte der Vogel ihn beleidigt. Ein anderer Mann versuchte, die vier Hunde seiner Nachbarin zu überfahren, und in Chemnitz schlug ein 95-Jähriger seine 77 Jahre alte Nachbarin krankenhausreif. Sie stritten sich um ein paar Äpfel.

Nachbarschaftskonflikte vergiften das Klima zwischen Menschen, die Haus an Haus oder Tür an Tür leben. Oft streiten sich Nachbarn über Jahre und sind nicht in der Lage, den Konflikt beizulegen.

„Die Deutschen haben es verlernt, Konflikte zu lösen", sagt der Sozialpsychologe Volker Linneweber von der Universität Marburg. „Unser Leben ist insgesamt sozial ärmer geworden. Die Nachbarschaftshilfe hat an Bedeutung verloren." Die Familien sehen miteinander nur noch fern, gemeinsame Freizeitaktivitäten gibt es nicht mehr. Der Nachbar wird als Bedrohung der eigenen Privatsphäre empfunden. Bei einer Umfrage fand der Psychologe heraus, dass nur 20 Prozent nichts an ihren Nachbarn auszusetzen haben. Im Gegensatz zu südeuropäischen Ländern, wo der Streit lautstark ausgetragen wird und man sich danach wieder versöhnt, werden in Deutschland oft langwierige und komplizierte Prozesse vor Gericht geführt. Dabei gibt es in der Regel keinen Gewinner. Besonders schwierig scheint im Streitfall eine Einigung mit Menschen zu sein, die viel zu Hause sind. Für sie wird der Streit am Gartenzaun oft zum Lebensinhalt.

B6 Was ist richtig, was ist falsch?
Kreuzen Sie an.

	richtig	falsch
1. Streit zwischen Nachbarn ist ein Phänomen der heutigen Zeit.	☐	☐
2. Der Papagei hat nette Sachen über den Lehrer gesagt.	☐	☐
3. Von Nachbarschaftskonflikt spricht man, wenn Menschen sich vergiften.	☐	☐
4. Viele Nachbarn streiten sich jahrelang.	☐	☐
5. Schuld an vielen Konflikten ist das veränderte soziale Verhalten.	☐	☐
6. Hilfsbereitschaft unter Nachbarn spielt in Deutschland eine große Rolle.	☐	☐
7. In südeuropäischen Ländern kann man Nachbarschaftskonflikte besser lösen.	☐	☐

Adjektive

B7 Welcher Satz hat synonyme Bedeutung?

Kreuzen Sie an.

1. <u>Angeblich</u> hatte der Vogel ihn beleidigt.
   a) ☐ Der Vogel hat ihn beleidigt, das ist sicher.
   b) ☐ Er behauptet, dass ihn der Vogel beleidigt hat.

2. Nachbarschaftskonflikte <u>vergiften</u> das Klima zwischen Menschen.
   a) ☐ Nachbarschaftskonflikte verbessern das Klima zwischen Menschen.
   b) ☐ Nachbarschaftskonflikte verschlechtern das Klima zwischen Menschen.

3. Die Deutschen haben es <u>verlernt</u>, Konflikte zu lösen.
   a) ☐ Die Deutschen konnten früher ihre Konflikte besser lösen als heute.
   b) ☐ Die Deutschen konnten noch nie Konflikte lösen.

4. Man <u>versöhnt</u> sich nach dem Streit wieder.
   a) ☐ Der Streit ist vergessen und man geht wieder normal miteinander um.
   b) ☐ Die Streitgegner heiraten.

B8 Wie heißt das Gegenteil?

Ordnen Sie zu.

> auslösen ♦ Bereicherung ♦ sich versöhnen ♦ ist gut ♦ jemandem nicht verzeihen ♦ der Konflikt ♦
> jemanden kritisieren ♦ jemandem ein Kompliment machen

1. <u>jemanden beleidigen</u> ....
2. <u>sich streiten</u> ....
3. das Klima zwischen Menschen <u>ist vergiftet</u> ....
4. einen Konflikt <u>beilegen/lösen</u> ....
5. jemand/etwas wird als <u>Bedrohung</u> empfunden ....
6. <u>an jemandem nichts auszusetzen haben</u> ....
7. <u>sich mit jemandem versöhnen</u> ....
8. <u>die Einigung</u> ....

B9 Ergänzen Sie die richtigen Präpositionen.

> an (2 x) ♦ über ♦ zwischen ♦ vor ♦ in ♦ um ♦ im

1. Streit .... Nachbarn gab es schon immer.
2. Sie stritten sich .... ein paar Äpfel.
3. Die Nachbarn leben Tür .... Tür.
4. Oft streiten sich Nachbarn .... Jahre.
5. Die Nachbarschaftshilfe hat .... Bedeutung verloren.
6. .... Gegensatz zu südeuropäischen Ländern werden .... Deutschland oft langwierige und komplizierte Prozesse .... Gericht geführt.

B10 Nachbarschaftskonflikte lösen

Wie lassen sich Nachbarschaftskonflikte lösen? Wie muss man sich verhalten, wenn man mit seinen Nachbarn gut auskommen will?
Machen Sie Vorschläge.

Adjektive: Rektion

Adjektive mit Präpositionen

<u>Ich</u> bin <u>auf den Erfolg meines Kollegen</u> neidisch.

<u>Er</u> ist <u>auf ihren Exfreund</u> eifersüchtig.

<u>Ich</u> bin <u>über deinen Besuch</u> sehr froh.

neidisch sein	*+ auf*	*+ Akkusativ*
eifersüchtig sein	*+ auf*	*+ Akkusativ*
froh sein	*+ über*	*+ Akkusativ*

Aussage: Er ist auf den Exfreund eifersüchtig.
Frage: Auf wen ist er eifersüchtig? *(Person)*

Ich bin über deinen Besuch froh.
Worüber bist du froh? *(Sache)*

C1 Ergänzen Sie die Präpositionen und den Kasus.

◆ *an + Dativ*

interessiert sein *an* einem Bild

1. ....

befreundet sein .... dem Chef
zufrieden sein .... der Arbeit

2. ....

froh sein .... das Ergebnis
glücklich sein .... den Besuch
traurig sein .... die Nachricht
erstaunt sein .... die gute Note

3. ....

böse sein .... den Freund
neidisch sein .... den Erfolg
neugierig sein .... den neuen Film
stolz sein .... den Sohn
wütend sein .... den Chef
eifersüchtig sein .... die Exfreundin

4. ....

beliebt sein .... den Fans

5. ....

nett sein .... dem Nachbarn
freundlich sein .... allen Kollegen

6. ....

dankbar sein .... die Hilfe
nützlich/schädlich sein .... die Pflanzen
verantwortlich sein .... die Abteilung
wichtig sein .... die Firma

7. ....

begeistert sein .... dem Fußballspiel
enttäuscht sein .... dem Ergebnis
überzeugt sein .... der eigenen Leistung

C2 Gunter im Glück

Ergänzen Sie die Präpositionen.

1. Gunter ist *bei* seinen Kollegen sehr beliebt. Er ist nett .... allen Kollegen.
2. Gunter arbeitet hart und sein Chef ist zufrieden .... seiner Arbeit.
3. Gunter ist jetzt verantwortlich .... die Abteilung Einkauf.
4. Er kann in diesem Jahr sehr stolz .... den Erfolg seiner Abteilung sein.
5. Gestern besuchte er mit seiner Frau ein Fußballspiel. Er war begeistert .... der Leistung der Mannschaft.

Adjektive

C3 Interviewen Sie Ihre Nachbarin/Ihren Nachbarn und berichten Sie.

Achten Sie auf die richtigen Präpositionen.

Meine Nachbarin/Mein Nachbar ist:

♦ neidisch *auf die Uhr ihres/seines Freundes*

1. böse ....
2. neugierig ....
3. zufrieden ....
4. interessiert ....

5. begeistert ....
6. wütend ....
7. beliebt ....
8. freundlich ....
9. erstaunt ....

C4 Verben mit Präpositionen *(Wiederholung)*

a) Ergänzen Sie frei.

rede gern *über Politik*

warte ....

freue mich ....

interessiere mich ....

fürchte mich ....

ich

träume oft ....

erinnere mich gern ....

achte sehr ....

denke immer ....

ärgere mich ....

b) Fragen und antworten Sie.

1. Träumen Sie manchmal .... einer Gehaltserhöhung?
2. Wann beginnen Sie morgens .... der Arbeit?
3. Hat sich jemals ein Mitarbeiter .... Sie beschwert?
4. Wenn ja, ... hat er sich beschwert?
5. .... interessieren Sie sich beruflich am meisten?
6. Zweifeln Sie manchmal .... Ihren eigenen Fähigkeiten oder ....
   den Fähigkeiten der anderen?
7. Sprechen Sie .... Ihren Freunden .... Ihre Arbeit?
8. Nehmen Sie regelmäßig .... Fortbildungsveranstaltungen teil?
9. Wenn Sie morgens zur Arbeit fahren, ... freuen Sie sich am meisten?
   Und .... fürchten Sie sich?
10. Was erwarten Sie .... Ihrer Chefin/Ihrem Chef und was .... Ihren Mitarbeitern?

Vermutungen

Redemittel	Beispiel: Wo ist Otto? (Wir wissen es nicht.)
Adverbien: vielleicht/wahrscheinlich/vermutlich	Vielleicht steht er noch im Stau.
Verben: vermuten/glauben/denken	Ich vermute, er steht noch im Stau. Ich glaube, dass er noch im Stau steht.
Feste Wendungen: Es kann/könnte sein, dass …	Es kann/könnte sein, dass er noch im Stau steht.

Grammatische Mittel	
Man kann auch mit den Verben *können* und *werden* Vermutungen ausdrücken.	Er kann/könnte noch im Stau stehen. Er wird noch im Stau stehen.

C5 Wo sind die Kollegen?

Vermuten Sie. Verwenden Sie jeweils zwei Möglichkeiten.

Es ist 9 Uhr. Der Arbeitstag beginnt. Wo sind die Kollegen?

♦   Martha ist krank.

  a) *Martha wird krank sein.*   b) *Vielleicht ist Martha krank.*

1. Kathrins Zug hat Verspätung.

  a) ....   b) ....

2. Das Auto von Martin ist mal wieder kaputt.

  a) ....   b) ....

3. Heiner ist noch beim Bäcker und holt frische Brötchen.

  a) ....   b) ....

4. Fritz joggt noch durch den Park.

  a) ....   b) ....

Aufzählungen

Stiere sind nicht nur charmante, sondern auch friedfertige Menschen.   ⟶ positive Aufzählung
Fische sind sowohl bescheiden als auch kreativ.   ⟶ positive Aufzählung
Geld macht weder reich noch glücklich.   ⟶ negative Aufzählung

Aufzählungen als Sätze: Zweiteilige Konjunktionen

Das bieten unsere Produkte:

Unsere Produkte *bieten* nicht nur gute Qualität, sondern sie *bieten* auch niedrige Preise.

Hauptsatz	Hauptsatz

Kurzform: Unsere Produkte bieten nicht nur gute Qualität, sondern auch niedrige Preise.

Das bieten die Produkte der Konkurrenz:

Die Produkte der Konkurrenz *bieten* weder gute Qualität noch *bieten* sie niedrige Preise.

Hauptsatz	Hauptsatz

Kurzform: Die Produkte der Konkurrenz bieten weder gute Qualität noch niedrige Preise.

C6 Verbinden Sie die folgenden Sätze mit *nicht nur … sondern auch.*

♦   Das Auto sieht gut aus und verbraucht wenig Benzin.
  Das Auto sieht <u>nicht nur</u> gut aus, <u>sondern</u> verbraucht <u>auch</u> wenig Benzin.

1. Das Hotel hatte einen Swimmingpool und man konnte dort gut essen.

  ....

2. Der Kühlschrank hat ein modernes Design, er ist auch umweltfreundlich.

  ....

3. Die Bedienungsanleitung ist kurz und sie ist verständlich geschrieben.

  ....

4. Erfolgreiche Werbung macht das Produkt bekannt und sie erhöht die Beliebtheit des Produkts.

  ....

C7 Verbinden Sie die folgenden Sätze mit *weder ... noch*.

Achten Sie auf den Satzbau.

♦ Das Hotel hatte <u>keinen</u> Swimmingpool und man konnte dort <u>nicht</u> gut essen.

Das Hotel hatte <u>weder einen</u> Swimmingpool <u>noch</u> konnte man dort gut essen.

1. Martina kann <u>kein</u> Englisch sprechen und hat auch <u>keine</u> Computerkenntnisse.

....

2. Die Firma hatte <u>kein</u> gutes Sortiment und bot <u>keinen</u> guten Service.

....

3. Der Arbeitgeber bot ihr <u>kein</u> gutes Gehalt und <u>keine</u> Karrieremöglichkeiten.

....

4. Das Wetter im Urlaub war so schlecht. Wir konnten <u>nicht</u> spazieren gehen und <u>nicht</u> im Meer schwimmen.

....

5. Er kann <u>nicht</u> Fahrrad fahren und er hat <u>keinen</u> Führerschein.

....

6. Chaos im Büro. In meinem neuen Büro war <u>kein</u> Schrank und der Computer funktionierte auch <u>nicht</u>.

....

7. Im Restaurant „Zum Anker" kann man <u>nicht</u> bequem sitzen und auch <u>nicht</u> gut essen.

....

8. Der Reiseleiter kannte die Geschichte des Ortes <u>nicht</u> und er sprach auch <u>kein</u> Spanisch.

....

9. Ich bin so müde. Ich werde heute Abend <u>nicht</u> mehr an dem Projekt arbeiten und <u>nicht</u> mit dir in die Kneipe gehen.

....

....

Gründe und Folgen

Kausal-, Konzessiv- und Konsekutivangaben

Gründe	**Gegengründe**
Ich bin gestresst, weil ich im Stau <u>stehe</u>. → Subjunktion	Ich bin <u>nicht</u> gestresst, obwohl ich im Stau <u>stehe</u>. → Subjunktion
Ich bin gestresst, denn ich <u>stehe</u> im Stau. → Konjunktion	
Ich bin wegen des Staus so gestresst. → Präposition mit dem Genitiv	Ich bin trotz des Staus <u>nicht</u> gestresst. → Präposition mit dem Genitiv
Erwartete Folgen	**Nicht erwartete Folgen**
Ich stehe im Stau, deshalb/darum <u>bin</u> ich gestresst. → Adverb	Ich stehe im Stau, trotzdem <u>bin</u> ich <u>nicht</u> gestresst. → Adverb

Gründe und Folgen

(C8) Bilden Sie Sätze im Präteritum wie im Beispiel.

♦ a) trotz *(seine schlechte Leistung)* – er – die Prüfung – bestehen

Trotz seiner schlechten Leistung bestand er die Prüfung.

b) wegen *(seine schlechte Leistung)* – er – durch die Prüfung – fallen

Wegen seiner schlechten Leistung fiel er durch die Prüfung.

1. a) trotz *(das schlechte Wetter)* – der Wettkampf – stattfinden

....

b) wegen *(das schlechte Wetter)* – der Wettkampf – abgesagt werden

....

2. a) trotz *(der Straßenlärm)* – ich – sich gut konzentrieren können

....

b) wegen *(der Straßenlärm)* – ich – die Arbeit – beenden müssen

....

3. a) trotz *(die niedrigen Preise)* – das Produkt – wir – nicht verkaufen können

....

b) wegen *(die niedrigen Preise)* – das Produkt – ein Verkaufserfolg – werden

....

4. a) trotz *(sein Erfolg)* – er – nicht glücklich – sein

....

b) wegen *(sein Erfolg)* – er – stolz auf sich – sein

....

5. a) trotz *(seine Erkältung)* – der Sänger – ein hervorragendes Konzert – geben

....

b) wegen *(seine Erkältung)* – der Sänger – das Konzert – abbrechen müssen

....

6. a) trotz *(die hohen Personalkosten)* – die Firma – in diesem Jahr – einen Gewinn – erzielen

....

b) wegen *(die hohen Personalkosten)* – die Firma – in diesem Jahr – Verluste – machen

....

7. a) trotz *(das fleißige Training)* – sie – keine Medaille – gewinnen können

....

b) wegen *(das fleißige Training)* – sie – die Silbermedaille – erringen

....

8. a) trotz *(die Maßnahmen der Regierung)* – die Lage auf dem Arbeitsmarkt – nicht – sich verbessern

....

b) wegen *(die Maßnahmen der Regierung)* – die Zahl der Arbeitslosen – sinken

....

9. a) trotz *(die vielen Gespräche)* – man – keine Lösung – finden

....

b) wegen *(die vielen Gespräche)* – das Betriebsklima – besser werden

....

C9 Verbinden Sie die Sätze mit *weil* oder *obwohl*, *deshalb* oder *trotzdem*.

♦ Es geht mir nicht gut. Ich bleibe heute zu Hause.

a) *Weil es mir nicht gut geht, bleibe ich heute zu Hause.*
   Ich bleibe heute zu Hause, weil es mir nicht gut geht.

b) *Es geht mir nicht gut, deshalb bleibe ich heute zu Hause.*
   Es geht mir nicht gut, ich bleibe deshalb heute zu Hause.

1. Marianne hat im Lotto gewonnen. Sie ist nicht glücklich.

   a) ....
   ....

   b) ....
   ....

2. Viele Menschen suchen nach dem Glück. Sie kaufen Ratgeber.

   a) ....
   ....

   b) ....
   ....

3. Martina hat in der Schule gute Noten. Martinas Mutter ist sehr stolz.

   a) ....
   ....

   b) ....
   ....

4. Der Nachbar übt jede Nacht Schlagzeug. Joachim kann sehr gut schlafen.

   a) ....
   ....

   b) ....
   ....

5. Die neue Kollegin ist sehr neugierig. Franziska ärgert sich über sie.

   a) ....
   ....

   b) ....
   ....

6. Gestern Abend war Frau Krüger mit ihrem Chef Tango tanzen. Herr Krüger ist nicht eifersüchtig.

   a) ....
   ....

   b) ....
   ....

7. Viele junge Menschen besitzen mehrere Handys. Man braucht nur ein Gerät zum Telefonieren.

   a) ....
   ....

   b) ....

Präpositionen

Präpositionen

Ausgewählte Präpositionen mit dem Genitiv

Präposition	Beispielsätze	
außerhalb	Außerhalb der Geschäftszeiten ist niemand im Büro.	(temporal)
	Außerhalb der Stadt gibt es viel Wald.	(lokal)
innerhalb	Bitte bezahlen Sie die Rechnung innerhalb einer Woche.	(temporal)
	Das Tier kann sich innerhalb der Wohnung befinden.	(lokal)
laut	Laut einer Studie sind nur 50 Prozent der Deutschen glücklich.	(modal)
mithilfe	Mithilfe eines Freundes gelang ihm die Flucht.	(instrumental)
statt	Statt eines Blumenstraußes verschenkte er ein altes Buch.	(alternativ)
trotz	Trotz einer schlechten Leistung bestand er die Prüfung.	(konzessiv)
während	Während seines Studiums lernte er Spanisch.	(temporal)
wegen	Wegen eines Unglücks hatte der Zug Verspätung.	(kausal)
	Aber: Wegen dir habe ich drei Kilo zugenommen.	(kausal)
	Bei Personalpronomen mit Dativ!	

C10 Wie haben sich diese Menschen kennengelernt?

Bilden Sie Sätze mit *während*.

♦ Helen und Robert – ein Urlaub

Helen und Robert haben sich während eines Urlaubs kennengelernt.

1. Matthias und Katja – der Polnischkurs

....

2. Gabi und Friedrich – eine Dienstreise nach Afrika

....

3. Thea und Kasper – die Fußballweltmeisterschaft in Deutschland

....

4. Tanja und Markus – das Studium

....

C11 Wie kann man …?

Bilden Sie Sätze mit *mithilfe*.

1. Wie kann man sich über Aktualitäten informieren? *(die Medien)*

....

2. Wie kann man effizient eine Fremdsprache lernen? *(ein kompetenter Lehrer, ein Lehrbuch, das Internet)*

....

3. Wie kann man Stress abbauen? *(ein guter Therapeut, kurze Entspannungsübungen)*

....

4. Wie findet man schnell eine Straße in einer fremden Stadt? *(ein Navigationssystem, ein Stadtplan)*

....

C12 Ergänzen Sie die Präpositionen mit dem Genitiv.

1. Sie erreichen uns nur .... der Geschäftszeiten von 9 Uhr bis 17 Uhr.

2. Wir liefern .... einer Woche.

3. .... des Winterurlaubs hat es kein einziges Mal geschneit!

4. .... des schlechten Wetters sind wir drei Wochen in Österreich geblieben.

5. .... ihrer guten Leistungen im Unterricht bekam Uta in der Mathematikarbeit nur eine Fünf.

6. .... der deutschen Botschaft bekam der Journalist sehr schnell ein Visum.

7. .... eines Berichtes der F.A.Z. plant die Regierung eine Steuererhöhung.

8. .... des Termindrucks fühlen sich viele Mitarbeiter gestresst.

9. .... der Stadt sind die Straßen nachts nicht beleuchtet.

10. .... der Arbeitszeit darf man in einigen Betrieben nicht privat im Internet surfen.

11. .... einer Studie können Frauen schlechter mit Stress umgehen als Männer.

12. .... Diamanten wünschen sich viele Frauen zum Valentinstag einen Kuss.

13. Die Mitarbeiter dürfen nur .... des Gebäudes rauchen.

14. .... des Gebäudes gilt ein generelles Rauchverbot.

15. .... des starken Regens waren einige Straßen unbefahrbar.

C13 Präpositionen sind keine Glückssache!

Ergänzen Sie die Präpositionen.

> vor (2 x) ♦ beim (2 x) ♦ ohne ♦ für ♦ an ♦ zufolge ♦ auf

Gute Zahlen, schlechte Zahlen

Woche .... (1) Woche suchen Millionen von Menschen ihr Glück .... (2) Lottospiel. .... (3) Ausfüllen der Lottoscheine spielt oft der Glaube .... (4) persönliche Glückszahlen eine große Rolle, z. B. Geburtstage oder Hochzeitsdaten.

Darüber hinaus gibt es Zahlen, die traditionell bestimmte Assoziationen hervorrufen, zum Beispiel die berühmte 13. Einer Umfrage .... (5) fürchten sich 28 Prozent der Deutschen .... (6) dieser Zahl. Aber nicht nur die Deutschen meiden diese „Unglückszahl": Weltweit werden viele Hochhäuser .... (7) 13. Stock gebaut, Fluglinien haben keine 13. Sitzreihe, in manchen Straßen gibt es keine Hausnummer 13. Die Angst .... (8) der 13 hat sogar einen Namen: „Triskaidekaphobie".

Auch andere Zahlen haben ihren Ruf. Die Sieben kann je nach Betrachtungsweise Glück

oder Pech bringen. Man sagt, dass .... (9) sieben gute Jahre sieben schlechte Jahre folgen. Zerbricht ein Spiegel, so folgen sieben schlechte Jahre. Auch gibt es die sieben Weltwunder oder Zaubersprüche, die siebenmal wiederholt werden müssen.

Rückblick

 Wichtige Redemittel

Hier finden Sie die wichtigsten Redemittel des Kapitels.

Über Gefühle sprechen

begeistert sein von + D ♦ böse sein auf + A ♦ eifersüchtig sein auf + A ♦ enttäuscht sein von + D ♦ erstaunt sein über + A ♦ froh sein über + A ♦ glücklich sein über + A ♦ neidisch sein auf + A ♦ neugierig sein auf + A ♦ stolz sein auf + A ♦ traurig sein über + A ♦ wütend sein auf + A ♦ zufrieden sein mit + D

Glück:
sich nach Glück sehnen ♦ den richtigen Weg zum Glück finden ♦ sich einen Wunsch erfüllen ♦ ein Ziel verfolgen ♦ Geld macht weder glücklich noch unglücklich. ♦ die unerfüllte Suche nach dem Glück ♦ sich selbst unglücklich machen ♦ die Glückssymbole ♦ die Glücksbringer

Vermutungen ausdrücken

vielleicht ♦ wahrscheinlich ♦ vermutlich ♦ ich vermute ♦ ich glaube ♦ ich denke ♦ Es kann/könnte sein, dass …

Eigenschaften

arrogant ♦ ausdauernd ♦ bescheiden ♦ chaotisch ♦ charmant ♦ diplomatisch ♦ direkt ♦ ehrgeizig ♦ ehrlich ♦ erfinderisch ♦ feige ♦ flexibel ♦ friedlich ♦ geduldig ♦ gefühlsbetont ♦ geizig ♦ gerecht ♦ großzügig ♦ gründlich ♦ gutmütig ♦ hilfsbereit ♦ idealistisch ♦ intelligent ♦ kämpferisch ♦ kontaktfreudig ♦ kreativ ♦ mutig ♦ oberflächlich ♦ offen ♦ ordentlich ♦ praktisch ♦ rational ♦ realitätsbewusst ♦ risikofreudig ♦ ruhig ♦ streitsüchtig ♦ systematisch ♦ tolerant ♦ treu ♦ verantwortungsvoll ♦ verständnisvoll ♦ vernünftig ♦ vorsichtig ♦ zurückhaltend ♦ zuverlässig

Stress, Ärger und Freude

Stress:
die Stressbewältigung ♦ mit Stress (gut/nicht) umgehen können ♦ eine stressige Situation (gut/nicht) bewältigen können ♦ unter Stress leiden ♦ sich gestresst fühlen ♦ gestresst sein ♦ etwas erzeugt Stress ♦ Angst haben vor Fehlern/Ablehnung ♦ sich oder andere überfordern ♦ sich oder andere unter Druck setzen ♦ Konflikte vermeiden ♦ sich entspannen ♦ sich beruhigen

Ärger:
Das ärgert mich. ♦ Das nervt mich. ♦ Das stört mich. ♦ Das finde ich schlimm. ♦ Das macht mich fertig. ♦ Das regt mich auf. ♦ Das bringt mich auf die Palme. ♦ Das geht mir auf die Nerven.

Freude:
Das freut mich. ♦ Das finde ich toll/super/prima. ♦ Das macht mich froh. ♦ Davor habe ich Respekt.

Desinteresse:
Das ist mir gleichgültig. ♦ Das ist mir egal. ♦ Das interessiert mich (überhaupt) nicht.

 Kleines Wörterbuch der Verben

Unregelmäßige Verben

Infinitiv	3. Person Singular Präsens	3. Person Singular Präteritum	3. Person Singular Perfekt
beweisen	er beweist	er bewies	er hat bewiesen
vermeiden *(Konflikte)*	er vermeidet	er vermied	er hat vermieden

Einige regelmäßige Verben

Infinitiv	3. Person Singular Präsens	3. Person Singular Präteritum	3. Person Singular Perfekt
ankreuzen *(Zahlen im Lotto)*	er kreuzt an	er kreuzte an	er hat angekreuzt
bewältigen *(Stress)*	er bewältigt	er bewältigte	er hat bewältigt
entspannen *(sich)*	er entspannt sich	er entspannte sich	er hat sich entspannt
erfüllen *(sich einen Wunsch)*	er erfüllt	er erfüllte	er hat erfüllt
erzeugen *(Stress)*	er erzeugt	er erzeugte	er hat erzeugt
sehnen *(sich nach etwas)*	er sehnt sich	er sehnte sich	er hat sich gesehnt
trauen *(sich etwas)*	er traut sich	er traute sich	er hat sich getraut
verfolgen *(ein Ziel)*	er verfolgt	er verfolgte	er hat verfolgt
vergiften *(jemanden)*	er vergiftet	er vergiftete	er hat vergiftet
verursachen *(etwas)*	er verursacht	er verursachte	er hat verursacht
wehren *(sich)*	er wehrt sich	er wehrte sich	er hat sich gewehrt

(D3) Evaluation

Überprüfen Sie sich selbst.

Ich kann	gut	nicht so gut
Ich kann über Gefühle sprechen.	☐	☐
Ich kann Aussagen und Texte zum Thema *Glück* verstehen und über Glückssymbole in meinem Heimatland berichten.	☐	☐
Ich kann Ratschläge und Tipps zu den Themen *Glück* und *Stress* geben.	☐	☐
Ich kann Vermutungen ausdrücken.	☐	☐
Ich kann Horoskope verstehen.	☐	☐
Ich kann Personen und ihre Charaktere beschreiben.	☐	☐
Ich kann etwas begründen und Folgen benennen.	☐	☐
Ich kann mich ausführlich zum Thema *Nachbarschaft* äußern. *(fakultativ)*	☐	☐

Essen und trinken

Kommunikation

- ◆ Über Frühstück und andere Mahlzeiten sprechen
- ◆ Sich über Nahrungsmittel und typische Gewürze des Heimatlandes unterhalten
- ◆ Über die Zubereitung von Gerichten sprechen
- ◆ Berichte im Restaurantführer verstehen
- ◆ Berichte über Restaurantbesuche schreiben
- ◆ Eine Einladung zum Essen formulieren und darauf reagieren
- ◆ Briefe schreiben: Standardformulierungen
- ◆ Gute Wünsche formulieren

Wortschatz

- ◆ Mahlzeiten
- ◆ Nahrungsmittel und Gewürze
- ◆ Rezepte
- ◆ Restaurants
- ◆ Gute Wünsche
- ◆ Standardformulierungen in Briefen

Frühstück

Das Frühstück

A1 Berichten Sie.

- Welche Mahlzeit ist in Ihrem Heimatland die wichtigste:
  das Frühstück ◆ das Mittagessen ◆ das Abendessen?

  Um welche Zeit nimmt man diese Mahlzeit ein? Was wird gegessen?

- Wie wichtig ist für Sie das Frühstück? Was essen Sie zum Frühstück? Wann essen Sie Frühstück?

A2 Landestypisches Frühstück

Lesen Sie den Text und beschreiben Sie, was in den angegebenen Ländern zum Frühstück gegessen bzw. getrunken wird. Ergänzen Sie die Tabelle (wenn Ihr Heimatland noch nicht beschrieben wurde).

Das Frühstück ist die erste Mahlzeit am Tag.
Der Zeitpunkt, die Dauer und die Bestandteile des Frühstücks sind in den einzelnen Kulturkreisen sehr unterschiedlich. Sogar innerhalb Europas unterscheidet sich das Frühstück erheblich. Interessanterweise scheinen die Traditionen beim Frühstück eine größere Rolle zu spielen als beim Mittag- oder Abendessen.

Land	Typische Speisen	Typische Getränke	Besonderheiten
Deutschland Österreich Schweiz	Brötchen oder Toastbrot mit Butter und Marmelade oder Honig, manchmal Käse oder Wurst, Müsli, ein gekochtes Ei	Kaffee, Tee, Milch, Saft (meist Orangensaft)	In Österreich wird manchmal auch Kuchen zum Frühstück gegessen.
Großbritannien	Toastbrot mit Marmelade, Würstchen, Speck, Rührei oder Spiegelei, Bohnen, gebackene Tomaten	Tee	In Großbritannien spielt das Frühstück eine wichtige Rolle und ist oft die zentrale Mahlzeit des Tages.
Frankreich	Croissant oder Brötchen, oft ohne Butter und Marmelade	Milchkaffee, Espresso oder Schokolade	In Frankreich gilt das Frühstück als unwichtig.
Ihr Heimatland	....	....	....
das Heimatland Ihrer Nachbarin/Ihres Nachbarn	....	....	....

- In Deutschland, Österreich und der Schweiz isst man zum Frühstück …

- In Deutschland, Österreich und der Schweiz werden/wird zum Frühstück … gegessen.

- In …

A3 Gesundes Frühstück für den Schulalltag 2.15

Sie hören nun eine Diskussion. Lösen Sie die folgenden Aufgaben und überlegen Sie: Wer sagt was? Hören Sie die Diskussion zweimal. Lesen Sie zuerst die Aussagen.

Der Moderator der Sendung *Gesunde Ernährung* diskutiert heute mit seinen Gästen über das Thema: *Gesundes Frühstück für den Schulalltag.*

	Moderator	Frau Sommer	Herr Albrecht
1. 25 Prozent der Kinder gehen ohne Frühstück aus dem Haus.	☐	☐	☐
2. In ärmeren Familien passiert das öfter als in reichen Familien.	☐	☐	☐
3. Ob ein Kind frühstückt oder nicht, das hängt auch vom Alter ab.	☐	☐	☐
4. Kinder und Jugendliche, die nicht frühstücken, haben Probleme mit der Konzentration.	☐	☐	☐
5. Ohne Frühstück greifen Kinder schneller zu Süßigkeiten.	☐	☐	☐
6. Eltern mit einem stressigen Beruf haben für ein gemeinsames Frühstück keine Zeit.	☐	☐	☐
7. Eltern sollten sich für das Frühstück unbedingt Zeit nehmen und somit die Entwicklung ihrer Kinder unterstützen.	☐	☐	☐
8. Eine optisch gute Präsentation des Essens wirkt appetitanregend.	☐	☐	☐

Essen im Mittelalter

A4 Essen im Mittelalter

Lesen Sie den folgenden Text und ergänzen Sie die Nomen.

> Mahlzeit ◆ Abendessen ◆ Glas ◆ Jahrhundert ◆ Besteck ◆ Ländern ◆ Reichtum ◆ Morgentrunk ◆ Gewürzen ◆ Volk

Was frühstückten die alten Ritter?

Nehmen Sie ein großes .... Wein und trinken Sie es bei Sonnenaufgang aus – fertig ist das mittelalterliche Frühstück. Die Alternative zu diesem merkwürdigen Frühstück wirkt auf uns Menschen im 21. .... nicht besser: Auch ein Glas Bier, gewürzt mit Koriander, Lavendel oder Salbei kam als .... in Frage. Doch keine Angst: Hungern mussten die Ritter nicht. Gegen neun Uhr wurde ein zweites Frühstück serviert, wir würden das heute ein sehr reichhaltiges Mittagessen nennen. Das zweite Frühstück bestand aus Fleisch, meistens Schweinefleisch, aber auch Gans und Wild kamen auf den Tisch. Selbstverständlich wurde auch zu dieser .... Bier und Wein gereicht. Schon drei Stunden später war Zeit für das Mittagessen. Zum Mittagessen gab es Weißbrot und Wein. So blieb etwas Platz im Magen für das zwischen 15 und 18 Uhr stattfindende .... Um die Gäste zu beeindrucken, dekorierten die Köche das Essen mit teuren .... wie Pfeffer, Zimt oder Nelken, die aus fernen .... geholt werden mussten. Nicht selten ruinierten sich Adlige, die mit eindrucksvollen Gerichten ihren .... demonstrieren wollten.

Für das einfache .... gab es übrigens viermal am Tag das Gleiche: Gerstenbrei oder Gemüsesuppe.

Im Mittelalter aß man mit den Händen, dem Löffel oder dem Messer. Erst ab dem 17. Jahrhundert gehörte die Gabel zum .... Man speiste von Tellern und großen Platten aus Holz sowie aus Schüsseln. Die Bauern nutzten oft ein großes Stück Brot als Teller.

Nahrungsmittel

A5 Gewürze

Im Text stehen folgende Gewürze: Koriander, Lavendel, Salbei, Pfeffer, Zimt, Nelken.

- ☐ Welches Gewürz davon kennen Sie?
- ☐ Mit welchen Gewürzen wird in Ihrem Heimatland gekocht?

Safran

Knoblauch

Nahrungsmittel

A6 Nahrungsmittel, die früher als Geld benutzt wurden

Ordnen Sie den Nahrungsmitteln das Land/die Länder zu,
in dem/denen sie früher als Zahlungsmittel galten. Vergleichen Sie Ihre
Antworten mit dem Lösungsschlüssel.
Zwei der folgenden Nahrungsmittel wurden nie als Geld benutzt.

Kreuzkümmel

Curry

Kühe	bis 1917 in Russland
Reis	in Island
Getreide	in Korea
Tomaten	im alten Griechenland
Salz	in Indien, China und Afrika
Muscheln	bis zum 19. Jh. in Nordafrika
Mandeln	in Indien
Käse	
Getrocknete Fische	

- ☐ Ich vermute, …
- ☐ Meiner Meinung nach …
- ☐ Ich könnte mir vorstellen, dass …

A7 Wortschatz

Ordnen Sie die Oberbegriffe zu.

Süßigkeiten • Geschirr • Getreideprodukte • Hülsenfrüchte • Besteck • Obst • Fisch • Erfrischungsgetränke •
Gemüse • Wurst • Fleisch • alkoholische Getränke • Backwaren • Gewürze • Milchprodukte • Kräuter

- • *Besteck*
  die Gabel
  das Messer
  der Löffel

1. ....
   der Apfel
   die Birne
   die Banane

2. ....
   die Tomate
   die Gurke
   die Möhre

3. ....
   der Schinken
   die Salami
   die Mortadella

4. ....
   die Schokolade
   die Gummibärchen *(Pl.)*
   die Bonbons *(Pl.)*

5. ....
   das Glas
   der Teller
   die Tasse

6. ....
   der Gänsebraten
   der Rinderbraten
   der Schweinebraten

7. ....
   die Forelle
   der Lachs
   der Aal

8. ....
   das Mineralwasser
   der Obstsaft
   die Cola

9. ....
   das Bier
   der Wein
   der Schnaps

10. ....
    der Joghurt
    der Quark
    der Käse

11. ....
    das Brötchen
    das Brot
    der Kuchen

12. ....
    der Pfeffer
    das Salz
    der Knoblauch

13. ....
    die Petersilie
    der Schnittlauch
    der Dill

14. ....
    der Reis
    die Spaghetti *(Pl.)*
    die Hirse

15. ....
    die Erbsen *(Pl.)*
    die Linsen *(Pl.)*
    die Bohnen *(Pl.)*

A8 Über Essen sprechen

a) Fragen Sie Ihre Nachbarin/Ihren Nachbarn und berichten Sie.

- Können Sie kochen? Wenn ja, was kochen Sie am liebsten bzw. am besten?

- Was ist Ihr Lieblingsessen?

- Was ist ein typisches Nationalgericht aus Ihrem Heimatland? Beschreiben Sie das Gericht näher.
  Was für Zutaten braucht man?
  Was muss man putzen, waschen, schneiden?
  Wie lange werden die Zutaten gekocht, gebraten, gebacken?
  Was muss man beim Kochen beachten?

- Haben Sie in Ihrer Heimatstadt ein Lieblingsrestaurant?

b) Was kann man miteinander verbinden? Ordnen Sie zu. Es gibt mehrere Lösungen.

> anbraten/braten ◆
> waschen ◆ schneiden ◆
> putzen ◆ backen ◆
> kochen ◆ grillen ◆
> trocknen ◆ schälen ◆
> umrühren ◆ hacken

◆ Zwiebeln: *schälen, schneiden, anbraten/braten*

1. Gemüse: ....

2. Kuchen: ....

3. Fleisch: ....

4. Kräuter: ....

5. Salat: ....

6. Wasser: ....

7. ein Steak: ....

8. die Suppe: ....

Deutsche Rezepte

A9 Unsere Empfehlung: Putengeschnetzeltes mit Champignons

Lesen Sie das Rezept und ergänzen Sie die Verben in der richtigen Form.

> würzen ◆ geben ◆ schneiden ◆ lassen ◆ anbraten ◆ schälen ◆ hacken

Putengeschnetzeltes mit Champignons

Zubereitungsdauer: 30 Minuten
Zutaten für 3 Personen:

300 g	Putenfleisch
1	Zwiebel
1	Tasse Champignons
250 ml	Schlagsahne oder Crème fraîche
3	EL* gehackte Petersilie
1	EL Mehl
	Salz, Pfeffer, Öl

Zubereitung:

- .... Sie die Zwiebel und schneiden Sie sie in kleine Stücke.
- Waschen und .... Sie die Petersilie.
- .... Sie das Putenfleisch in Würfel und .... Sie es mit Salz und Pfeffer.
- .... Sie das Fleisch in Öl ...., bis es auf beiden Seiten goldbraun ist.
- Nehmen Sie das Fleisch aus der Pfanne und braten Sie die Zwiebeln an.
- .... Sie danach die Champignons dazu und .... Sie alles ca. zehn Minuten bei kleiner Hitze braten.
- Danach geben Sie das Mehl, die Schlagsahne und das angebratene Fleisch dazu.
- Zum Schluss kommt die Petersilie.

*EL = Esslöffel

Essen im Restaurant

A10 **Ein gemeinsames Abendessen planen**

a) Planen Sie in Gruppen ein gemeinsames Abendessen. Diskutieren Sie dabei über folgende Punkte:

- Wo findet das Abendessen statt?
- Was wird gegessen (Vorspeise/Hauptspeise/Nachspeise)?
- Wer kauft was ein?
- Wer kocht?
- Wann beginnt das Essen?
- Wer wird eingeladen?

Präsentieren Sie Ihren Vorschlag anschließend im Plenum.

b) Schreiben Sie eine Einladungskarte.
Gehen Sie kurz auf folgende Punkte ein:

- Wo findet das Essen statt?
- Wer kommt zum Essen?
- Was gibt es zu essen?
- Soll die/der Eingeladene noch etwas mitbringen?

Essen im Restaurant

A11 **Wer geht wohin?**

Suchen Sie für jeden ein passendes Restaurant.

1. Martina und ihre kleine Tochter wollen am Sonntag etwas erleben und gleichzeitig etwas Leckeres essen.
2. Andreas isst gerne etwas Orientalisches.
3. Klaus war lange in Amerika und ist seit dieser Zeit ein großer Steakesser.
4. Kerstin und Torsten mögen die mediterrane Küche.
5. Herr Körner liebt die deutsche Küche und deutsches Bier.
6. Herr Schneider hat ein neues Hobby: Er trinkt und sammelt gute Weine.
7. Kevin hat zu Hause keinen Internetanschluss. Er muss E-Mails schreiben und möchte einen Kaffee trinken.

STEAKHOUSE PICCOLO

Genießen Sie zu jeder Jahreszeit die südländische Atmosphäre unseres Restaurants sowie bei schönem Wetter den Sommergarten mit dem Wiener Charme.

Aus unserem Angebot
Argentinische Steakhousespezialitäten
Wir verwenden nur argentinisches Frischfleisch der Spitzenklasse.
• Internationale Speisen • frische Salate • Scampis und Meeresfrüchte
• Biere der Spitzenklasse • exotische Weine • vieles mehr

04105 Leipzig
Gustav-Adolf-Str. 17/Ecke Leibnizstr.
(03 41) 9 80 01 96

Wir haben für Sie geöffnet
Mo–Fr 12–15 Uhr • Sa–So 12–24 Uhr

Trattoria Anna Rosa
Das etwas andere italienische Restaurant

Die traditionelle ländliche Zubereitung aus frischen Zutaten und die gemütliche Atmosphäre – all das finden Sie bei uns. Weine direkt vom Winzer aus Gallipoli und Lecce, edler Likör aus der Familienbrauerei und mehr als 20 Sorten Grappa. Wir liefern Ihnen die landestypischen Speisen auch per Partyservice nach Hause.

Trattoria Anna Rosa
Reichpietschstraße 51
04317 Leipzig
Tel. (03 41) 6 99 13 91
www.trattoria-anna-rosa.de

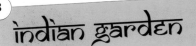 **indian garden**   **Indisches Spezialitätenrestaurant**

Erleben Sie einen Hauch von 1001 Nacht!
Große Auswahl an indischen Speisen

Preiswertes Mittagsmenü
Herausragende Live- und Kulturveranstaltungen

Nikolaistraße 12–14
Tel. (03 41) 12 48 57-0
Fax (03 41) 12 48 57-1
www.indian-garden.de

4

Nehmen Sie Platz in einem der drei Erlebnisrestaurants Kiwara-Lodge, Hacienda Las Casas oder Marché.

Wir organisieren für Sie:

- ❧ exklusive Veranstaltungen im kleinen und großen Stil inklusive Zooführung, Catering und Künstlerarrangements
- ❧ genussvolle Entdeckungsreisen wie z. B. die Abendveranstaltungen „Hakuna Matata" und „Noche de Fiesta"
- ❧ und demnächst auf Wunsch: asiatisches Candle-Light-Dinner in der neuen Pagode am Elefantentempel

Appetit bekommen? Dann rufen Sie uns an!

Telefon: (03 41) 59 33 38-0

Zoo Leipzig GmbH, Pfaffendorfer Straße 29, 04105 Leipzig, www.zoo-leipzig.d

5

Thüringer Hof

Als älteste Leipziger Gaststätte seit 1454 ist der Thüringer Hof ein „Muss" für jeden an der Stadt Interessierten. Hier kehrte einst schon Martin Luther gerne ein.

Thüringisch-Fränkische Spezialitätenküche

Partyservice komplett
Kalte Platten

Luthersaal (200 Plätze)
Glasüberdachter Innenhof (40 Plätze)

Burgstraße 19
Täglich von 11.00–24.00 Uhr
Tel. (03 41) 9 94 49 99

6

SPANIEN GENIESSEN!

Probieren Sie Tapas, Grillspezialitäten, Paella und dazu leckere Weine oder Cocktails.

PATA NEGRA

Tapas-Bar-Restaurant
Karl-Liebknecht-Str. 75
04275 Leipzig
Tel./Fax (03 41) 3 06 71 03

7

TRIANGEL ®
Das total verspielte Café

Wann habt Ihr das letzte Mal so richtig schön ge… SPIELT??

Ihr möchtet Euch einfach mal zum Spielen treffen, …

… an einem gemütlichen Ort, mit Atmosphäre und Hunderten von Spielen zur Auswahl, …

… mit leckeren Getränken und Speisen dazu, …

… egal an welchem Tag!

TRIANGEL
Peterssteinweg 10
Ecke Münzgasse
04107 Leipzig
Tel.: (03 41) 1 49 77 07
info@triangel-le.de

8

Leipzigs Inn Café

Wir sehen uns nicht als Internet-Café im herkömmlichen Sinne, wo Sie nur E-Mails abholen und surfen können. Nehmen Sie doch auch einfach mal in unserer gemütlichen Sitzecke oder an der Bar Platz und probieren Sie eins unserer zahlreichen Getränke. Und falls mal der kleine Hunger ruft, verwöhnen wir Sie auch gerne mit einem kleinen Snack. Vergessen Sie den Alltag bei einer Runde Billard oder Darts.

Georg-Schumann-Str. 272
04159 Leipzig
Tel.: (03 41) 90 22 60-0
Fax: (03 41) 90 22 60-1
www.internetcafe-lic.de

(A12) Restaurantkritiken

a) Lesen Sie die Kurzberichte aus einem Restaurantführer. Beantworten Sie danach die folgenden Fragen:

- □ Welche Art von Essen bieten die Restaurants?
- □ Wie wurden die Einrichtung und der Service beurteilt?
- □ Wie schmeckt das Essen?
- □ Würden Sie das Restaurant besuchen?

Essen im Restaurant

Restaurant Ratskeller

Das rustikale, mit dunklen Holzmöbeln eingerichtete Lokal bietet ein Stück Stadtgeschichte. An den Wänden kann man alte Bilder und Rezepte aus dem vergangenen Jahrhundert bewundern. Hier gibt es gutbürgerliche Küche zu bezahlbaren Preisen. Die Bedienung ist freundlich und schnell. Als Hauptspeise bestellten wir einen Hirschbraten mit Gemüse und Nudeln. Das Fleisch war hervorragend, das Gemüse noch knackig, die dazu servierten Nudeln waren allerdings ungewürzt und zu weich. Die Weinkarte bot eine große Auswahl, wir empfehlen aber in diesem Restaurant zum Essen ein frisch gezapftes einheimisches Bier.

Art: *gutbürgerliche, bezahlbare (preiswerte) Küche*

Einrichtung: ....

Service: ....

Essen: ....

Ihr Kommentar: ....

Restaurant Kaiser

Wenn man mit dem Fahrstuhl in die 26. Etage des Hotels Ambassador gefahren ist, erfreut man sich zunächst an dem Ausblick über die Stadt. Man wird vom Personal des Restaurants freundlich empfangen, die Einrichtung wirkt modern und trotzdem bequem. Dass man für das Menü rund 100 Euro einplanen muss, wissen die Feinschmecker. Die Küche arbeitet nur mit ausgesuchten Zutaten, das Zusammenspiel mit dem Service funktioniert hervorragend. Den Empfehlungen der Kellner kann man vertrauen, das Essen und die Weinkarte sind vom Feinsten. Ob Entenbrust, Flusskrebse oder nur ein Risotto – man erlebt eine kulinarische Reise der Spitzenklasse. Das Menü, so kann man am Ende des Abends feststellen, ist sein Geld uneingeschränkt wert.

Art: ....

Einrichtung: ....

Service: ....

Essen: ....

Ihr Kommentar: ....

Restaurant Don Giovanni

Das italienische Restaurant befindet sich in bester Lage, direkt in der Fußgängerzone. Das Ambiente ist traumhaft. Die Decke besteht aus Glas, überall stehen Palmen und andere Pflanzen. Die Weinkarte ist ausführlich, der Hauswein konnte allerdings mit seinem leicht säuerlichen Geschmack nicht überzeugen. Die Vitrine mit den Vorspeisen (Antipasti) sah frisch und appetitlich aus, besonders gut schmeckte das Kalbfleisch. Als Hauptgericht aßen wir Spaghetti, die zu hart waren, und einen Fisch, der zu trocken war. Auch die Bedienung hatte einen schlechten Tag, sie war unfreundlich und langsam. Schade eigentlich, es hätte ein so schöner Abend werden können.

Art: ....

Einrichtung: ....

Service: ....

Essen: ....

Ihr Kommentar: ....

b) Schreiben Sie einen Kurzbericht über Ihren letzten Restaurantbesuch.
Gehen Sie dabei auf die Einrichtung, den Service und das Angebot ein. Beurteilen Sie dann das Essen.

Wichtige Redemittel für Restaurantkritik

- □ Das Restaurant ist mit modernen/dunklen/hellen … Möbeln eingerichtet.
- □ Das Restaurant wirkt modern/bequem/freundlich/gemütlich …
- □ Das Ambiente ist traumhaft/modern/rustikal …
- □ Das Restaurant bietet gutbürgerliche/italienische/asiatische … Gerichte.
- □ Das Restaurant ist bekannt für seine gute/mediterrane/gutbürgerliche/gehobene … Küche.
- □ Die Weinkarte ist ausführlich/vom Feinsten/bietet eine große Auswahl …
- □ Die Bedienung ist freundlich/unfreundlich/schnell/langsam …
- □ Der Service klappt hervorragend/überhaupt nicht …
- □ Den Empfehlungen der Kellner kann man *(nicht)* vertrauen …
- □ Das Fleisch/Das Gemüse/Die Nudeln war/waren zu weich/zu hart/zu salzig …
- □ Das Essen schmeckte köstlich/ausgezeichnet/hervorragend/gut …
- □ Das Essen/Der Wein konnte *(nicht)* überzeugen.
- □ Das Menü/Das Essen war sein Geld *(nicht)* wert.

A13 Ein berühmtes Restaurant

a) Lesen Sie den folgenden Text und ergänzen Sie die Nomen in der richtigen Form.

Jahrhundert ♦ Dichter ♦ Hauptattraktion ♦ Eigentümer ♦ Dienste ♦ Bekanntheit ♦ Geschichte ♦ Wandbilder ♦ Räumlichkeiten ♦ Studium ♦ Teufel ♦ Restaurant ♦ Altstadt ♦ Motive

Auerbachs Keller

Das historische .... (1) Auerbachs Keller befindet sich in der Leipziger .... (2), unweit vom Markt. Es ist das bekannteste und zweitälteste Restaurant Leipzigs. Der Weinausschank wurde schon 1438 erwähnt.

Ihren heutigen Namen erhielt die Gaststätte nach dem damaligen .... (3), dem Leipziger Stadtrat und Medizinprofessor Dr. Heinrich Stromer, der nach seinem Geburtsort nur „Dr. Auerbach" genannt wurde. Als Leibarzt des Kurfürsten von Sachsen durfte er wegen seiner treuen .... (4) ein Weinlokal einrichten und ausbauen.

Seine weltweite .... (5) verdankt Auerbachs Keller, der schon im 16. .... (6) zu den beliebtesten Weinlokalen der Stadt gehörte, vor allem dem deutschen .... (7) Johann Wolfgang von Goethe. Goethe besuchte den Weinkeller während seines .... (8) in Leipzig 1765–1768 oft und hörte hier von der alten Volkssage, dass im Jahr 1525 der berühmte

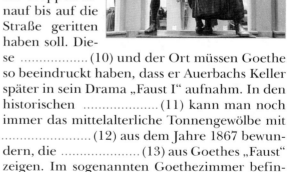

Magier Dr. Johannes Faustus mithilfe des .... (9) ein großes Fass aus dem Keller die Treppen hinauf bis auf die Straße geritten haben soll. Diese .... (10) und der Ort müssen Goethe so beeindruckt haben, dass er Auerbachs Keller später in sein Drama „Faust I" aufnahm. In den historischen .... (11) kann man noch immer das mittelalterliche Tonnengewölbe mit .... (12) aus dem Jahre 1867 bewundern, die .... (13) aus Goethes „Faust" zeigen. Im sogenannten Goethezimmer befinden sich Gemälde aus dem Jahr 1625.

Heute ist Auerbachs Keller, wie schon vor 450 Jahren, eine touristische .... (14) der Stadt Leipzig.

b) Stellen Sie ein berühmtes oder besonderes Restaurant aus Ihrem Heimatland vor.

Einladungen und gute Wünsche

Einladungen und Wünsche

A14 Eine Einladung

Dortmund, den 5. August

Liebe(r) ...,

wie geht es Dir? Ich habe lange nichts mehr von Dir gehört. Vor einer Woche habe ich mein Studium abgeschlossen und das muss natürlich gefeiert werden! Ich möchte deshalb alle meine alten Freunde zu einer großen Party einladen. Die Party ist am:

Freitag, dem 13. August, um 17.00 Uhr im Hotel Bastian.

Ich hoffe, Du hast Zeit und kannst kommen. Soll ich Dir ein Hotelzimmer reservieren? Möchtest Du noch jemanden mitbringen? Du kannst natürlich auch bei mir im Gästezimmer übernachten.
Ich hoffe, wir sehen uns bald.

Herzliche Grüße
Peter

Antworten Sie Peter.

Schreiben Sie in Ihrem Brief:
- ☐ ob Sie kommen können
- ☐ wo Sie übernachten wollen
- ☐ ob Sie noch jemanden mitbringen
- ☐ wann Ihre letzte Party war
- ☐ was es auf Ihrer Party zu essen und zu trinken gab.

Vergessen Sie Datum und Anrede nicht. Schreiben Sie auch eine kurze Einleitung und einen passenden Schluss.

A15 Wortschatzhilfen und Hinweise für Briefe und E-Mails

Hier finden Sie Hinweise, die Ihnen sowohl bei der Prüfung *Zertifikat B1* als auch im privaten und beruflichen Schriftwechsel behilflich sein können.

Private Briefe

Datum: *(nur bei Briefen)*
- ☐ Berlin, den 8. *(August)* ...
  Das Datum steht im Akkusativ am rechten Rand.

Anrede:
- ☐ Liebe .../Lieber ...,
  Nach der Anrede steht ein Komma.

Briefbeginn:
- ☐ vielen Dank für Deinen Brief.
  Am Textbeginn wird der erste Buchstabe kleingeschrieben.
- ☐ Ich habe lange nichts *(mehr)* von Dir gehört.
  Die persönliche Anrede kann groß- oder kleingeschrieben werden. Der Duden empfiehlt Großschreibung.
- ☐ Wie geht es Dir? Mir geht es gut.
- ☐ Ich gratuliere Dir ... *(zu Deinem Führerschein/ zur Hochzeit ...).*

- ☐ Es ist toll, dass Du ... *(Deine Führerscheinprüfung bestanden hast)!*
  „Dass" mit zwei „s" leitet einen Nebensatz ein. „Das" mit einem „s" ist ein Artikel oder Relativpronomen.

Briefende:
- ☐ Ich freue mich auf ... *(Deinen Besuch/meine Reise nach ...).*
- ☐ Schreib mir bald.
- ☐ Ich warte auf Deine Antwort.
- ☐ Ich rufe Dich *(nächste Woche)* an.

Gruß:
- ☐ Liebe Grüße
- ☐ Schöne Grüße
- ☐ Herzliche Grüße
- ☐ Bis bald
  Nach dem Gruß steht kein Satzzeichen.

Formelle/halbformelle Briefe

Datum: *(nur bei Briefen)*
- Berlin, den 8. *(August)* …
  Das Datum steht am rechten Rand.

Anrede:
- Sehr geehrte Frau …,
  Sehr geehrter Herr …,
  Sehr geehrte Damen und Herren,
  Liebe Frau …/Lieber Herr …,

Briefbeginn:
- vielen Dank für Ihren Brief.
  Die formelle Anrede wird immer großgeschrieben.
- Ich habe Ihre Anzeige gelesen.
- Ich hätte gern ein paar Informationen über …
  Könnten Sie mir ein paar Informationen über …
  zusenden?
- Ich interessiere mich sehr für …
- Ich möchte mich beschweren über …

Briefende:
- Über eine schnelle Antwort würde ich mich freuen.
- Schon jetzt vielen Dank für … *(Ihre Reaktion/Ihre Antwort/die Informationen/Ihre Hilfe …)*

Gruß:
- Freundliche Grüße
- Mit freundlichen Grüßen
- Beste Grüße
- Mit besten Grüßen

(A16) Viele gute Wünsche

Was sagen Sie in den folgenden Situationen?
Wählen Sie die passenden Wünsche aus. Manchmal gibt es mehrere Möglichkeiten.

> Gute Reise! ♦ Glückliches neues Jahr! ♦ Gesundheit! ♦ Toi, toi, toi! ♦ Viel Glück! ♦ Ich drücke dir die Daumen! ♦ Zum Wohl! ♦ Einen guten Rutsch! ♦ Gute Fahrt! ♦ Herzlichen Glückwunsch! ♦ Hals- und Beinbruch! ♦ Frohe Ostern! ♦ Lasst euch nicht unterkriegen! ♦ Kommt gut nach Hause! ♦ Frohes Fest! ♦ Alles Gute zum Geburtstag! ♦ Gesundes neues Jahr! ♦ Gute Besserung! ♦ Guten Appetit!

- Trudi hat Geburtstag.   *Alles Gute zum Geburtstag!*
1. Es ist der 31.12. Sie treffen Ihre Nachbarin im Treppenhaus.   ....
2. Es ist der 2.1. Sie gehen zur Arbeit und sehen dort Ihre Kollegen.   ....
3. Ihre Kollegin Anna ist krank.   ....
4. Paul ist erkältet. Er muss immer niesen.   ....
5. Fritz hat eine Prüfung.   ....
6. Gustav fährt in den Urlaub.   ....
7. Ihre Gäste fahren mit dem Auto nach Hause.   ....
8. Fritz hat die Prüfung bestanden.   ....
9. Es ist Ostersonntag.   ....
10. Es ist der 25.12. Ihre Mutter kommt zum Essen.   ....
11. Sie beginnen mit dem Essen.   ....
12. Dazu trinken Sie ein Glas Wein.   ....
13. Martina ist eine begeisterte Skifahrerin.
    Sie fährt nach Österreich in den Skiurlaub.   ....
14. Franz und Georg spielen in einer (schlechten) Fußballmannschaft.
    Sie haben am Samstag ein wichtiges Spiel.   ....

Wissenswertes (fakultativ)

B1 Schokolade

Was assoziieren Sie mit Schokolade?

viele Kalorien

....

....

....

....

....

....

B2 Das sind die Lieblingssüßigkeiten der Deutschen:

> Tafelschokolade ◆ Schokoriegel ◆ Bonbons ◆ Pralinen ◆ Lakritze ◆ Fruchtgummi ◆ Kekse ◆ Kuchen

Welche Süßigkeiten belegen die ersten drei Plätze? Raten Sie.

1. ....
2. ....
3. ....

B3 Berichten Sie.

□ Essen Sie gern Süßes? Wenn ja, was essen Sie am liebsten? Wenn nein, warum nicht?

□ Welche Süßigkeiten isst man in Ihrem Heimatland?

B4 Die Geschichte der Schokolade

Lesen Sie den folgenden Text.

Die Geschichte der Schokolade

Das Tiefland der mexikanischen Golfküste vor etwa 3 000 Jahren: Hier lebte das erste zivilisierte Volk Amerikas, die Olmeken (Blütezeit: 1 500 bis 400 vor Christus). Sie waren es, die in dieser fruchtbaren Gegend Kakaobäume züchteten und vermutlich auch als Erste aus Kakao Schokolade herstellten. Schriftliche Zeugnisse gibt es dafür allerdings nicht. Erste Beweise für die Existenz von Schokolade hinterließen die Maya (Blütezeit: 250 bis 900 nach Christus). 1984 wurde bei Río Azul in Guatemala eine Maya-Grabstätte entdeckt. Sie enthielt Gegenstände für den Verzehr von flüssiger Schokolade, darunter einen Topf mit Henkel und Schraubdeckel, der mit großen Hieroglyphen beschrieben war. Zwei dieser Schriftzeichen stellen das Wort „cacao" dar. Bei der Untersuchung des Topfes im Labor fanden sich darin außerdem Spuren von Koffein und Theobromin – beide Stoffe sind Bestandteile von Kakao. Die Maya stellten die Zubereitung von Schokolade auch bildlich dar. Eine erste Zeichnung entstand ungefähr um das Jahr 750. Sie zeigt eine Frau, die eine Flüssigkeit von einem Gefäß in ein anderes gießt. Dadurch vermehrt sie den Schaum der Schokolade, der bei den Maya und später auch bei den Azteken als der köstlichste Teil des Getränks galt. ⇨

Die Maya kannten für Schokolade nicht nur ein Rezept. Ganz im Gegenteil: Sie waren erfindungsreich und bereiteten das Getränk mit verschiedenen Gewürzen wie Chili zu. In historischen Berichten ist davon die Rede, dass Schokolade üblicherweise bei Verlobungs- und Hochzeitsfeiern in reichen Familien genossen wurde. Damit hatte Schokolade bei den Maya einen ähnlichen Stellenwert wie bei uns heute Champagner.

Als die Spanier das Reich der Azteken im Jahr 1521 eroberten und zerstörten, fanden sie Schokolade zunächst abstoßend. Was taten sie also? Sie veränderten die Zubereitung und süßten das bittere Getränk mit Rohrzucker. Außerdem tranken die Spanier ihre Schokolade heiß statt kalt. Und noch etwas änderten die Eroberer aus Europa: den Namen. Die Azteken bezeichneten Schokolade als „cacahuatl" („Kakaowasser"). Die Spanier machten daraus „chocolate".

Von Spanien aus verbreitete sich Schokolade als heißes süßes Getränk im 17. und 18. Jahrhundert in ganz Europa. In den katholisch geprägten Ländern löste die Schokolade eine Diskussion aus, die mehr als 200 Jahre dauerte: Man war in der katholischen Kirche uneinig darüber, ob Schokolade als süße Speise beim Fasten* verboten oder ob sie als Getränk anzusehen und damit auch beim Fasten erlaubt ist. Diese Auseinandersetzung bremste die Lust der Europäer auf Schokolade aber überhaupt nicht, ja, Schokolade wurde bei manchen Menschen sogar zur Sucht.

Die erste Schokoladenfabrik Europas nahm 1728 im englischen Bristol den Betrieb auf. Das Unternehmen hieß „Fry & Sons" und produzierte per Handarbeit; Maschinen für die Schokoladenherstellung gab es noch nicht. Das Zeitalter der modernen Schokoladenproduktion begann im Jahr 1828: Der Niederländer Coenraad Johannes van Houten entwickelte eine hydraulische Presse, mit der man eine neue Art Schokoladenpulver mit sehr geringem Fettanteil herstellen konnte. Dann war es wiederum die britische Schokoladenmanufaktur „Fry & Sons", die 1847 van Houtens Kakaopulver und Zucker mit geschmolzener Kakaobutter statt mit warmem Wasser vermischte – die Tafelschokolade war geboren.

Seit Ende des 19. Jahrhunderts beherrscht die Schweiz die Welt der Schokolade. Dort wurde die erfolgreichste Schokoladensorte der Welt erfunden: die Milchschokolade. Noch heute sind die Schweizer Weltmeister im Schokolade-Essen: Sie verzehren pro Kopf im Jahr 10,2 Kilogramm. Mit einem jährlichen Verzehr von neun Kilogramm Schokolade in Form von Tafeln, Pralinen und anderen Leckereien liegen die Deutschen hinter den Schweizern, den Norwegern und den Belgiern auf Platz vier.

*fasten = nichts essen

B5 **Welche Aussage ist richtig?**

a) Kreuzen Sie an.

1. Man vermutet, dass die ersten Menschen, die Schokolade herstellten,
   a) ☐ die Azteken
   b) ☐ die Olmeken
   c) ☐ die Maya waren.

2. a) ☐ Die Maya tranken von der Schokolade nur den Schaum.
   b) ☐ Die Schokolade war bei den Maya ein Grundnahrungsmittel.
   c) ☐ Die Schokolade war bei den Maya etwas ganz Besonderes.

3. a) ☐ Die Spanier fanden die Schokolade von Anfang an köstlich.
   b) ☐ Den Spaniern schmeckte die Schokolade erst, als sie mit Zucker gesüßt wurde.
   c) ☐ Die Spanier zerstörten alle Kakaopflanzen.

4. a) ☐ In Europa stritten sich die Menschen in katholischen Ländern darüber, ob man die Schokolade essen oder trinken sollte.
   b) ☐ Die Europäer genossen am Anfang die Schokolade als heißes süßes Getränk.
   c) ☐ Die meisten Menschen in Europa wurden süchtig nach Schokolade.

5. Die Tafelschokolade entstand
   a) ☐ 1728.
   b) ☐ 1828.
   c) ☐ 1847.

Wiederholung

b) Ergänzen Sie die fehlenden Verben im Präteritum.

> verändern ◆ trinken ◆ entdecken ◆ finden ◆ leben ◆ herstellen ◆ entwickeln ◆ erfinden ◆ kennen ◆ zubereiten ◆ haben ◆ schmecken ◆ entstehen ◆ produzieren ◆ hinterlassen ◆ darstellen ◆ beginnen

Die Geschichte der Schokolade

Im Tiefland der mexikanischen Golfküste *lebten* vor etwa 3 000 Jahren die Olmeken, die vermutlich die Ersten waren, die aus Kakao Schokolade .... (1). Erste Beweise für die Existenz von Schokolade .... (2) aber nicht die Olmeken, sondern die Maya. 1984 .... (3) man in Guatemala eine Maya-Grabstätte. Sie enthielt Gegenstände für den Verzehr von flüssiger Schokolade. Bei der Untersuchung eines Topfes im Labor .... (4) Wissenschaftler Spuren von Koffein und Theobromin – beide Stoffe sind Bestandteile von Kakao. Die Maya .... (5) die Zubereitung von Schokolade auch bildlich .... (5). Die Maya .... (6) für Schokolade nicht nur ein Rezept. Sie waren erfindungsreich und .... (7) das Getränk mit verschiedenen Gewürzen wie Chili .... (7). In historischen Berichten ist davon die Rede, dass die Schokolade bei wichtigen Familienfeiern serviert wurde. Damit .... (8) sie bei den Maya einen ähnlichen Stellenwert wie bei uns heute der Champagner.

Als die Spanier das Reich der Azteken im Jahr 1521 eroberten, ... (9) ihnen die Schokolade nicht. Sie .... (10) die Zubereitung und süßten das bittere Getränk mit Rohrzucker. Außerdem .... (11) die Spanier ihre Schokolade heiß statt kalt. Von Spanien aus verbreitete sich Schokolade als heißes süßes Getränk im 17. und 18. Jahrhundert in ganz Europa. Die erste Schokoladenfabrik Europas .... (12) 1728 im englischen Bristol. Das Unternehmen „Fry & Sons" .... (13) die Schokolade noch in Handarbeit. Das Zeitalter der modernen Schokoladenproduktion .... (14) im Jahr 1828: Der Niederländer Coenraad Johannes van Houten .... (15) eine hydraulische Presse, mit der man eine neue Art Schokoladenpulver mit sehr geringem Fettanteil herstellen konnte. Seit Ende des 19. Jahrhunderts beherrscht die Schweiz die Welt der Schokolade. Die Schweizer .... (16) die erfolgreichste Schokoladensorte der Welt: die Milchschokolade. Noch heute sind die Schweizer Weltmeister im Schokolade-Essen.

B6 Hier noch ein Rezept für Sie:

Azteken-Gold
Heiße Schokolade nach traditioneller Art

250 Milliliter	Milch
1	Vanilleschote
50 Gramm	Bitterschokolade
	(Kakaoanteil: mindestens 70 %)
	fein gehackt
125 Milliliter	kochendes Wasser
1 Esslöffel	Agavensirup
¼ Teelöffel	Cayennepfeffer
1 Messerspitze	Zimt

Die Milch mit der Vanilleschote aufkochen und anschließend zehn Minuten bei schwacher Hitze ziehen lassen. Die Vanilleschote herausnehmen und aufschneiden. Das Innere der Schote mit der fein gehackten Schokolade mischen, mit kochendem Wasser übergießen und verrühren. Schokoladen-Vanille-Mischung in die Milch rühren, bis die Schokolade geschmolzen ist. Mit dem Agavensirup, Cayennepfeffer, Salz und Zimt abschmecken.

Tipp: Besonders schaumig wird die heiße Schokolade, wenn man sie vor dem Servieren mit einem Pürierstab aufschlägt.

Gesamtwiederholung

Wählen Sie die Themen aus, die Sie gerne wiederholen möchten.

C1 Verben im Perfekt

Ergänzen Sie die Verben im Partizip II.

umziehen ◆ beginnen ◆ stattfinden ◆ schreiben ◆ abschließen ◆ mitbringen ◆ erfinden ◆ sitzen ◆ wissen

- ◆   Wie viele E-Mails haben Sie gestern *geschrieben*?
- 1.   Hast du mir aus dem Urlaub ein Souvenir ....?
- 2.   Ich habe mal wieder den ganzen Tag im Büro ....
- 3.   Haben Sie nicht ...., dass die Sitzung erst um 15 Uhr anfängt?
- 4.   Wann hat das Konzert ....?
- 5.   Der Künstler ist 1961 nach Düsseldorf ....
- 6.   Ich habe mein Studium 1990 als Diplomphysiker ....
- 7.   Im MoMA hat 2002 eine Ausstellung der Gemälde von Gerhard Richter ....
- 8.   Conrad Zuse hat 1941 den ersten frei programmierbaren Computer ....

C2 Verben mit Präpositionen

Ergänzen Sie die richtigen Präpositionen, manchmal mit Artikel.

- ◆   Verzichten Sie doch *auf* Klatsch und Tratsch!
- 1.   Erinnerst du dich oft .... deine Studienzeit?
- 2.   Ich gratuliere dir .... Geburtstag.
- 3.   Freust du dich .... dein Praktikum?
- 4.   Ich fürchte mich .... Schlangen.
- 5.   .... welche Stelle hast du dich beworben?
- 6.   Er gehört .... den bekanntesten Künstlern Deutschlands.
- 7.   Hast du dich .... dem Preis erkundigt?
- 8.   Die meisten Künstler in Deutschland leben .... sehr wenig Geld.

C3 Nomen

Bilden Sie Nomen und ordnen Sie zu.

lieben ◆ drucken ◆ teilnehmen ◆ abfahren ◆ unterrichten ◆ essen ◆ gewinnen ◆ beginnen ◆ fahren ◆ fernsehen ◆ erfinden ◆ treffen ◆ wohnen

Nomen auf -e	Nomen, die vom Verb kommen und ein -t anhängen	Nomen, die vom Verb kommen und keine Endung haben	Nomen, die vom Verb kommen und im Infinitiv sind	Geräte auf -er	Nomen auf -ung
die Liebe					

Wiederholung

C4 **Zeitangaben**

a) Was passt zusammen? Suchen Sie synonyme Wendungen.

1. Jemand ist pünktlich.
2. Der Zug ist nicht pünktlich.
3. Er verschwendet seine Zeit.
4. Er macht alles rechtzeitig.

(a) Er tut Dinge, die nicht sinnvoll sind.
(b) Er hält alle Termine ein.
(c) Er kommt auf die Minute genau.
(d) Er hat Verspätung.

b) Ergänzen Sie die richtigen Präpositionen, manchmal mit Artikel.

♦ *Am* Nachmittag besuchten wir eine Ausstellung.

1. Wir sehen uns .... drei Wochen.
2. Kommst du .... Samstag mit zum Fußball?
3. .... Moment habe ich leider keine Zeit.
4. Er hat sich .... Skifahren das Bein gebrochen.
5. Der Kunde kommt .... 13. Mai .... 13.30 Uhr.
6. Was habt ihr .... des Urlaubs gemacht?
7. .... Juli fahren wir nach Spanien.

C5 **Im Berufsleben**

a) Berufe und Tätigkeiten: Ergänzen Sie die fehlenden Verben.

♦ Ein Informatiker *entwickelt* neue Software.

1. Ein Arzt .... kranke Menschen.
2. Ein Professor .... an einer Universität.
3. Ein Rechtsanwalt .... andere Menschen vor Gericht.
4. Ein Reiseleiter .... wichtige Informationen über fremde Länder.
5. Ein Ingenieur .... Maschinen, Flugzeuge oder andere Dinge.
6. Ein Innenarchitekt .... Räume.

b) Wie heißt das Gegenteil?

1. Jemand wird von einer Firma eingestellt.
2. Jemand bekommt ein hohes Gehalt.
3. Jemand arbeitet unter Anleitung.
4. Jemand hat einen unbefristeten Arbeitsvertrag.

Jemand wird ....
Jemand bekommt ein .... Gehalt.
Jemand arbeitet ....
Jemand hat einen .... Arbeitsvertrag.

c) Telefongespräche: Ergänzen Sie die fehlenden Verben.

1. Kanzlei Schulze und Partner, guten Morgen. Was kann ich für Sie ....?
2. Ich würde gern Herrn Schulze ....
3. Das tut mir leid, Herr Schulze ist nicht im Hause. Kann ich ihm etwas ....?
4. Könnten Sie Herrn Schulze ...., dass er mich heute noch zurückruft? Es ist dringend.
5. Unter welcher Nummer kann er Sie ....?

C6 Modalverben

a) Ergänzen Sie die passenden Modalverben im Präsens *(können – sollen – wollen – müssen – dürfen – mögen)*.

◆ Frau Grün fährt nach China, deshalb *will* sie jetzt Chinesisch lernen.

1. .... ich die Gäste vom Flughafen abholen?

2. .... ich Ihnen helfen?

3. Du .... heute noch das Protokoll schreiben.

4. Frau Winter hat angerufen, du .... sie bitte sofort zurückrufen.

5. Wenn die Schmerzen nicht weggehen, ... du unbedingt zum Arzt.

6. Ich .... keine Komplimente.

7. .... ich mal das Fenster öffnen?

8. Ich .... keinen Ärger mit dem Chef bekommen.

b) Ergänzen Sie die angegebenen Modalverben im Präteritum.

◆ Ich *sollte* ein Referat vorbereiten, hatte aber keine Zeit. *(sollen)*

1. Ich .... keinen 19-Zoll-Monitor, sondern einen 22-Zoll-Monitor. *(wollen)*

2. Ich .... dich leider nicht abholen, ich .... arbeiten. *(können, müssen)*

3. Du .... doch gestern Frau Winter anrufen. Warum hast du das nicht gemacht? *(sollen)*

4. Im Krankenhaus .... Otto drei Wochen nicht rauchen. *(dürfen)*

5. Herr Heinz .... schon früher keine Tomaten. *(mögen)*

c) Sagen Sie, was nicht notwendig ist.

Sie brauchen bei dieser Stelle:

◆ keine Rechnungen schreiben   … *keine Rechnungen zu schreiben.*

1. kein Englisch sprechen   ....

2. keinen Führerschein haben   ....

3. nicht kommunikativ sein   ....

4. nicht im Team arbeiten   ....

C7 Mit oder ohne *zu*?

◆ Sie dürfen hier nicht *rauchen.* *(rauchen)*
Es ist nicht erlaubt, hier *zu rauchen.* *(rauchen)*

1. Ich rate dir, zur Präsentation einen Anzug .... *(anziehen)*

2. Es ist unmöglich, die Arbeit heute noch .... *(beenden)*

3. Du musst den Kleiderschrank so bald wie möglich .... *(zusammenbauen)*

4. Ich habe überhaupt keine Lust, heute mit dir ins Kino .... *(gehen)*

5. Ist es möglich, für die Vorstellung in der Oper heute Abend noch zwei Karten ....? *(bekommen)*

6. Du solltest nicht so viel Schokolade .... *(essen)*

7. Ich bitte dich, mir .... *(glauben)*

8. Das musst du mir ....! *(glauben)*

Wiederholung

C8 Maskuline Nomen

Ergänzen Sie die Endungen, wenn nötig.

- ♦ Bitte fragen Sie Ihren Nachbar*n*.
- 1. Der Arzt kümmert sich um den Patient.........
- 2. Herr Krause redet mit dem Kunde.........
- 3. Mit welchem Mann......... warst du gestern im Kino?
- 4. Ich habe eine Nachricht für Herr......... Kaiser.
- 5. Hast du deinen neuen Kollege......... schon kennengelernt?
- 6. Marta ist mit einem Polizist......... verheiratet.

C9 Höfliche Bitten

Formulieren Sie Bitten und verwenden Sie den Konjunktiv II.

- ♦ Gib mir das Wörterbuch. *Würdest/Könntest du mir bitte das Wörterbuch geben?*
- 1. Einen Kaffee bitte. ....
- 2. Öffnen Sie das Fenster. ....
- 3. Kopieren Sie das Dokument. ....
- 4. Beantworte den Brief gleich. ....
- 5. Gebt eure Aufsätze rechtzeitig ab. ....

C10 Empfehlungen

Formulieren Sie Empfehlungen. Verwenden Sie *Sie sollten …* oder *Ich empfehle Ihnen …*

- ♦ nicht mit dem Auto fahren
  Sie sollten nicht mit dem Auto fahren.
  Ich empfehle Ihnen, nicht mit dem Auto zu fahren.
- 1. immer pünktlich sein
  ....
- 2. bei einem Geschäftsessen unverbindlichen Smalltalk machen
  ....
- 3. den Gast mit „Sie" ansprechen
  ....
- 4. gut Englisch sprechen
  ....

C11 Formulieren Sie irreale Wünsche.

- ♦ ein neues Fahrrad *Hätte ich doch ein neues Fahrrad!*
- 1. fließend Deutsch sprechen ....
- 2. besser kochen ....
- 3. reich ....
- 4. mehr Freizeit ....

C12 Zu spät! Hinterher ist man immer schlauer.

Bilden Sie Sätze wie im Beispiel.

♦ Ich habe zwei Stunden im Stau gestanden. *(mit dem Zug fahren)*
  Wäre ich doch mit dem Zug gefahren!

1. Ich habe schreckliche Zahnschmerzen. *(rechtzeitig zum Zahnarzt gehen)*

   ....

2. Karl ist durch die Prüfung gefallen. *(mehr lernen)*

   ....

3. Ich habe kein Geld mehr. *(nicht so teure Schuhe kaufen)*

   ....

4. Carola hat sich verfahren. *(einen Stadtplan mitnehmen)*

   ....

C13 Irreale Bedingungen

Was würden Sie tun, wenn Sie mehr Zeit hätten? Formulieren Sie Sätze.

Wenn ich mehr Zeit hätte, …

♦ immer Hausaufgaben machen   *… würde ich immer Hausaufgaben machen.*

1. mich mehr um meine Familie kümmern   ....

2. öfter spazieren gehen   ....

3. mehr Bücher lesen   ....

4. öfter kochen

C14 Ein Telefongespräch

Ergänzen Sie die Personalpronomen.

Kanzlei Schulze, guten Morgen.
Was kann ich für *Sie* tun?

> Guten Morgen, Marcus Ottmann, Firma ONKO.
> .... würde gern Herrn Schulze sprechen.

Das tut .... leid, Herr Schulze ist nicht
im Hause. Kann ich .... etwas ausrichten?

> Ja, das wäre nett. Könnten Sie .... bitte sagen,
> dass wir noch immer auf die Verträge warten?

Ja, natürlich. Ich richte es .... aus.

> Ach, noch etwas. Könnten Sie Herrn Schulze bitten,
> dass er .... heute noch zurückruft? Es ist
> dringend.

Unter welcher Nummer kann
Herr Schulze .... erreichen?

> Meine Nummer ist (0 50) 1 76 34 49.

Ich informiere .... sofort, wenn er wieder
im Hause ist.

> Danke sehr. Auf Wiederhören.

Wiederholung

C15 Was passt zusammen?

Ordnen Sie zu.

◆	den Buchdruck	einschalten
1.	eine Prüfung	erfinden
2.	einen Fernseher	synchronisieren
3.	einen Film	bekommen
4.	an einer Weiterbildung	ablegen
5.	eine schlechte Note	vereinbaren
6.	einen Termin	teilnehmen

C16 Es gibt noch viel zu tun.

Bilden Sie Sätze im Passiv wie im Beispiel.

◆ Rechnung – schreiben

   a) *Die Rechnung muss noch geschrieben werden.*

   b) *Nein, die Rechnung ist schon geschrieben worden.*

1. Chef – informieren

   a) ....

   b) ....

2. Einladungen – verschicken

   a) ....

   b) ....

3. Dokumente – kopieren

   a) ....

   b) ....

4. Programm – installieren

   a) ....

   b) ....

5. Daten – speichern

   a) ....

   b) ....

6. Terminplan – erstellen

   a) ....

   b) ....

C17 Angabe eines Zwecks

Bilden Sie Sätze mit *um … zu* oder *damit*.

◆ ich – an die Ostsee fahren ◆ sich erholen

   Ich fahre an die Ostsee, um mich zu erholen.

1. ich – Deutsch lernen ◆ mit Geschäftspartnern besser verhandeln können

   ....

2. Peter – sich gut vorbereiten ◆ eine eindrucksvolle Präsentation halten

   ....

3. der Direktor – lange mit Klaus reden ◆ Klaus – über alles informiert sein

   ....

4. das Essen in der Kantine – verbessert werden ◆ Mitarbeiter – sich wohler fühlen

   ....

C18 Sinngerichtete Infinitivkonstruktionen

Was passt: *statt*, *ohne* oder *um*?

- ◆ Er fährt die kurze Strecke mit dem Auto,   *statt*   zu laufen.
1. Er sieht fern, ... Hausaufgaben zu machen.
2. Herr Krüger sieht jeden Tag Nachrichten, ... sich über die Tagesereignisse zu informieren.
3. Der Hausmeister macht schon wieder Pause, ... zu arbeiten.
4. Er fuhr über die Kreuzung, ... auf die Ampel zu achten.
5. Anna ist in die Innenstadt gefahren, ... sich neue Schuhe zu kaufen.
6. Benno redet pausenlos, ... einmal zuzuhören.

C19 Wer oder was ist das?

Ergänzen Sie die Relativpronomen und, wenn nötig, die Präposition.

Das ist …

- ◆ der Sänger, *den* ich live im Konzert gehört habe.
1. der Brief, ... Frau Bär übersetzt hat.
2. die Stadt, ... ich studiert habe.
3. die Frau, ... er früher verliebt war.
4. der Schauspieler, ... ich früher geträumt habe.
5. das Café, ... den besten Espresso macht.
6. das Restaurant, ... wir nie wieder gehen.
7. mein Chef, ... ich große Probleme habe.
8. der Mann, ... der Ferrari gehört.
9. der Roman, ... der Autor in vier Wochen geschrieben hat.
10. Das sind die Häuser, ... Eigentümer jetzt im Gefängnis sitzt.

C20 Wie heißt der Superlativ?

- ◆ giftig   Das *giftigste* Tier der Welt ist eine Seeanemone (die Krustenanemone).
1. viel   Die .... Menschen auf der Erde sprechen Chinesisch (über 1 Milliarde).
2. schnell   Das .... Säugetier auf der Welt ist der Gepard.
3. teuer   Das .... Bild der Welt ist „Junge mit Pfeife" von Pablo Picasso.
4. lang   Die .... Nacht des Jahres ist die Nacht vom 21. zum 22. Dezember.
5. kurz   Der .... Monat ist der Februar.
6. hoch   Das .... Gebäude der Welt ist der Wolkenkratzer Burj Dubai (560 Meter).

C21 Je … desto

Ergänzen Sie die Adjektive in der richtigen Form.

- ◆ Je *schneller* du redest, desto *schlechter* kann ich dich verstehen. *(schnell, schlecht)*
1. Je .... das Haus am See liegt, desto .... ist es. *(nah, teuer)*
2. Je .... die Ware ist, desto .... ist der Preis. *(hochwertig, hoch)*
3. Je .... du schreibst, desto .... kann ich es lesen. *(deutlich, gut)*
4. Je .... man nach Süden fährt, desto .... wird es. *(weit, warm)*

Wiederholung

 Das richtige Geschenk am Valentinstag

Ergänzen Sie die Endungen der Adjektive und der Artikel.

Das richtige Geschenk am Valentinstag

Ein*e* aktuell....... Studie unter deutsch....... Frauen und Männern ergab ein erstaunlich....... Resultat: Bis jetzt hatte man geglaubt, der Weg zum Herzen d....... geliebt....... Frau führt über ein....... wertvoll....... Diamanten. Doch die Ergebnisse d....... neuest....... Umfrage sagen etwas anderes. Nur 7 Prozent der Frauen sehnen sich am Valentinstag nach ein....... teur....... Schmuckstück. Ganz oben auf der Liste d....... beliebtest....... Geschenke steht der Kuss. 43 Prozent würden sich über ein romantisch....... Essen freuen und 43 Prozent über ein....... leidenschaftlich....... Nacht. Bei d....... materiell....... Wünschen belegen schön........ Blumen Platz eins. Auch die deutsch........ Männer sind bescheiden. 49 Prozent wünschen sich ein........ entspannend........ Massage. Auf Platz zwei folgt der Kuss oder ein selbst gekocht........ Essen.

 Partizipien als Adjektive

Welches Partizip passt? Ordnen Sie zu und ergänzen Sie die Endung der Adjektive.

| überzeugend ♦ informiert ♦ veröffentlicht ♦ gelandet ♦ angekommen ♦ gelöscht ♦ gesendet ♦ gekocht ♦ spannend ♦ gestiegen |

♦ der *angekommene* Zug

1. ein .... Film
2. das .... Flugzeug
3. der gut .... Journalist
4. die .... Daten

5. ein hart .... Ei
6. ein .... Argument
7. die .... Preise
8. der gestern .... Artikel
9. die .... E-Mail

 Paul und Ottomar

Wie heißt das Gegenteil? Nicht alle Adjektive passen.

| gründlich ♦ feige ♦ vernünftig ♦ idealistisch ♦ bescheiden ♦ hässlich ♦ intolerant ♦ ordentlich ♦ scheu |

Paul ist ...

♦ mutig
1. schön
2. kontaktfreudig
3. arrogant
4. chaotisch
5. oberflächlich

Ottomar ist ...

feige
....
....
....
....
....

C25 Ersetzen Sie die Nomen-Verb-Verbindungen durch Verben.

♦ Für ein Visum muss man beim Konsulat <u>einen Antrag stellen</u>.

Ein Visum muss man beim Konsulat *beantragen*.

1. Die Teilnehmer <u>nahmen voneinander Abschied</u>.

Die Teilnehmer ....

2. Die Opposition <u>übte</u> an der Regierungspolitik <u>Kritik</u>.

Die Opposition .... die Regierungspolitik.

3. Die Verhandlungen konnten endlich <u>zum Abschluss gebracht</u> werden.

Die Verhandlungen konnten endlich .... werden.

4. Die Stadt hat noch keine <u>Lösung</u> für die Verkehrsprobleme <u>gefunden</u>.

Die Verkehrsprobleme wurden noch nicht ....

C26 Temporale Nebensätze I

Wenn oder *als*? Was ist richtig?

♦ Mein letztes großes Fest war,	*als*	ich geheiratet habe.
1. Er schrieb sein erstes Computerprogramm,	....	er noch Student war.
2. Du brauchst nicht zu kommen,	....	du krank bist.
3. Ich habe dir immer etwas mitgebracht,	....	ich von einer Reise zurückkam.
4. Es war dieses Jahr schon Februar,	....	der erste Schnee fiel.

C27 Temporale Nebensätze II

Welche Subjunktion passt?

♦ *Nachdem* er eine Einladung erhalten hatte, ging er am Donnerstag zur Ausstellungseröffnung.	<u>Nachdem</u>/Während/Wenn
1. .... er der Eröffnungsrede zuhörte, klingelte sein Handy.	Während/Nachdem/Wenn
2. .... der Bürgermeister seine Rede beendet hatte, gab es für alle Gäste ein Glas Sekt.	Nachdem/Während/Bevor
3. .... er sich ein Bild von Neo Rauch betrachtete, traf er seinen alten Zeichenlehrer.	Als/Nachdem/Während
4. Noch .... die Ausstellung eröffnet wurde, konnten die ersten Bilder verkauft werden.	nachdem/während/wenn
5. .... du kommst, muss ich noch schnell einkaufen.	Nachdem/Bevor/Während
6. .... Peter von der Autobahn abfuhr, platzte sein Reifen.	Als/Wenn/Seit
7. .... er in London angekommen war, traf er sich mit einem Geheimagenten in einer Bar.	Wenn/Während/Nachdem

Wiederholung

C28 Wo oder wohin?

Ergänzen Sie die richtigen Präpositionen, manchmal mit Artikel.

- Warst du diesen Sommer wieder *in* Schweden?

1. Ich arbeite .... BMW.

2. Paul ist .... seiner Freundin .... Dortmund gefahren.

3. Wann fährst du .... Urlaub?

4. Ich fahre nicht, denn ich war schon .... Urlaub.

5. Wo ist Katja? Sie ist noch .... Hause.

6. Wir waren .... Brandenburger Tor und .... Potsdamer Platz.

7. Warum fährst du eigentlich jedes Jahr .... Nordsee?

8. Frau Schön war .... Schuhgeschäft und hat sich neue Schuhe gekauft.

C29 Darüber bin ich sehr froh!

Welche Präposition passt?

- *Über* das Resultat bin ich sehr froh.

1. Der Regen ist nützlich .... die Pflanzen.

2. Otto ist immer nett .... seinem Nachbarn.

3. Ich bin dir .... deine Hilfe sehr dankbar.

4. Frau Kaiser ist verliebt .... ihren Mann.

5. Der Chef ist .... meiner Arbeit sehr zufrieden.

6. Nur zufrieden? Mein Chef ist .... meiner Arbeit begeistert!

7. Der Sänger ist beliebt .... den Frauen.

C30 Präpositionen mit dem Genitiv

Welche Präposition passt?

- *Wegen* eines Unfalls auf der Autobahn kam er drei Stunden zu spät.   *Trotz/Während/<u>Wegen</u>*

1. .... des gesamten Urlaubs trank er keinen einzigen Tropfen Alkohol.   *Während/Außerhalb/Wegen*

2. .... des Stresses auf Arbeit ist sie gesund und fit.   *Wegen/Laut/Trotz*

3. .... der neuesten Umfrageergebnisse wünschen sich nur sieben Prozent der Frauen teuren Schmuck.   *Mithilfe/Statt/Laut*

4. .... des neuen Navigationssystems fand er den Weg zur Firma problemlos.   *Trotz/Während/Mithilfe*

5. .... eines Diamanten schenkte er ihr einen Blumenstrauß.   *Wegen/Statt/Trotz*

6. Bitte melden Sie sich .... einer Woche bei mir.   *außerhalb/innerhalb/wegen*

C31 Gründe und Folgen

Was passt? Ergänzen Sie *obwohl, trotzdem, deshalb* oder *weil*.

♦ Ich bin müde, *weil* ich so viel gearbeitet habe.

1. .... Michael ein sehr gutes Abiturzeugnis hat, hat er noch keinen Studienplatz bekommen.

2. Gleich nach dem Studium bekam Samuel eine Stelle, ... ist er jetzt sehr glücklich.

3. Franz war immer faul, ... hat er alle Prüfungen bestanden.

4. Brigitte ist Lehrerin geworden, ... sie gern Kinder unterrichtet.

C32 Essen im Mittelalter

Welche Präposition ist richtig?

♦ Das mittelalterliche Frühstück bestand *aus* einem Glas Wein.	*aus/bei/in*
1. Manche Leute tranken auch ein Glas Bier, gewürzt .... Koriander.	*von/mit/aus*
2. .... zweiten Frühstück gab es Schweinefleisch, aber auch Gans und Wild kamen .... den Tisch.	*Zum/Im/Mit* *in/unter/auf*
3. Selbstverständlich wurde auch .... dieser Mahlzeit Bier und Wein gereicht.	*in/zu/auf*
4. Schon drei Stunden später war Zeit .... ein kleines Mittagessen.	*für/vor/mit*
5. So blieb etwas Platz .... Magen .... das Abendessen.	*in/im/auf* *zu/für/vor*
6. Um die Gäste zu beeindrucken, dekorierten die Köche das Essen .... teuren Gewürzen, die .... fernen Ländern geholt werden mussten.	*ohne/mit/in* *aus/außerhalb/vor*
7. .... das einfache Volk gab es übrigens viermal .... Tag das Gleiche: Gerstenbrei oder Gemüsesuppe.	*Für/Unter/Vor* *am/im/an*
8. .... Mittelalter aß man .... den Händen, dem Löffel oder dem Messer.	*Im/Am/Um* *ohne/mit/von*
9. Erst .... dem 17. Jahrhundert gehörte die Gabel .... Besteck.	*ab/vor/hinter* *zum/mit/für*
10. Man speiste .... Tellern und großen Platten .... Holz.	*aus/von/vor* *von/vor/aus*

Rückblick

(D1) Wichtige Redemittel

Hier finden Sie die wichtigsten Redemittel des Kapitels.

Essen

Mahlzeiten:

das Frühstück ◆ das Mittagessen ◆ das Abendbrot/Abendessen ◆ sich Zeit nehmen für ein gemeinsames Essen/ zum Essen

Gewürze:

das Salz ◆ der Pfeffer ◆ der Koriander ◆ der Lavendel ◆ der Salbei ◆ der Pfeffer ◆ der Zimt ◆ die Nelken ◆ der Knoblauch ◆ der Curry ◆ der Kreuzkümmel ◆ der Safran

Weitere Oberbegriffe:

Süßigkeiten ◆ Getreideprodukte ◆ Hülsenfrüchte ◆ Obst ◆ Fisch ◆ Gemüse ◆ Wurst ◆ Fleisch ◆ Backwaren ◆ Milchprodukte ◆ Kräuter ◆ alkoholische Getränke ◆ Erfrischungsgetränke ◆ Geschirr ◆ Besteck

Essen zubereiten:

Zwiebeln schälen/schneiden ◆ Gemüse putzen ◆ Kuchen backen ◆ Fleisch anbraten/braten ◆ Kräuter hacken ◆ Salat waschen/trocknen ◆ *(Wasser)* kochen ◆ ein Steak grillen ◆ *(die Suppe)* umrühren ◆ *(das Fleisch)* würzen/salzen ◆ etwas dazugeben

Restaurants:

Das Restaurant bietet gutbürgerliche/italienische/asiatische/preiswerte … Gerichte ◆ Es ist bekannt für seine gute/mediterrane/gutbürgerliche/gehobene … Küche.
Das Restaurant ist mit modernen/dunklen/hellen … Möbeln eingerichtet. ◆ Es wirkt modern/bequem/freundlich/gemütlich … ◆ Das Ambiente ist traumhaft/modern/rustikal …
Die Weinkarte ist ausführlich/vom Feinsten/bietet eine große Auswahl …
Die Bedienung ist freundlich/unfreundlich/schnell/langsam … ◆ Der Service klappt hervorragend/überhaupt nicht … ◆ Den Empfehlungen der Kellner kann man *(nicht)* vertrauen … ◆ Das Fleisch/Das Gemüse/Die Nudeln war/waren zu weich/zu hart/zu salzig …
Das Essen schmeckte köstlich/ausgezeichnet/hervorragend/gut … ◆ Das Essen/Der Wein konnte *(nicht)* überzeugen. ◆ Das Menü/Essen war sein Geld *(nicht)* wert.

Gute Wünsche

Jahreswechsel:	Einen guten Rutsch! Glückliches neues Jahr! Gesundes neues Jahr!
Weihnachten/Ostern:	Frohes Fest! Frohe Ostern!
Urlaub/Skiurlaub:	Gute Reise! Gute Fahrt! Hals- und Beinbruch!
Prüfungen/Wettkampf o. ä.:	Viel Glück! Toi, toi, toi! Ich drücke dir die Daumen!
	Lasst euch nicht unterkriegen!
Ein Erfolg:	Herzlichen Glückwunsch!
Geburtstag:	Alles Gute zum Geburtstag!
Krankheit:	Gute Besserung!
Essen/Trinken:	Guten Appetit! Zum Wohl! *(Wein)* Prost! *(Bier, Schnaps)*

D2 Kleines Wörterbuch der Verben

Unregelmäßige Verben

Infinitiv	3. Person Singular Präsens	3. Person Singular Präteritum	3. Person Singular Perfekt
backen *(Kuchen)*	er bäckt	er backte	er hat gebacken
(an)braten *(Fleisch)*	er brät (an)	er briet (an)	er hat (an)gebraten
salzen *(das Essen)*	er salzt	er salzte	er hat gesalzen
schneiden *(Zwiebeln)*	er schneidet	er schnitt	er hat geschnitten

Einige regelmäßige Verben

Infinitiv	3. Person Singular Präsens	3. Person Singular Präteritum	3. Person Singular Perfekt
auslösen *(eine Diskussion)*	er löst aus	er löste aus	er hat ausgelöst
beeindrucken *(jemanden)*	er beeindruckt	er beeindruckte	er hat beeindruckt
bestellen	er bestellt	er bestellte	er hat bestellt
dekorieren *(den Tisch)*	er dekoriert	er dekorierte	er hat dekoriert
einplanen *(100 Euro)*	er plant ein	er plante ein	er hat eingeplant
erobern *(ein Land)*	er erobert	er eroberte	er hat erobert
grillen *(ein Steak)*	er grillt	er grillte	er hat gegrillt
hacken *(Kräuter)*	er hackt	er hackte	er hat gehackt
hungern	er hungert	er hungerte	er hat gehungert
kochen	er kocht	er kochte	er hat gekocht
putzen *(Gemüse)*	er putzt	er putzte	er hat geputzt
reichen *(etwas zum Essen)*	er reicht	er reichte	er hat gereicht
(um)rühren *(die Suppe)*	er rührt (um)	er rührte (um)	er hat (um)gerührt
schälen *(Zwiebeln)*	er schält	er schälte	er hat geschält
servieren *(das Essen)*	er serviert	er servierte	er hat serviert
überzeugen	er überzeugt	er überzeugte	er hat überzeugt
vertrauen	er vertraut	er vertraute	er hat vertraut
wirken *(positiv)*	er wirkt	er wirkte	er hat gewirkt
würzen *(das Essen)*	er würzt	er würzte	er hat gewürzt
zubereiten *(ein Gericht)*	er bereitet zu	er bereitete zu	er hat zubereitet

D3 Evaluation

Überprüfen Sie sich selbst.

Ich kann	gut	nicht so gut
Ich kann verschiedene Texte zum Thema *Essen* verstehen und mich dazu mündlich äußern.	☐	☐
Ich kann die wichtigsten Nahrungsmittel nennen und über typische Gerichte und Gewürze meines Heimatlandes berichten.	☐	☐
Ich kann Berichte über Restaurantbesuche verstehen und selbst verfassen.	☐	☐
Ich kann eine Einladung zum Essen formulieren und auf eine Partyeinladung schriftlich reagieren.	☐	☐
Ich kann in fast allen Situationen gute Wünsche formulieren.	☐	☐
Ich kann einfache E-Mails und Briefe schreiben.	☐	☐
Ich kann mich zum Thema *Schokolade und Süßigkeiten* äußern und einen Text zur Geschichte der Schokolade verstehen. *(fakultativ)*	☐	☐

Rückblick

Anhang

Übungssatz *Zertifikat B1*

Diese Prüfung besteht aus den Modulen **Lesen** (65 Minuten), **Hören** (40 Minuten), **Schreiben** (60 Minuten) und **Sprechen** (15 Minuten als Paarprüfung).

Lesen (65 Minuten)

Der Teil *Lesen* besteht aus fünf Teilen. Die Reihenfolge der Bearbeitung können Sie selbst bestimmen. Achten Sie darauf, dass Sie die vorgegebene Bearbeitungszeit der Einzelteile nicht überschreiten.
Für jede Aufgabe gibt es nur eine richtige Lösung.

Teil 1 (10 Minuten)

Lesen Sie den folgenden Text und lösen Sie die Aufgaben 1 bis 6.

Reiseblog.de

Susanne aus Dortmund bloggt

Freitag, 5. Oktober: *Ein Tag auf dem Münchner Oktoberfest*

Wer kennt es nicht, das berühmte Oktoberfest in München, das größte Volksfest der Welt? Es beginnt jedes Jahr Ende September, dauert 16 Tage und findet schon seit dem Jahr 1810 statt. Ich kannte es nur aus der Presse und wollte nun auch mal auf „die Wiesn", wie man in Bayern sagt. Allerdings war das gar nicht so einfach, wie ich dachte. Da ich mich erst kurzfristig zu dem Oktoberfestbesuch entschlossen hatte, waren die meisten Hotels in München ausgebucht. Ich habe nach langer Suche in einem Zimmer für 180 Euro übernachtet, das normalerweise nur 90 Euro kostet.

Als ich endlich auf dem Oktoberfest angekommen war, kam die nächste Überraschung: Fast alle Besucher trugen Tracht, das heißt, die Männer trugen Lederhosen, die Frauen hatten sogenannte Dirndl an. Ich habe mich in meiner normalen Kleidung gefühlt wie ein Mensch von einem anderen Stern. Übrigens sahen nicht alle Männer in Lederhosen wirklich gut aus, die Frauen im Dirndl dagegen schon.

Interessant fand ich, dass nicht nur die Einheimischen mit einer bayerischen Tracht gekleidet waren, sondern auch viele Ausländer, z. B. Japaner oder Amerikaner. Das Zweite, was mir aufgefallen ist, waren die vielen Besucher. Wahnsinn! Ich habe noch nie ein Volksfest mit so vielen Menschen gesehen. Das bedeutet natürlich auch, dass man überall lange warten musste, wenn man etwas essen oder trinken wollte. Vor allem in den Bierzelten gab es kaum Platz. In der Zeitung habe ich gelesen, dass auf dem Oktoberfest etwa sieben Millionen Liter Bier getrunken werden.

Doch das Oktoberfest ist nicht nur etwas für Erwachsene, die gerne Bier trinken, sondern es ist auch ein Fest für Familien mit Kindern. Für die Kleinen gibt es viele Attraktionen, z. B. eine Fahrt auf dem Riesenrad oder mit der Geisterbahn. Dieses Jahr konnten die jungen Gäste zum ersten Mal an Wiesn-Forscherexpeditionen teilnehmen, wo sie etwas über die Technik und die über 200-jährige Geschichte des Festes erfahren haben.

Für mich war der Tag auf dem Oktoberfest ein großes Abenteuer: Ich habe mich in einer Ausstellung über die Landwirtschaft in Bayern informiert, außerdem habe ich Bier getrunken, Wildgulasch gegessen und sogar zwei berühmte Schauspieler auf dem Fest entdeckt. Ich kann einen Besuch auf dem Oktoberfest jedem empfehlen – allerdings sollte man ein gut gefülltes Portemonnaie mitnehmen.

Kreuzen Sie an: Sind die Aussagen richtig oder falsch?

		richtig	falsch
♦	Das Münchner Oktoberfest hat eine sehr lange Tradition.	✓	☐
1.	Susanne war bisher noch nicht auf dem Oktoberfest.	☐	☐
2.	Ihre Reise war spontan und nicht richtig geplant.	☐	☐
3.	Auf dem Fest erkennt man die Münchner daran, dass sie eine Tracht tragen.	☐	☐
4.	Essen und Getränke bekommt man sofort.	☐	☐
5.	Für Familien mit Kindern gibt es kein passendes Unterhaltungsangebot.	☐	☐
6.	Susanne fand den Besuch auf dem Oktoberfest toll und preiswert.	☐	☐

Teil 2 (20 Minuten)

Lesen Sie die beiden Zeitungsberichte und lösen Sie die Aufgaben 7 bis 12.
Er gibt jeweils nur eine richtige Lösung.

Giftige Dämpfe

Der Bundesverband der Deutschen Luftverkehrswirtschaft (BDL) verlangt von den Flugzeugherstellern, dass die Luft in Flugzeugkabinen sauberer wird. Die Hersteller sollen etwas gegen die Belastung von Kabinenluft durch giftige Dämpfe unternehmen.

Dieser Schritt ist notwendig, weil es während eines Fluges immer wieder zu Notsituationen kommen kann. Erst vor Kurzem wurde bekannt, dass zwei Piloten durch das Einatmen von giftigen Dämpfen große gesundheitliche Probleme bekamen. Die giftigen Zusatzstoffe kommen aus den Triebwerken, die die Luft für den Innenraum der Flugzeuge liefern. Besonders beim Start besteht die Möglichkeit, dass giftige Öldämpfe direkt ins Cockpit und in die Kabine gelangen und das Wohlbefinden der Passagiere und Besatzung gefährden. Das kann potenziell in jeder Passagiermaschine passieren.

Deutsche Luftfahrtgesellschaften wollen nun diese Vorgänge in Tests untersuchen und Lösungswege finden. Ein amerikanischer Flugzeughersteller hat bereits ein Flugzeug entwickelt, bei dem die Kabinenluft nicht mehr von den Triebwerken kommt und dadurch sauberer ist.

♦ Der Bundesverband der Deutschen Luftverkehrswirtschaft
   a) ☐ vertritt die Interessen der Flugzeughersteller.
   b) ✓ fordert Maßnahmen gegen unsaubere Kabinenluft.
   c) ☐ hat in einem Flugzeug Gift entdeckt.

7. In diesem Text geht es um
   a) ☐ die Sicherheit beim Fliegen.
   b) ☐ den Konkurrenzkampf von deutschen und amerikanischen Luftfahrtgesellschaften.
   c) ☐ Gefahren für Piloten.

8. Das Problem mit der Kabinenluft in den Flugzeugen
   a) ☐ kann durch besseres Pilotentraining bekämpft werden.
   b) ☐ betrifft nur wenige Flugzeuge.
   c) ☐ hat technische Ursachen.

9. Eine mögliche Lösung
   a) ☐ wurde von einem amerikanischen Flugzeughersteller bereits gefunden.
   b) ☐ ist nicht in Sicht.
   c) ☐ hat sich aus einer Reihe von Tests in Deutschland ergeben.

Krimitouren im Trend

Die Deutschen sind Krimiliebhaber. Nach Angaben des Buchhandels ist jedes vierte in Deutschland verkaufte Buch ein Krimi, Tendenz steigend. Diesem Trend folgt nun auch die Touristikbranche mit besonderen Angeboten, den sogenannten Krimitouren. Mit dem Fokus auf das Verbrechen bieten sich den Anbietern sicherlich gute Verdienstmöglichkeiten und den Besuchern interessante Gelegenheiten, Städte einmal anders zu erleben.

In Wien zum Beispiel kann man auf den Spuren des Filmklassikers „Der dritte Mann" wandeln. Der Film spielt in den Nachkriegsjahren in Wien, wo der Schwarzmarkthandel blühte und korrupte Banden ihr Unwesen trieben. Die Tour schildert die Suche der Wiener Polizei nach dem Helden des Films, dem Medikamenten-Dealer Harry Lime und führt zu den Original-Schauplätzen des Kultkrimis – in die Wiener Kanalisation.

Speziell für Gruppen eignet sich eine Krimireise nach Berlin: Mit der Tour „Berlin sucht einen Mörder" lockt der Anbieter Hobbydetektive auf eine große Tatortrallye, bei der die Teilnehmer einen Tag lang einen fiktiven Mörder jagen und bei ihren Recherchen Berlin auf eine außergewöhnliche Art kennenlernen. Deutschlands populärste Krimilandschaft aber scheint die Eifel zu sein: Hier leben mehr als 50 Krimiautoren. Unter der Marke „Tatort Eifel" existiert mittlerweile eine riesige Angebotspalette für Touristen. In dem Ort Hillesheim können Gäste sogar in einem alten Gefängnis in gestreifter Sträflingskleidung übernachten und eine „Henkersmahlzeit" einnehmen.

♦ Die Deutschen
- a) ✓ mögen Krimis.
- b) ☐ reisen gern in Städte.
- c) ☐ möchten gern an einer Verbrecherjagd teilnehmen.

10. Bei den Krimitouren hat man die Möglichkeit
- a) ☐ einen Einblick in die Stadtgeschichte zu erhalten.
- b) ☐ ein Verbrechen aufzuklären.
- c) ☐ Städte auf eine ungewöhnliche Art zu erkunden.

11. Die Tourismusbranche will
- a) ☐ mit dem Krimitrend Geld verdienen.
- b) ☐ vor kriminellen Handlungen warnen.
- c) ☐ die Attraktivität deutscher Städte erhöhen.

12. Die Themen der Krimireisen
- a) ☐ beziehen sich auf wirkliche Kriminalfälle.
- b) ☐ sind sehr vielfältig.
- c) ☐ orientieren sich immer an Romanen oder Filmen.

Teil 3 (10 Minuten)

In diesem Teil lesen Sie sieben Situationen (Aufgaben 13 bis 19) und zehn Anzeigen (A bis J). Welche Anzeige passt zu welcher Situation? Sie können jede Anzeige nur einmal verwenden. Es ist auch möglich, dass es keine passende Anzeige gibt. In diesem Fall schreiben Sie: 0.

A **Ärzte im Ruhestand**
bieten Nachhilfe für Studenten in biochemischen Fächern sowie Anatomie, Physiologie und Pathologie. Außerdem leisten sie Hilfe bei der Suche nach Praktikumsplätzen.
www.aertze-helfen-studenten.de

B **Brot für die Welt**
sucht für zwei Monate Freiwillige, die in Flüchtlingslagern in Ostafrika arbeiten. Voraussetzung ist eine abgeschlossene medizinische oder pädagogische Ausbildung. Bewerbungen an:
www.brot-fuer-die-welt.com

C

Gigs für freies Essen und Übernachtung

Das **Café cool** am Achensee bietet im Sommer jungen, unbekannten Bands die Möglichkeit, sich einen Namen zu machen. Alle Musikrichtungen sind willkommen. Informationen unter:

www.cafecool.at

D

Musikabende in der Zionskirche

Die Welt der Musik, die Musik der Welt! Musik von fünf Kontinenten, Lieder lernen, zusammen singen: freitags von 6.00 bis 8.00 Uhr Geöffnet von Dienstag bis Sonntag: 12 bis 20 Uhr, montags geschlossen.

E

Lust auf einen Nebenjob?

Restaurant Adler sucht in den Sommermonaten Aushilfen in der Küche oder als Bedienung. Flexible Arbeitszeiten, nette Arbeitsatmosphäre, engagiertes Team!

Interessiert? Rufen Sie uns an: (0 89) 1 74 33 90

♦ Carla möchte ein bisschen Geld verdienen.   E

13. Erich hat vor, Französisch zu lernen.

14. Gertrude möchte mehr über das Leben von Johann Sebastian Bach erfahren.

15. Gregor studiert Journalistik und will ein Praktikum machen.

F

Wollten Sie auch schon immer zum Fernsehen?

Die Privatsender RTL, SAT 1 und PRO 7 starten eine große Talentaktion: Gesucht werden neue Gesichter für die Moderation von Jugendsendungen und Talkshows. Sind Sie originell und witzig und haben keine Angst vor der Kamera?

Dann senden Sie ein Video von sich an:

www.casting.moderatoren.de

16. Matthias ist Medizinstudent. Er muss für seine Wiederholungsprüfung lernen und braucht Unterstützung.

17. Peter sucht Auftrittsmöglichkeiten für sich und seine Germanisten-Band.

18. Nadia und Herbert wollen eine Bergtour machen.

19. Peter ist gerade mit seinem Medizinstudium fertig und will Menschen in Not helfen.

G

25. Aschaffenburger Bachtage

Vier von ihnen übertrafen zeitweise als Komponisten den Ruhm des Vaters, ihre Werke werden bis heute aufgeführt. Wenn Sie mehr über das Wirken des großen deutschen Komponisten und seiner Kinder wissen möchten, dann besuchen Sie die *25. Aschaffenburger Bachtage*.

Informationen unter: *www.bachtage.eu*

H

Der Berg ruft

Am Mittwochabend liest im Gemeindesaal von Rottach-Egern der berühmte Bergsteiger Xaver Hintermeier aus seinem neuen Buch: *Der Berg ruft*. Im Anschluss an die Lesung signiert der Autor seine Bücher.

Karten ab 20 Euro an der Abendkasse oder unter: *www.kultur.rottach-egern.de*

I

Sprachschule INTERNATIONAL

• alle europäischen Sprachen, Chinesisch und Japanisch
• ausgezeichnete Lehrer, Kleingruppen mit 6 bis 8 Teilnehmern
• günstige Preise
• Vorbereitung auf Sprachprüfungen

E-Mail: info@schule-international.com
Tel.: (0 89) 5 54 29 45

J

Onlineredaktion sucht Unterstützung

Unsere Onlineredaktion bietet zwei Interessenten für zwei Monate die Möglichkeit, im journalistischen Bereich Erfahrungen zu sammeln. Es geht nicht nur um Recherchen, sondern auch um das Verfassen von Texten.

Wer gerne schreibt, kann sich unter *www.neue.zeitung.de* bewerben.

Teil 4 (15 Minuten)

Einige Politiker wollen mit einer besonderen Gebühr für Pkw, der sogenannten City-Maut, die Anzahl der Autos in den Städten deutlich reduzieren. In einer Zeitschrift lesen Sie Kommentare zur möglichen Einführung dieser City-Maut in deutschen Innenstädten.

Lesen Sie die Texte 20 bis 26 und entscheiden Sie, ob die Person für die Einführung der City-Maut ist.

Leserbriefe

♦ Viele Kommunalpolitiker bezweifeln, dass in den nächsten Jahren genug finanzielle Mittel für den Ausbau der Straßen und des öffentlichen Nahverkehrs zur Verfügung stehen. Mit der Einführung der City-Maut könnte man Verkehrsprojekte in der Zukunft finanzieren.
Klaus Müller, Abgeordneter in Stuttgart

20. Ich als Fahrradfahrer leide jeden Tag unter rücksichtslosen Autofahrern und übervollen Straßen. Eine City-Maut würde nicht nur die Anzahl der Pkws in den Innenstädten reduzieren, sie würde die Straßen auch sicherer machen und gleichzeitig die Luftqualität in den Innenstädten verbessern.
Erwin Quelle, Lehrer, München

21. Wenn die Städte kein Geld haben, die Verkehrssysteme zu sanieren und zu verbessern, dann müssen sie eben woanders sparen. Vielleicht muss der Staat einfach mehr Geld für den Verkehr bereitstellen und weniger Geld in die maroden Banken stecken! Die City-Maut bezahlen doch wieder die Bürger, die einfachen Menschen, also wir, und wir zahlen doch schon genug!
Martina Eberlein, Angestellte, Hamburg

22. Wir sollten uns ein Beispiel an London nehmen. Dort wurde die City-Maut vor einigen Jahren eingeführt und jetzt verfügt die Stadt über genügend finanzielle Mittel. Der Verkehr ist zwar nicht viel weniger geworden, aber er ist auch nicht gewachsen, das ist doch ein Erfolg!
Eva Kirchhoff, Studentin, Düsseldorf

23. Warum immer die Autofahrer? Reichen die hohen Steuern auf das Benzin nicht aus? Muss die Stadt ihre Finanzlöcher mit dem Geld der Autofahrer stopfen? Also, wenn eine Gebühr für die Innenstadt bezahlt werden soll, dann muss das für alle gelten: Motorradfahrer, Fahrradfahrer und Fußgänger – aber vor allem für Politiker.
Roland Bernd, Einzelhändler, Berlin

24. Fakt ist: Bundesweit fehlen rund sieben Milliarden Euro jährlich, um die vorhandene Verkehrsinfrastruktur zu erhalten. Damit wir nicht eines Tages Brücken sperren müssen, weil sie Lasten nicht mehr tragen können, brauchen wir neue Instrumente für die künftige Finanzierung. Und da ist eine Stadtgebühr für Autofahrer ein möglicher Weg.
Verena Schiller, Stadtverwaltung, Köln

25. Erst die hohen Bezinpreise, jetzt die City-Maut, mir reicht es! Ich steige um auf das Fahrrad.
Susanne Berlinger, Physiotherapeutin, Leipzig

26. Was hat die Lkw-Maut auf den Autobahnen gebracht? Gibt es weniger Lkws, seit die Maut eingeführt würde? Nein. Die Straßen werden immer voller, die Lkws bilden kilometerlange Schlangen auf den Autobahnen. Und genauso wird es mit der City-Maut – es werden nicht weniger Autos in den Innenstädten fahren, es wird keine Entlastung für das Verkehrschaos in den Städten geben. Das Einzige, was die Maut erreichen wird, ist, dass sich Politiker keine Gedanken mehr um die Finanzen machen müssen.
Frank Mühlmann, Versicherungsvertreter, Bonn

	ja	nein			ja	nein
♦ Klaus Müller	✓	☐		23. Roland Bernd	☐	☐
20. Erwin Quelle	☐	☐		24. Verena Schiller	☐	☐
21. Martina Eberlein	☐	☐		25. Susanne Berlinger	☐	☐
22. Eva Kirchhoff	☐	☐		26. Frank Mühlmann	☐	☐

Teil 5 (10 Minuten)

Sie informieren sich über die Geschäftsbedingungen des Sprachinstituts INTERLINGUA, in dem Sie einen Sprachkurs gebucht haben.

Lesen Sie den Text und die Aufgaben 27 bis 30. Markieren Sie danach die richtige Lösung a), b) oder c).

27. Die Kursgebühr
   - a) ☐ muss vor Beginn des Kurses gezahlt werden.
   - b) ☐ braucht erst am Ende des Kurses bezahlt zu werden.
   - c) ☐ ist fällig, wenn man eine Rechnung bekommen hat.

28. Studentenrabatt
   - a) ☐ erhalten alle Studenten.
   - b) ☐ bekommt man nur, wenn man den Studentenausweis rechtzeitig vorgelegt hat.
   - c) ☐ kann man während des Kurses beantragen.

29. Die Kurse
   - a) ☐ finden immer statt.
   - b) ☐ brauchen eine minimale Anzahl von Teilnehmern.
   - c) ☐ können beliebig abgesagt und verschoben werden.

30. Der Kursteilnehmer
   - a) ☐ muss sich an die im Haus geltenden Regeln halten.
   - b) ☐ kann seine Niveaustufe selbst wählen.
   - c) ☐ muss 30 Euro bezahlen, wenn er mit dem Kurs aufhören will.

Geschäftsbedingungen INTERLINGUA

1. **Allgemeine Teilnahmevoraussetzung**
   Der Kursteilnehmer/Die Kursteilnehmerin muss mindestens 18 Jahre alt sein.

2. **Zahlungsbedingungen**
   Der Kursbeitrag ist innerhalb von 14 Tagen nach Erhalt der Rechnung zu bezahlen. Sollte die Rechnung nicht bis zur Hälfte des Kurses beglichen worden sein, behält sich das Institut IN-TERLINGUA das Recht vor, den Teilnehmer/die Teilnehmerin vom Unterricht auszuschließen.

3. **Rabatte**
   Gegen Vorlage des Studentenausweises gewähren wir zehn Prozent Studentenrabatt. Die Inanspruchnahme des Rabatts ist bei der Einschreibung anzugeben. Im Nachhinein können keine Rabatte gewährt werden.

4. **Rücktritt**
   Bei schriftlicher Annullierung der Einschreibung vor dem zweiten Kursabend wird die Kursgebühr nach Abzug von 30 Euro Bearbeitungskosten zurückerstattet. Bei Annullierung nach dem oben genannten Termin erfolgt keine Gebührenrückerstattung.

5. **Kurseinteilung/Klassengröße**
   Die Zuweisung zu einer Kursstufe erfolgt aufgrund des Einstufungstests im Institut. Unsere Kurse haben mindestens 6 und höchstens 16 Teilnehmer. Sollte bei Kursbeginn eine zu geringe Teilnehmerzahl vorliegen, behalten wir uns das Recht vor, diesen Kurs zu annullieren oder zu verschieben.

6. **Pflichten des Kursteilnehmers/der Kursteilnehmerin**
   Der/Die Kursteilnehmer/in ist verpflichtet, die am Institut geltende Kurs- und Hausordnung einzuhalten.

7. **Haftung bei höherer Gewalt**
   Das Sprachinstitut übernimmt keine Kosten für Schäden, die aufgrund höherer Gewalt (z. B. Naturkatastrophen, Feuer, Überschwemmungen, Krieg) entstehen.

Hören (40 Minuten)

Der Teil *Hören* besteht aus vier Teilen. Sie hören mehrere Texte und lösen die dazu gehörenden Aufgaben. Für jede Aufgabe gibt es nur eine richtige Lösung.

Teil 1   (2.16)

Sie hören fünf kurze Meldungen und Durchsagen. Zu jedem Text lösen Sie zwei Aufgaben (1 bis 10). Sie hören die Texte **zweimal**.

			richtig	falsch
Beispiel				
♦ Stephan möchte heute Abend mit Barbara Sport machen.			✓	☐
♦ Barbara soll	a)	☐ sich beeilen.		
	b)	✓ Stephan zurückrufen.		
	c)	☐ gleich ins Fitness-Studio kommen.		

			richtig	falsch
Text 1				
1. Die Durchsage ist eine Warnung für Autofahrer auf dem Weg nach Kassel.			☐	☐
2. Der Stau entstand	a)	☐ in einer Kurve.		
	b)	☐ weil Personen über die Fahrbahn liefen.		
	c)	☐ wegen eines Unfalls.		

			richtig	falsch
Text 2				
3. Die Anruferin möchte einen neuen Termin vereinbaren.			☐	☐
4. Am Mittwoch	a)	☐ hat Frau Tarrasch einen anderen Termin.		
	b)	☐ ist sie nicht im Büro.		
	c)	☐ muss sie zu Hause bleiben.		

			richtig	falsch
Text 3				
5. Die Kinokasse ist nachmittags geschlossen.			☐	☐
6. Wer Karten reservieren möchte,	a)	☐ muss die Eins drücken.		
	b)	☐ muss persönlich vorbeikommen.		
	c)	☐ kann das auf der Webseite machen.		

			richtig	falsch
Text 4				
7. Die Führung hat noch nicht angefangen.			☐	☐
8. Es können	a)	☐ alle Museumsbesucher teilnehmen.		
	b)	☐ nur diejenigen teilnehmen, die sich vorher angemeldet haben.		
	c)	☐ nur Interessenten in begrenzter Anzahl teilnehmen.		

			richtig	falsch
Text 5				
9. Das Wetter wird im Süden besser als im Norden.			☐	☐
10. Vorausgesagt wird	a)	☐ teils starker Wind im Norden.		
	b)	☐ Regen in ganz Deutschland.		
	c)	☐ Sonne im Osten.		

Teil 2   2.17

Sie hören jetzt einen Text. Zu diesem Text sollen Sie fünf Aufgaben (11 bis 15) lösen.
Markieren Sie bei jeder Aufgabe die richtige Lösung a), b) oder c).
Sie hören den Text **einmal**. Lesen Sie zuerst die Aufgaben.

11. Das Deutsche Museum
 a) ☐ ist älter als 100 Jahre.
 b) ☐ wird 100 Jahre alt.
 c) ☐ ist ganz neu renoviert.

12. Es zeigt
 a) ☐ deutsche Exponate aus Wissenschaft und Technik.
 b) ☐ wissenschaftliche und technische Neuheiten aus der ganzen Welt.
 c) ☐ Flugzeuge und andere Fortbewegungsmittel.

13. Das Museum
 a) ☐ besteht aus einem Haus.
 b) ☐ hat neben dem Stammhaus noch drei Außenstellen.
 c) ☐ befindet sich in Bonn.

14. Die Mitglieder der Reisegruppe
 a) ☐ interessieren sich für Raumfahrt.
 b) ☐ müssen das Museum selbst erkunden.
 c) ☐ können an einer einstündigen Führung teilnehmen.

15. Der Treffpunkt zur Abreise ist
 a) ☐ am Museumsshop.
 b) ☐ am Bus.
 c) ☐ am Ausgang.

Teil 3   2.18

In diesem Teil hören Sie ein Gespräch. Dazu sollen Sie sieben Aufgaben (16 bis 22) lösen.
Markieren Sie, ob die folgenden Aussagen *richtig* oder *falsch* sind.
Sie hören das Gespräch **einmal**. Lesen Sie zuerst die Aufgaben.

	richtig	falsch
♦ Herr Kötzle ist von Beruf Koch und hat ein Kochbuch geschrieben.	✓	☐
16. Das Kochbuch von Herrn Kötzle enthält nur vegetarische Gerichte.	☐	☐
17. Die Deutschen haben früher nur Fleisch und Kartoffeln gegessen.	☐	☐
18. Kinder interessieren sich hauptsächlich fürs Essen, nicht fürs Kochen.	☐	☐
19. Herr Kötzle wollte als Kind Musiker werden.	☐	☐
20. Nach der Meinung von Herrn Kötzle sind gute Köche kreative Menschen.	☐	☐
21. Manche Profiköche kochen nicht mehr zu Hause für die Familie.	☐	☐
22. Herr Kötzle kritisiert oft, was andere Leute kochen.	☐	☐

Teil 4 (2.19)

Sie hören nun eine Diskussion. Lösen Sie dazu die Aufgaben 23 bis 30 und überlegen Sie: Wer sagt was?
Sie hören die Diskussion **zweimal**. Lesen Sie zuerst die Aussagen.

Der Moderator der Sendung *Pro und Kontra* diskutiert heute mit seinen Gästen über den Sinn und den Informationsgehalt von sogenannten Universitätsrankings (Ranglisten bzw. Leistungslisten von Universitäten).

	Moderator	Herr Dr. Ehrmann	Frau Dr. Bühler
♦ Viele Menschen orientieren sich an Rankings, bevor sie beispielsweise etwas kaufen oder ein Hotel buchen.	✓	☐	☐
23. Universitätsrankings bieten wichtige Informationen für Studenten und Studieninteressenten.	☐	☐	☐
24. Da Hochschulen und Universitäten vom Staat finanziert werden, müssen sie sich auch öffentlich beurteilen lassen.	☐	☐	☐
25. Für die meisten Studienbewerber sind andere Aspekte bei der Wahl des Studiums entscheidend.	☐	☐	☐
26. Ranglisten von Universitäten und die Bundesliga haben etwas gemeinsam: Es werden Plätze verteilt.	☐	☐	☐
27. Universitäten als Ganzes lassen sich nicht miteinander vergleichen, Fachbereiche dagegen schon.	☐	☐	☐
28. Wichtige Informationen über Studieninhalte und Studienschwerpunkte werden in Ranglisten nicht berücksichtigt.	☐	☐	☐
29. Wer nicht an Rankings teilnimmt, verliert Studenten.	☐	☐	☐
30. Die Ermittlungsmethoden zur Erstellung der Ranglisten haben eine schlechte Qualität.	☐	☐	☐

Schreiben (60 Minuten)

Der Teil *Schreiben* besteht aus drei Teilen. Sie schreiben zwei E-Mails (Teil 1und 3) und einen Diskussionsbeitrag (Teil 2).
Bitte verwenden Sie keine Wörterbücher oder andere Hilfsmittel.

Tipps zum Prüfungsteil Schreiben
- ☐ Lesen Sie die Aufgaben sorgfältig durch und orientieren Sie sich bei allen Texten an der Aufgabenstellung.
- ☐ Bearbeiten Sie, wenn vorgegeben, alle Leitpunkte.
- ☐ Achten Sie bei Teil 1 und Teil 3 auf die richtige Anrede und eine passende Schlussformel (siehe S. 224/225).
- ☐ Verwenden Sie im Teil 2 Redemittel der Meinungsäußerung.
- ☐ Variieren Sie Ihren Wortschatz und die Satzanfänge.
- ☐ Verknüpfen Sie Sätze miteinander, benutzen Sie nicht nur Hauptsätze.

Teil 1 (20 Minuten)

Sie sind in eine neue Wohnung in der Innenstadt gezogen und haben eine tolle Einweihungsparty gemacht.
Ihre beste Freundin/Ihr bester Freund konnte an der Party leider nicht teilnehmen.

Schreiben Sie eine E-Mail (ca. 80 Wörter) und berücksichtigen Sie die folgenden drei Punkte:

- ☐ Beschreiben Sie Ihre neue Wohnung und die Umgebung.
- ☐ Begründen Sie, warum Sie umgezogen sind.
- ☐ Laden Sie Ihre beste Freundin/Ihren besten Freund in Ihre Wohnung ein und machen Sie einen Terminvorschlag.

Achten Sie auch auf den Textaufbau (Anrede, Einleitung, Reihenfolge der Inhaltspunkte, Schluss).

Teil 2 (25 Minuten)

Sie haben im Radio eine Diskussionssendung zum Thema *Studiengebühren: Ja oder Nein* gehört.
Auf der Webseite des Radiosenders finden Sie im Diskussionsforum folgende Meinung:

Walter aus Köln: Ich finde, dass alle Studenten Studiengebühren bezahlen müssen, damit sie sehen, dass Studieren Geld kostet. Wenn man für das Studium bezahlen muss, dann nimmt man es ernst und strengt sich mehr an. Außerdem achtet man mehr darauf, das Studium rechtzeitig abzuschließen. Ich sehe Studiengebühren als Motivation.

Schreiben Sie nun Ihre Meinung zu dem Thema (ca. 80 Wörter).

Teil 3 (15 Minuten)

Alle Kollegen aus Ihrer Abteilung gehen heute Abend zum Weihnachtsessen in ein Restaurant. Sie können aber nicht mitgehen.

Schreiben Sie eine kurze E-Mail an Ihren Chef (ca. 40 Wörter).
Entschuldigen Sie sich und berichten Sie, warum Sie nicht mitgehen können.
Achten Sie dabei auch auf die Anrede und den Gruß am Schluss.

Sprechen (15 Minuten als Paarprüfung)

Tipps zum Prüfungsteil Sprechen

- Beteiligen Sie sich aktiv an der Prüfung.

- Reagieren Sie im Teil 1 nicht nur auf Fragen Ihres Prüfungspartners/Ihrer Prüfungspartnerin, sondern unterbreiten Sie auch selbst Vorschläge.

- Stellen Sie im Teil 2 zunächst kurz die Struktur Ihrer Präsentation vor und äußern Sie sich dann so ausführlich wie möglich zu allen vorgegebenen Punkten. Lassen Sie keine Folie aus!

- Geben Sie im Anschluss an die Präsentation Ihres Prüfungspartners/Ihrer Prüfungspartnerin ein Feedback, z. B. *„Ich fand den Vortrag/die Präsentation sehr interessant. Viele Dinge waren mir neu."* (o. ä.). Stellen Sie danach Ihrem Prüfungspartner/Ihrer Prüfungspartnerin Fragen zum Thema.

Teil 1: Gemeinsam etwas planen

Die Mitarbeiter Ihrer Firma möchten einen kleinen Ausflug machen. Sie haben die Aufgabe, zusammen mit Ihrem Gesprächspartner/Ihrer Gesprächspartnerin den Ausflug zu planen.

Überlegen Sie anhand der angegebenen Punkte gemeinsam, was alles zu tun ist und wer welche Aufgaben übernimmt.
Machen Sie Vorschläge und reagieren Sie auf die Vorschläge Ihres Gesprächspartners/
Ihrer Gesprächspartnerin.

Einen Betriebsausflug planen:

1. Wohin?

2. Wann?

3. Essen/Getränke
   (Was? Wer kauft sie ein? Oder in einem Restaurant essen?)

4. Programm

5. Wer wird eingeladen?
   (Nur Kollegen oder auch andere Personen?)

Teil 2: Ein Thema präsentieren

Präsentieren Sie Ihren Zuhörern das Thema *Wie wichtig sind Fremdsprachen?*
Dazu stehen Ihnen fünf Folien zur Verfügung. Orientieren Sie sich bei Ihrer Präsentation an den Anweisungen auf der linken Seite. Rechts können Sie Ihre Ideen notieren.

Stellen Sie Ihr Thema vor.
Erklären Sie den Inhalt und die
Struktur Ihrer Präsentation.

Wie wichtig sind Fremdsprachen?

Wie wichtig sind
Fremdsprachen?

1

....
....
....
....

Berichten Sie von Ihrer Situation
oder einem Erlebnis im Zusammenhang mit dem Thema.

Wie wichtig sind Fremdsprachen?

Meine persönlichen
Erfahrungen

2

....
....
....
....

Berichten Sie von der Situation
in Ihrem Heimatland und nennen Sie Beispiele.

Wie wichtig sind Fremdsprachen?

Wie wichtig sind Fremd-
sprachenkenntnisse in
meinem Heimatland?

3

....
....
....
....

Nennen Sie Vor- und Nachteile
und Ihre Meinung zu dem
Thema.

Wie wichtig sind Fremdsprachen?

Schon im Kindergarten
eine Fremdsprache
lernen?

• Vorteile ?
• Nachteile?

4

....
....
....
....

Beenden Sie Ihre Präsentation
und bedanken Sie sich bei den
Zuhörern.

Wie wichtig sind Fremdsprachen?

Abschluss und Dank

Ende

5

....
....
....
....

Teil 3: Über ein Thema sprechen

Nach Ihrer Präsentation:
Reagieren Sie auf die Rückmeldung und Fragen Ihres Gesprächspartners/Ihrer Gesprächspartnerin bzw. reagieren Sie selbst auf die Präsentation Ihres Prüfungspartners/Ihrer Prüfungspartnerin.

Grammatik in Übersichten

Nomengruppe

Kasus	Singular maskulin	feminin	neutral	Plural
Nominativ	der Tisch großer Tisch der große Tisch ein großer Tisch mein großer Tisch	die Bar gemütliche Bar die gemütliche Bar eine gemütliche Bar meine gemütliche Bar	das Zimmer kaltes Zimmer das kalte Zimmer ein kaltes Zimmer mein kaltes Zimmer	die Bücher alte Bücher die alten Bücher meine alten Bücher
Akkusativ	den Tisch großen Tisch den großen Tisch einen großen Tisch meinen großen Tisch			
Dativ	dem Tisch großem Tisch dem großen Tisch einem großen Tisch meinem großen Tisch	der Bar gemütlicher Bar der gemütlichen Bar einer gemütlichen Bar meiner gemütlichen Bar	dem Zimmer kaltem Zimmer dem kalten Zimmer einem kalten Zimmer meinem kalten Zimmer	den Büchern alten Büchern den alten Büchern meinen alten Büchern
Genitiv	des Tisches großen Tisches des großen Tisches eines großen Tisches meines großen Tisches	des Zimmers kalten Zimmers des kalten Zimmers eines kalten Zimmers meines kalten Zimmers		der Bücher alter Bücher der alten Bücher meiner alten Bücher

Plural der Nomen

	Endung im Plural				
	---	-e	-er	-en	-s
	(das Messer) die Messer	(das Telefon) die Telefone	(das Bild) die Bilder	(der Mensch) die Menschen	(das Büro) die Büros
mit Umlaut	(der Mantel) die Mäntel	(der Baum) die Bäume	(das Glas) die Gläser		

n-Deklination

Alle maskulinen Nomen, die auf -e enden, und einige andere maskuline Nomen werden wie folgt dekliniert:

	Singular	Plural
Nominativ	der Kunde	die Kunden
Akkusativ	den Kunden	die Kunden
Dativ	dem Kunden	den Kunden
Genitiv	des Kunden	der Kunden

Grammatik in Übersichten

Artikel

Artikel	Singular						Plural	
	maskulin		feminin		neutral			
bestimmter Artikel	der	Tisch	die	Lampe	das	Telefon	die	Bücher
unbestimmter Artikel	ein	Tisch	eine	Lampe	ein	Telefon		Bücher
negativer Artikel	kein	Tisch	keine	Lampe	kein	Telefon	keine	Bücher
Possessivartikel	mein	Tisch	meine	Lampe	mein	Telefon	meine	Bücher
Demonstrativartikel	dieser	Tisch	diese	Lampe	dieses	Telefon	diese	Bücher

derselbe, dieselbe, dasselbe

Artikel	Singular						Plural	
	maskulin		feminin		neutral			
Nominativ	derselbe	Aufsatz	dieselbe	Arbeit	dasselbe	Zeugnis	dieselben	Bücher
Akkusativ	denselben	Aufsatz	dieselbe	Arbeit	dasselbe	Zeugnis	dieselben	Bücher
Dativ	demselben	Aufsatz	derselben	Arbeit	demselben	Zeugnis	denselben	Büchern
Genitiv	desselben	Aufsatzes	derselben	Arbeit	desselben	Zeugnisses	derselben	Bücher

Possessivartikel

	Pronomen		Singular						Plural	
			maskulin		feminin		neutral			
Singular	ich	und	mein	Vater	meine	Mutter	mein	Kind	meine	Freunde
	du	und	dein	Vater	deine	Mutter	dein	Kind	deine	Freunde
	er/es	und	sein	Vater	seine	Mutter	sein	Kind	seine	Freunde
	sie	und	ihr	Vater	ihre	Mutter	ihr	Kind	ihre	Freunde
Plural	wir	und	unser	Vater	unsere	Mutter	unser	Kind	unsere	Freunde
	ihr	und	euer	Vater	eure	Mutter	euer	Kind	eure	Freunde
	sie	und	ihr	Vater	ihre	Mutter	ihr	Kind	ihre	Freunde
formell	Sie	und	Ihr	Vater	Ihre	Mutter	Ihr	Kind	Ihre	Freunde

Personalpronomen

		Nominativ	Akkusativ	Dativ
Singular	1. Person	ich	mich	mir
	2. Person	du	dich	dir
	3. Person	er	ihn	ihm
		sie	sie	ihr
		es	es	ihm
Plural	1. Person	wir	uns	uns
	2. Person	ihr	euch	euch
	3. Person	sie	sie	ihnen
formell		Sie	Sie	Ihnen

Verben: Konjugation im Präsens

Regelmäßige Verben

			lernen	**arbeiten**
Singular	1. Person	ich	lern -e	arbeit -e
	2. Person	du	lern -st	arbeit -est
	3. Person	er sie es	lern -t	arbeit -et
Plural	1. Person	wir	lern -en	arbeit -en
	2. Person	ihr	lern -t	arbeit -et
	3. Person	sie	lern -en	arbeit -en
formell		Sie	lern -en	arbeit -en

Unregelmäßige Verben

	fahren	**geben**	**lesen**	**nehmen**
	fahr -e	geb -e	les -e	nehm -e
	fähr -st	gib -st	lies -t	nimm -st
	fähr -t	gib -t	lies -t	nimm -t
	fahr -en	geb -en	les -en	nehm -en
	fahr -t	geb -t	les -t	nehm -t
	fahr -en	geb -en	les -en	nehm -en
	fahr -en	geb -en	les -en	nehm -en

Haben, sein und *werden*

	haben	**sein**	**werden**
ich	habe	bin	werde
du	hast	bist	wirst
er/sie/es	hat	ist	wird
wir	haben	sind	werden
ihr	habt	seid	werdet
sie	haben	sind	werden
Sie	haben	sind	werden

Modalverben und *möchte(n)*

	können	**müssen**	**sollen**	**wollen**	**dürfen**	**mögen**	**möchte(n)**
ich	kann	muss	soll	will	darf	mag	möchte
du	kannst	musst	sollst	willst	darfst	magst	möchtest
er/sie/es	kann	muss	soll	will	darf	mag	möchte
wir	können	müssen	sollen	wollen	dürfen	mögen	möchten
ihr	könnt	müsst	sollt	wollt	dürft	mögt	möchtet
sie	können	müssen	sollen	wollen	dürfen	mögen	möchten
Sie	können	müssen	sollen	wollen	dürfen	mögen	möchten

Verben mit Präfix

nicht trennbare Verben	**trennbare oder nicht trennbare Verben**	**trennbare Verben**
Verben mit den Präfixen: be- emp- ent- er- ge- miss- ver- zer- sind nicht trennbar.	Verben mit den Präfixen: durch- über- um- unter- wider- wieder- können trennbar oder nicht trennbar sein.	Verben mit allen anderen Präfixen sind trennbar.
beginnen: ich beginne empfangen: ich empfange bezahlen: ich bezahle erwarten: ich erwarte vereinbaren: ich vereinbare	trennbar: wiederkommen: ich komme wieder nicht trennbar: übersetzen: ich übersetze	aufstehen: ich stehe auf einkaufen: ich kaufe ein fernsehen: ich sehe fern anfangen: ich fange an ausschalten: ich schalte aus

Verben: Imperativ

	kommen	nehmen	fahren	anfangen
du	Komm!	Nimm!	Fahr!	Fang an!
ihr	Kommt!	Nehmt!	Fahrt!	Fangt an!
Sie	Kommen Sie!	Nehmen Sie!	Fahren Sie!	Fangen Sie an!

Verben: Präteritum

Regelmäßige Verben   Unregelmäßige Verben   Mischverben   *haben* und *sein*

	kaufen	gehen	denken	haben	sein	werden
ich	kaufte	ging	dachte	hatte	war	wurde
du	kauftest	gingst	dachtest	hattest	warst	wurdest
er/sie/es	kaufte	ging	dachte	hatte	war	wurde
wir	kauften	gingen	dachten	hatten	waren	wurden
ihr	kauftet	gingt	dachtet	hattet	wart	wurdet
sie	kauften	gingen	dachten	hatten	waren	wurden
Sie	kauften	gingen	dachten	hatten	waren	wurden

Modalverben

	können	müssen	sollen	wollen	dürfen	mögen
ich	konnte	musste	sollte	wollte	durfte	mochte
du	konntest	musstest	solltest	wolltest	durftest	mochtest
er/sie/es	konnte	musste	sollte	wollte	durfte	mochte
wir	konnten	mussten	sollten	wollten	durften	mochten
ihr	konntet	musstet	solltet	wolltet	durftet	mochtet
sie	konnten	mussten	sollten	wollten	durften	mochten
Sie	konnten	mussten	sollten	wollten	durften	mochten

Verben: Perfekt

Regelmäßige Verben

			Verben mit Präfix		Verben auf
			trennbare Verben	nicht trennbare Verben	*-ieren*
ich	bin	gelandet	habe eingekauft	habe übersetzt	habe studiert
du	bist	gelandet	hast eingekauft	hast übersetzt	hast studiert
er/sie/es	ist	gelandet	hat eingekauft	hat übersetzt	hat studiert
wir	sind	gelandet	haben eingekauft	haben übersetzt	haben studiert
ihr	seid	gelandet	habt eingekauft	habt übersetzt	habt studiert
sie	sind	gelandet	haben eingekauft	haben übersetzt	haben studiert
Sie	sind	gelandet	haben eingekauft	haben übersetzt	haben studiert

Unregelmäßige Verben

			Verben mit Präfix				
			trennbare Verben		nicht trennbare Verben		Mischverben
ich	bin	gefahren	habe	angerufen	habe	begonnen	habe gedacht
du	bist	gefahren	hast	angerufen	hast	begonnen	hast gedacht
er/sie/es	ist	gefahren	hat	angerufen	hat	begonnen	hat gedacht
wir	sind	gefahren	haben	angerufen	haben	begonnen	haben gedacht
ihr	seid	gefahren	habt	angerufen	habt	begonnen	habt gedacht
sie	sind	gefahren	haben	angerufen	haben	begonnen	haben gedacht
Sie	sind	gefahren	haben	angerufen	haben	begonnen	haben gedacht

Verben: Plusquamperfekt

	regelmäßige Verben		unregelmäßige Verben			
			starke Verben		Mischverben	
ich	hatte	gekauft	war	gefahren	hatte	gedacht
du	hattest	gekauft	warst	gefahren	hattest	gedacht
er/sie/es	hatte	gekauft	war	gefahren	hatte	gedacht
wir	hatten	gekauft	waren	gefahren	hatten	gedacht
ihr	hattet	gekauft	wart	gefahren	hattet	gedacht
sie	hatten	gekauft	waren	gefahren	hatten	gedacht
Sie	hatten	gekauft	waren	gefahren	hatten	gedacht

Verben: Rektion

Das Verb regiert im Satz!

1. **Verben mit dem Nominativ (Frage: Wer? Was?)**
   sein ◆ werden

Er	wird	bestimmt	ein guter Arzt.		Das	ist	ein alter Fernseher.
NOMINATIV			NOMINATIV		NOMINATIV		NOMINATIV

2. **Verben mit dem Akkusativ (Frage: Wen? Was?)**
   abholen ◆ anrufen ◆ beantworten ◆ besuchen ◆ bezahlen ◆ brauchen ◆ essen ◆ finden ◆ haben ◆ hören ◆ kennen ◆ kosten ◆ lesen ◆ machen ◆ möchte(n) ◆ öffnen ◆ parken ◆ sehen ◆ trinken

Ich	brauche	ein Auto.	Das Zimmer	hat	einen Fernseher.
NOMINATIV		AKKUSATIV	NOMINATIV		AKKUSATIV

3. **Verben mit dem Dativ (Frage: Wem?)**
   antworten ◆ danken ◆ gefallen ◆ gehören ◆ glauben ◆ gratulieren ◆ helfen ◆ passen ◆ schmecken

Die Jacke	gefällt	mir.	Das Auto	gehört	meinem Bruder.
NOMINATIV		DATIV	NOMINATIV		DATIV

Grammatik in Übersichten

4. Verben mit Dativ und Akkusativ (Frage: Wem? Was?)
bringen ◆ faxen ◆ geben ◆ kaufen ◆ schenken ◆ schicken ◆ schreiben ◆ senden ◆ zeigen

Ich	kaufe	mir	ein neues Kleid.	Wir	schenken	dem Chef	einen Blumenstrauß.
NOMINATIV		DATIV	AKKUSATIV	NOMINATIV		DATIV	AKKUSATIV

5. Verben mit präpositionalem Kasus

Ich	warte	auf den Urlaub.	Ich	telefoniere	mit meinem Chef.
NOMINATIV		*auf* + Akkusativ		NOMINATIV	*mit* + DATIV

Aussage: Ich warte auf den Urlaub.
Frage: Worauf wartest du? *(Sache)*

Ich telefoniere mit meinem Chef.
Mit wem telefonierst du? *(Person)*

Verben: Konjunktiv II

Gegenwart

Indikativ (real)	Konjunktiv (irreal)
Hilfsverben:	➤ hätte/wäre:
Ich habe kein Geld.	Ich hätte gern Geld.
Ich bin krank.	Ich wäre gern gesund.
andere Verben:	➤ würde + Infinitiv:
Ich fahre nicht in den Urlaub.	Ich würde gern in den Urlaub fahren.
Ich arbeite jeden Tag.	Ich würde gern weniger arbeiten.
Ich kaufe mir keinen Porsche.	Ich würde mir gern einen Porsche kaufen.
Modalverben:	➤ könnte/müsste/dürfte:
Ich kann nicht gut kochen.	Könnte ich doch besser kochen!
Ich muss jeden Tag so weit fahren.	Müsste ich doch nicht jeden Tag so weit fahren!
Darf ich hier mal telefonieren?	Dürfte ich hier mal telefonieren?

Vergangenheit

Indikativ (real)	Konjunktiv (irreal)
Hilfsverben:	➤ hätte gehabt/wäre gewesen:
Ich hatte kein Geld.	Ich hätte gern Geld gehabt.
Ich war krank.	Ich wäre gern gesund gewesen.
andere Verben:	➤ wäre/hätte + Partizip II:
Ich bin nicht in den Urlaub gefahren.	Ich wäre gern in den Urlaub gefahren.
Ich habe jeden Tag gearbeitet.	Ich hätte gern weniger gearbeitet.
Ich habe mir keinen Porsche gekauft.	Ich hätte mir gern einen Porsche gekauft.

Verben: Passiv

Direktflüge *werden* angeboten. ⟶ *werden* + Partizip II von *anbieten*

Bei einem Passivsatz steht die Handlung im Vordergrund, nicht die Person.

	Präsens		Präteritum		Perfekt		
ich	werde	gefragt	wurde	gefragt	bin	gefragt	worden
du	wirst	gefragt	wurdest	gefragt	bist	gefragt	worden
er/sie/es	wird	gefragt	wurde	gefragt	ist	gefragt	worden
wir	werden	gefragt	wurden	gefragt	sind	gefragt	worden
ihr	werdet	gefragt	wurdet	gefragt	seid	gefragt	worden
sie/Sie	werden	gefragt	wurden	gefragt	sind	gefragt	worden

Passiv im Nebensatz:

Präsens:	Ich weiß nicht, wann der Kühlschrank repariert wird.
Präteritum:	Ich weiß nicht, wann der Kühlschrank repariert wurde.
Perfekt:	Ich weiß nicht, wann der Kühlschrank repariert worden ist.

Passiv mit Modalverben:

Präsens:	Der Kühlschrank muss repariert werden.
Präteritum:	Der Kühlschrank musste repariert werden.

Sätze

1. Der Aussagesatz

	Position II: finites Verb	
Ich	studiere	an der Universität Leipzig Germanistik.
Im Sommer	fahren	wir nach Frankreich.
Ich	schenke	meinem Bruder ein Fahrrad.

2. Der Fragesatz

W-Frage

Fragewort	Position II: finites Verb	
Wohin	fahren	die Studenten?
Wie viel	kostet	der Computer?

Ja-Nein-Frage

Position I: finites Verb		
Sprechen	Sie	Deutsch?
Studierst	du	in Berlin?

3. Die Satzklammer

Sätze mit trennbaren Verben

	Position II: finites Verb (Teil 1)		Satzende: trennbares Präfix
Ich	komme	morgen gegen 13.00 Uhr	an.

Sätze mit Modalverben

	Position II: finites Verb		Satzende: Infinitiv
Ich	kann	heute leider nicht	kommen.

Sätze im Perfekt

	Position II: finites Verb		Satzende: Partizip
Ich	bin	um 8.00 Uhr	aufgestanden.

Grammatik in Übersichten

4. Hauptsatz und Nebensatz

Hauptsatz			Nebensatz		
	finites Verb		Satzverbindung		finites Verb
Ich	kaufe	mein Brot im Supermarkt,	weil	es dort billiger	ist.

Sätze: Satzverbindungen

Konjunktionen: Hauptsatz – Hauptsatz

Grund	Ich mache am liebsten im Januar Urlaub,	denn	ich liebe den Schnee.
Gegensatz	Früher habe ich im Sommer Urlaub gemacht,	aber	heute fahre ich lieber im Winter weg.
	Ich fahre dieses Jahr nicht im Januar weg,	sondern	ich fliege im August nach Spanien.
Alternative	Vielleicht fahren wir in die Berge	oder	wir fahren ans Meer.
Addition	Wir fahren im Januar nach Österreich	und	im Sommer fahren wir nach Irland.
Aufzählung zweiteilig	Unser Produkt bietet **nicht nur** gute Qualität,	sondern	wir haben **auch** niedrige Preise.

Subkonjunktionen: Hauptsatz – Nebensatz

Grund	Ich mache am liebsten im Januar Urlaub,	weil	ich den Schnee liebe.
Gegengrund	Ich mache am liebsten im Januar Urlaub,	obwohl	ich den Schnee hasse.
Bedingung	Ich kann dich nur besuchen,	wenn	ich Zeit habe.
Zeit	Ich kann dich nur besuchen, Ich habe ihn besucht,	wenn als	ich meine Arbeit beendet habe. ich in München war.
Zweck	Ich lerne Deutsch,	damit	ich bessere Berufschancen habe.
dass/ob	Ich weiß, Ich weiß nicht,	dass ob	er heute noch ins Büro kommt. er heute noch ins Büro kommt.

Konjunktionaladverbien: Hauptsatz – Hauptsatz

erwartete Folge	Ich habe keine Zeit, Man muss die Wörter wiederholen,	deshalb sonst/ andernfalls	kann ich dich nicht besuchen. vergisst man sie sehr schnell.
nicht erwartete Folge	Ich habe keine Zeit,	trotzdem	komme ich dich heute besuchen.

Sätze: Infinitivkonstruktionen

Infinitiv mit *zu*	Ich habe keine Zeit, heute Wäsche zu waschen. Ich habe keine Lust, mein Zimmer aufzuräumen.
Infinitiv mit *um ... zu*	Man muss den Knopf drücken, um die Waschmaschine anzuschalten. *(Angabe eines Zwecks)*
Infinitiv mit *statt/anstatt ... zu*	Statt Bücher zu lesen, greifen die Totalverweigerer lieber zur TV-Fernbedienung. *(Angabe einer nicht erwarteten Handlung, die anstelle einer erwarteten Handlung realisiert wird)*
Infinitiv mit *ohne ... zu*	Nichtleser können gut leben, ohne regelmäßig zu lesen. *(Angabe einer Erwartung, die nicht erfüllt wird)*

Sätze: Relativsätze

	Singular			Plural
	maskulin	feminin	neutral	
Nominativ	der	die	das	die
Akkusativ	den	die	das	die
Dativ	dem	der	dem	denen
Genitiv	dessen	deren	dessen	deren

- Das ist der Mann, der mir gefällt.
- Das ist der Mann, den ich liebe.
- Das ist der Mann, dem ich mein Auto geliehen habe.
- Das ist der Mann, dessen Auto ich geliehen habe.

Präpositionen

Präpositionen mit dem Akkusativ

Präposition	Beispielsätze	
bis (ohne Artikel)	Der Zug fährt bis München.	*(lokal)*
durch	Wir fahren durch die Türkei. Ich habe es durch Zufall erfahren.	*(lokal)* *(kausal)*
für	Ich brauche das Geld für meine Miete. Die Blumen sind für meine Frau.	*(final)* *(final)*
gegen	Die Tabletten helfen gegen Kopfschmerzen. Das Auto fuhr gegen einen Baum. Ich komme gegen 8.00 Uhr.	*(kausal)* *(lokal)* *(temporal)*
ohne	Ohne Brille kann ich nichts sehen.	*(modal)*
um	Die Besprechung beginnt um 9.00 Uhr. Wir sind um die Kirche (herum)gegangen.	*(temporal)* *(lokal)*

Präpositionen mit dem Dativ

Präposition	Kurzformen	Beispielsätze	
ab		Das Flugzeug fliegt ab Frankfurt.	(lokal)
		Ab nächster Woche habe ich Urlaub.	(temporal)
aus		Ich komme aus der Türkei.	(lokal)
		Die Tür ist aus Holz.	(modal)
		Er heiratete sie aus Liebe.	(kausal)
bei	bei + dem = beim	Er wohnt bei seinen Eltern.	(lokal)
		Er sieht beim Essen fern.	(temporal)
		Bei diesem Regen gehe ich nicht spazieren.	(kausal)
mit		Ich fahre mit dem Zug.	(modal)
		Sie trinkt Kaffee mit Zucker.	(modal)
nach		Meiner Meinung nach steigen die Benzinpreise noch.	(modal)
		Ich fahre nach Hause.	(lokal)
		Nach dem Essen gehe ich ins Bett.	(temporal)
seit		Es regnet seit zwei Tagen.	(temporal)
von	von + dem = vom	Ich komme gerade vom Zahnarzt.	(lokal)
		Das ist der Schreibtisch vom Chef.	(Genitiversatz)
zu	zu + dem = zum	Ich gehe zu Fuß.	(modal)
	zu + der = zur	Zum Glück schneit es nicht.	(modal)
		Ich gehe zum Bahnhof.	(lokal)

Präpositionen mit dem Akkusativ oder dem Dativ *(Wechselpräpositionen)*

Präposition	Kurzformen	Kasus	Beispielsätze	
an	an + dem = am	Wo? + D	Das Bild hängt an der Wand.	(lokal)
	an + das = ans	Wohin? + A	Ich hänge den Mantel an die Garderobe.	(lokal)
		Wann? + D	Ich komme am Montag.	(temporal)
auf	auf + das = aufs	Wo? + D	Das Buch liegt auf dem Tisch.	(lokal)
		Wohin? + A	Ich lege das Buch auf den Tisch.	(lokal)
		Wie? + A	Er macht es auf seine Art.	(modal)
hinter		Wo? + D	Der Brief liegt hinter dem Schreibtisch.	(lokal)
		Wohin? + A	Der Brief ist hinter den Schreibtisch gefallen.	(lokal)
in	in + dem = im	Wo? + D	Ich war in der Schweiz.	(lokal)
	in + das = ins	Wohin? + A	Ich fahre in die Schweiz.	(lokal)
		Wann? + D	Wir haben im August Ferien.	(temporal)
		Wie? + D	Er war in guter Stimmung.	(modal)
neben		Wo? + D	Der Tisch steht neben dem Bett.	(lokal)
		Wohin? + A	Ich stelle den Tisch neben das Bett.	(lokal)
über		Wo? + D	Das Bild hängt über dem Sofa.	(lokal)
		Wohin? + A	Otto hängt das Bild über das Sofa.	(lokal)
unter		Wo? + D	Die Katze sitzt unter dem Stuhl.	(lokal)
		Wohin? + A	Die Katze kriecht unter den Stuhl.	(lokal)
		Wie? + D	Wir arbeiten unter schlechten Bedingungen.	(modal)
vor	vor + dem = vorm	Wo? + D	Die Taxis stehen vorm Bahnhof.	(lokal)
		Wohin? + A	Die Taxis fahren direkt vor die Tür.	(lokal)
		Wann? + D	Treffen wir uns vor dem Mittagessen?	(temporal)
zwischen		Wo? + D	Vielleicht ist das Foto zwischen den Büchern?	(lokal)
		Wohin? + A	Hast du das Foto zwischen die Bücher gesteckt?	(lokal)
		Wann? + D	Zwischen dem 1. und dem 5. Mai ist das Restaurant geschlossen.	(temporal)

Präpositionen mit dem Genitiv

Präposition	Beispielsätze	
außerhalb	Außerhalb der Geschäftszeiten ist niemand im Büro.	*(temporal)*
	Außerhalb der Stadt gibt es viel Wald.	*(lokal)*
innerhalb	Bitte bezahlen Sie die Rechnung innerhalb einer Woche.	*(temporal)*
	Das Tier kann sich innerhalb der Wohnung befinden.	*(lokal)*
laut	Laut einer Studie sind nur 50 Prozent der Deutschen glücklich.	*(modal)*
mithilfe	Mithilfe eines Freundes gelang ihm die Flucht.	*(instrumental)*
statt	Statt eines Blumenstraußes verschenkte er ein altes Buch.	*(alternativ)*
trotz	Trotz einer schlechten Leistung bestand er die Prüfung.	*(konzessiv)*
während	Während seines Studiums lernte er Spanisch.	*(temporal)*
wegen	Wegen eines Unglücks hatte der Zug Verspätung.	*(kausal)*
	Aber: Wegen dir habe ich drei Kilo zugenommen.	*(kausal)*
	Bei Personalpronomen mit Dativ!	

Komparation der Adjektive

(Deklination der Adjektive siehe Nomengruppe)

		Positiv	Komparativ	Superlativ
Normalform		billig	billiger	am billigsten/der billigste
a → ä	warm – lang – kalt – hart – alt	warm	wärmer	am wärmsten/der wärmste
		kalt	kälter	am kältesten/der kälteste
o → ö	groß	groß	größer	am größten/der größte
u → ü	jung – kurz	jung	jünger	am jüngsten/der jüngste
Adjektive auf: -er		teuer	teurer	am teuersten/der teuerste
-el		dunkel	dunkler	am dunkelsten/der dunkelste
Adjektive auf: -sch/-s/-ß/-z		frisch	frischer	am frischesten/der frischeste
-d/-t		intelligent	intelligenter	am intelligentesten/der intelligenteste
Sonderformen		gut	besser	am besten/der beste
		viel	mehr	am meisten/der meiste
		gern	lieber	am liebsten/der liebste
		hoch	höher	am höchsten/der höchste
		nah	näher	am nächsten/der nächste

Partizipien als Adjektive

Partizip I	der einfahrende Zug	*einfahrend* + Adjektivendung	Der Zug fährt ein.	Die Handlung dauert an.
Partizip II	der eingefahrene Zug	*eingefahren* + Adjektivendung	*Aktiv:* Der Zug ist eingefahren.	Die Handlung ist abgeschlossen.
	der eingebaute Motor	*eingebaut* + Adjektivendung	*Passiv:* Der Motor wurde eingebaut.	

Rektion der Adjektive

Ich bin auf den Erfolg meines Kollegen neidisch.
Er ist auf ihren Exfreund eifersüchtig.
Ich bin über deinen Besuch sehr froh.

neidisch sein   + *auf*   + *Akkusativ*
eifersüchtig sein   + *auf*   + *Akkusativ*
froh sein   + *über*   + *Akkusativ*

Aussage: Er ist auf den Exfreund eifersüchtig.
Frage: Auf wen ist er eifersüchtig? *(Person)*

Ich bin über deinen Besuch froh.
Worüber bist du froh? *(Sache)*

Unregelmäßige Verben

Infinitiv	3. Person Singular Präsens	3. Person Singular Präteritum	3. Person Singular Perfekt
abschließen (ein Studium)	er schließt ab	er schloss ab	er hat abgeschlossen
anfangen	er fängt an	er fing an	er hat angefangen
anbieten (Hilfe)	er bietet an	er bot an	er hat angeboten
anrufen	er ruft an	er rief an	er hat angerufen
aufwachsen	er wächst auf	er wuchs auf	er ist aufgewachsen
backen (Kuchen)	er bäckt	er backte	er hat gebacken
(an)braten (Fleisch)	er brät (an)	er briet (an)	er hat (an)gebraten
befinden (sich)	er befindet sich	er befand sich	er hat sich befunden
beginnen	er beginnt	er begann	er hat begonnen
bewerben (sich um eine Stelle)	er bewirbt sich	er bewarb sich	er hat sich beworben
bestehen (eine Prüfung)	er besteht	er bestand	er hat bestanden
beweisen	er beweist	er bewies	er hat bewiesen
bitten (um Hilfe)	er bittet	er bat	er hat gebeten
bleiben (zu Hause)	er bleibt	er blieb	er ist geblieben
brennen	es brennt	es brannte	es hat gebrannt
bringen	er bringt	er brachte	er hat gebracht
denken	er denkt	er dachte	er hat gedacht
durchfallen (bei einer Prüfung)	er fällt durch	er fiel durch	er ist durchgefallen
einladen (jemanden)	er lädt ein	er lud ein	er hat eingeladen
eintragen (sich in eine Liste)	er trägt sich ein	er trug sich ein	er hat sich eingetragen
empfehlen (einen Kurs)	er empfiehlt	er empfahl	er hat empfohlen
empfinden	er empfindet	er empfand	er hat empfunden
entscheiden (sich)	er entscheidet sich	er entschied sich	er hat sich entschieden
entstehen	es entsteht	es entstand	es ist entstanden
erfinden (den Buchdruck)	er erfindet	er erfand	er hat erfunden
ergreifen (Maßnahmen)	er ergreift	er ergriff	es hat ergriffen
erhalten	er erhält	er erhielt	er hat erhalten
essen	er isst	er aß	er hat gegessen
fahren	er fährt	er fuhr	er ist gefahren
fernsehen	er sieht fern	er sah fern	er hat ferngesehen
finden	er findet	er fand	er hat gefunden
geben	er gibt	er gab	er hat gegeben
gefallen (jemandem)	er gefällt	er gefiel	er hat gefallen

Infinitiv	3. Person Singular Präsens	3. Person Singular Präteritum	3. Person Singular Perfekt
gehen	er geht	er ging	er ist gegangen
gelten (*eine Regel*)	sie gilt	sie galt	sie hat gegolten
genießen	er genießt	er genoss	er hat genossen
gewinnen (*einen Überblick*)	er gewinnt	er gewann	er hat gewonnen
gießen (*Blumen*)	er gießt	er goss	er hat gegossen
greifen (*zur Fernbedienung*)	er greift	er griff	er hat gegriffen
heißen	er heißt	er hieß	er hat geheißen
helfen	er hilft	er half	er hat geholfen
hinterlassen (*eine Nachricht*)	er hinterlässt	er hinterließ	er hat hinterlassen
kennen	er kennt	er kannte	er hat gekannt
kommen	er kommt	er kam	er ist gekommen
laufen	er läuft	er lief	er ist gelaufen
leihen (*einen Stift*)	er leiht	er lieh	er hat geliehen
lesen	er liest	er las	er hat gelesen
meiden (*ein Gesprächsthema*)	er meidet	er mied	er hat gemieden
nachschlagen (*im Wörterbuch*)	er schlägt nach	er schlug nach	er hat nachgeschlagen
nachweisen (*etwas*)	er weist nach	er wies nach	er hat nachgewiesen
nehmen	er nimmt	er nahm	er hat genommen
nennen (*einen Namen*)	er nennt	er nannte	er hat genannt
salzen (*das Essen*)	er salzt	er salzte	er hat gesalzen
schlafen	er schläft	er schlief	er hat geschlafen
(auf)schließen	er schließt (auf)	er schloss (auf)	er hat (auf)geschlossen
schneiden (*Zwiebeln*)	er schneidet	er schnitt	er hat geschnitten
schreiben	er schreibt	er schrieb	er hat geschrieben
(an)sehen	er sieht (an)	er sah (an)	er hat (an)gesehen
sein	er ist	er war	er ist gewesen
sinken	er sinkt	er sank	er ist gesunken
sitzen	er sitzt	er saß	er hat gesessen
sprechen	er spricht	er sprach	er hat gesprochen
stattfinden (*eine Ausstellung*)	sie findet statt	sie fand statt	sie hat stattgefunden
(auf)stehen	er steht (auf)	er stand (auf)	er ist aufgestanden er hat gestanden
steigen	er steigt	er stieg	er ist gestiegen
streiten (*sich*)	er streitet sich	er stritt sich	er hat gestritten

Infinitiv	3. Person Singular Präsens	3. Person Singular Präteritum	3. Person Singular Perfekt
teilnehmen	er nimmt teil	er nahm teil	er hat teilgenommen
tragen (Kleidung)	er trägt	er trug	er hat getragen
treffen	er trifft	er traf	er hat getroffen
überbieten (einen Preis)	er überbietet	er überbot	er hat überboten
umziehen (in eine andere Stadt)	er zieht um	er zog um	er ist umgezogen
unterbrechen (einen Film)	er unterbricht	er unterbrach	er hat unterbrochen
unterhalten (sich)	er unterhält sich	er unterhielt sich	er hat sich unterhalten
verbieten (private E-Mails)	er verbietet	er verbot	er hat verboten
verbinden (jemanden)	er verbindet	er verband	er hat verbunden
verbinden	er verbindet	er verband	er hat verbunden
verfahren (sich)	er verfährt sich	er verfuhr sich	er hat sich verfahren
vergessen (Wörter)	er vergisst	er vergaß	er hat vergessen
verlaufen (sich)	er verläuft sich	er verlief sich	er hat sich verlaufen
verlieren (den Reisepass)	er verliert	er verlor	er hat verloren
vermeiden (Konflikte)	er vermeidet	er vermied	er hat vermieden
vertreten (eine Meinung)	er vertritt	er vertrat	er hat vertreten
verschieben (einen Termin)	er verschiebt	er verschob	er hat verschoben
verschlingen (Bücher)	er verschlingt	er verschlang	er hat verschlungen
verschreiben (sich)	er verschreibt sich	er verschrieb sich	er hat sich verschrieben
verschwinden (aus dem Raum)	er verschwindet	er verschwand	er ist verschwunden
versinken (im Langzeitspeicher)	es versinkt	es versank	es ist versunken
vollziehen (sich, Veränderungen)	es vollziehen sich	es vollzogen sich	es haben sich vollzogen
waschen	er wäscht	er wusch	er hat gewaschen
werden (krank/Direktor)	er wird	er wurde	er ist geworden
wissen	er weiß	er wusste	er hat gewusst

Textquellen: S. 11 (A7): Inf. aus *Welt am Sonntag*, 26.2.06; S. 20 (A27): Inf. aus *Die Zeit*, 20.4.06; S. 43 (A10): nach *Magazin des Kölner Stadt-anzeigers*, 26.4.06; S. 52 (A29): Inf. u. a. aus *H&V-Journal*, 12.10.05; S. 72 (A1): nach *Buchkäufer und Leser 2005* (Studie des Börsenvereins des Deutschen Buchhandels); S. 83 (A24): nach *P.M. 8/06*; S. 85 (B2): Inf. aus *tv-Spielfilm*, 19/06; S. 101 (A3): Inf. aus *Planet Wissen* (http://www.planet-wissen.de; G. Bolten); S. 116f. (B1): *Wladimir Kaminer*, Helden des Alltags, © 2002 Wilhelm Goldmann Verlag München in der Verlagsgruppe Random House GmbH; S. 134 (A5): Inf. aus *P.M.*, 7/04; S. 142 (A21): Inf. aus *tv*, 28/05 und *P.M.* 4/06; S. 144 (A24): nach *P.M.*, 6/06; S. 161f. (A4): Inf. u. a. aus *Der Spiegel*, 31.10.06; S.167 (A16): Inf. aus *Rheinische Post*, 22.6.06; S. 172 (A27): nach *Rheinische Post*, 22.6.06; S. 189 (A4): Inf. aus *P.M. 1/2000*; S. 193 (A13): Quelle: Veenhoven, R., World Database of Happiness, Erasmus University Rotterdam, The Netherlands, Assessed on 17.2.2013 at: http://worlddatabaseofhappiness.eur.nl; S. 202 (B1): Heinrich Hannover: Herr Böse und Herr Streit. Aus: Der vergessliche Cowboy. Mit freundlicher Genehmigung des Autors; S. 203 (B5): Inf. aus *Hannoverische Allgemeine*, 22.7.06; S. 217 (A4): Inf. aus *P.M. 7/06*; S. 226ff. (B4/B6): nach *Planet Wissen* (http://www.planet-wissen.de; A. Stober); S. 245f. (2): nach www.spiegel.de/unispiegel.
Bildquellen: S.17: © Bröhan-Museum, © Dt. Technikmuseum; S. 18: © DDR-Museum; S. 21 (Gemälde): *Werner Tübke*: Flügelaltar, *Paul Klee*: 1936,5 Südliche Gärten, *Neo Rauch*: Weiche, alle: © VG Bild-Kunst, Bonn 2007; *Gerhard Richter*: Tisch. Mit freundlicher Genehmigung des Künstlers; S.23/24: *Gerhard Richter*. Mit freundlicher Genehmigung des Künstlers; S. 85: A. Hauk (pixelio); S. 167: © ADAC/GDV; S.228: pixelio; **A. Buscha:** S. 8, 37(4), 40, 49, 50, 71 (3,4), 99, 131 (3,4), 132, 154, 159 (1,3,4), 161, 162, 170, 187 (1,2), 188, 215 (1,2,3), 219, 223, Cover (2,3,4); **D. Becker:** S. 7, 14, 19 (1), 37 (1,2,3), 55, 58, 71 (1,2), 73, 131 (1,2), 159 (2), 160, 172, 187 (3,4), 215 (4), Cover (1).